D0892601

La Ruée vers l'or noir

LINDA McQUAIG

La Ruée vers l'or noir

Comment le pétrole écrit l'histoire... et l'avenir du monde

Traduit de l'anglais par Jean-Louis Morgan

Catalogage avant publication de Bibliothèque et Archives Canada

McQuaig, Linda, 1951-

La ruée vers l'or noir : comment le pétrole écrit l'histoire... et l'avenir du monde

Traduction de : It's the crude, dude.

ISBN 2-7604-1012-9

1. Pétrole – Industrie et commerce – Aspect politique. 2. Guerre en Irak, 2003. 3. Pétrole – Industrie et commerce – Aspect de l'environnement. 4. Combustibles fossiles – Aspect de l'environnement. 5. Réchauffement de la terre. I. Titre.

HD9560.5.M3814 2005 333.8'232 C2005-940926-6

Maquette de la couverture : Christian Campana

Infographie et mise en pages : Composition Monika, Québec

Les Éditions internationales Alain Stanké remercient le ministère du Patrimoine canadien, le Conseil des arts du Canada, la Société de développement des entreprises culturelles du Québec (SODEC) et le Programme de crédit d'impôt du gouvernement du Québec du soutien accordé à leur programme de publication.

Les Éditions internationales Alain Stanké
7, chemin Bates
Outremont (Québec) H2V 4V7
Tél. : (514) 396-5151
Téléc. : (514) 396-0440
editions@stanke.com

Stanké international, Paris
Tél. : 01.40.26.33.60
Téléc. : 01.40.26.33.60

Dépôt légal : 2e trimestre 2005

ISBN : 2-7604-1012-9

Diffusion au Canada : Québec-Livres
Diffusion hors Canada : Interforum

TABLE DES MATIÈRES

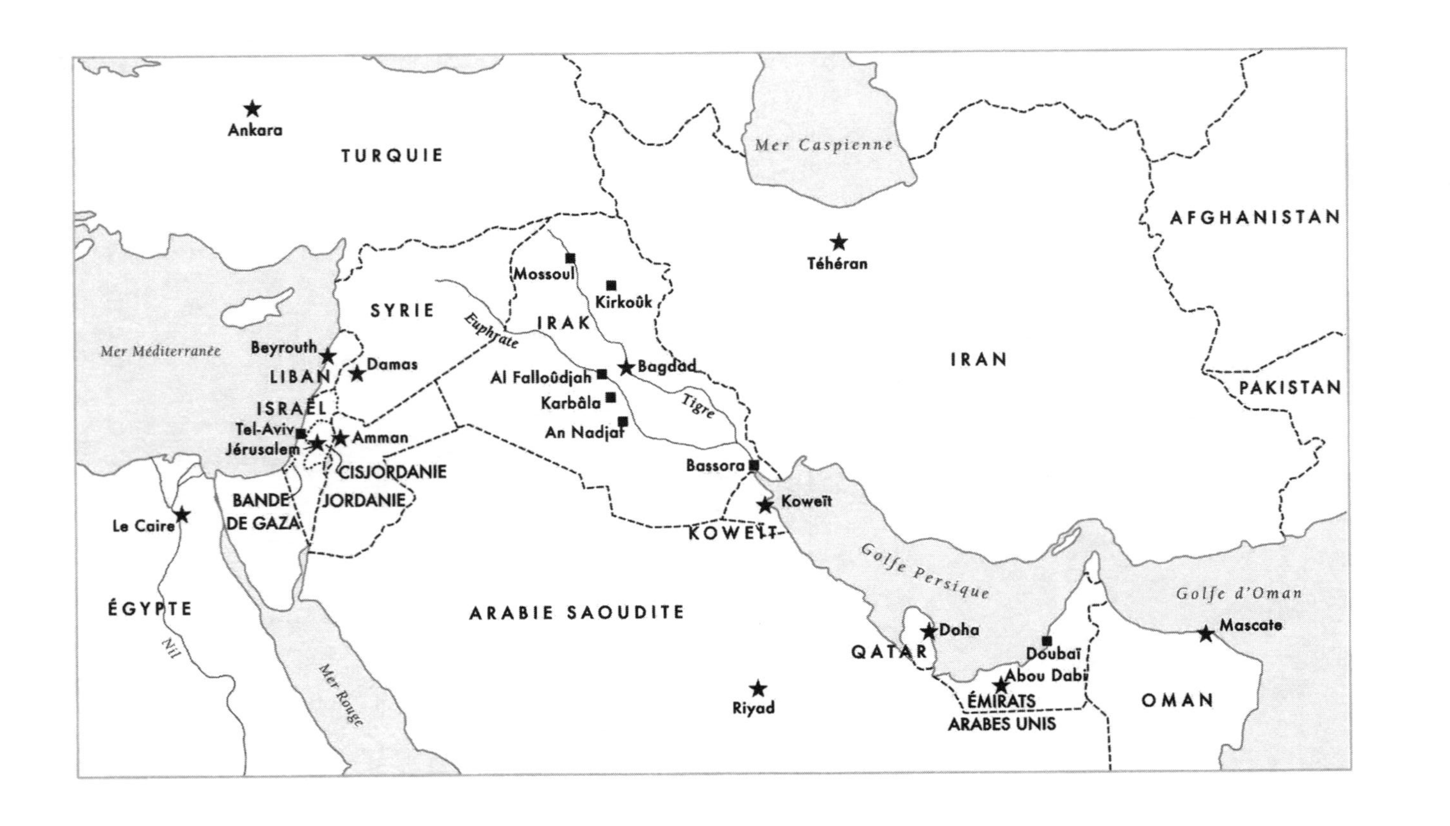
Ankara
TURQUIE
Mer Caspienne
AFGHANISTAN
Téhéran
Mossoul
Kirkoûk
SYRIE
IRAK
Euphrate
Mer Méditerranée
Beyrouth
Damas
LIBAN
ISRAËL
Al Falloûdjah
Bagdad
Karbâla
Tigre
An Nadjaf
IRAN
PAKISTAN
Tel-Aviv
Jérusalem
Amman
CISJORDANIE
BANDE DE GAZA
JORDANIE
Bassora
Koweït
KOWEÏT
Le Caire
Golfe Persique
Golfe d'Oman
ÉGYPTE
ARABIE SAOUDITE
Nil
Mer Rouge
Doha
QATAR
Doubaï
Abou Dabi
Mascate
ÉMIRATS ARABES UNIS
OMAN
Riyad

TABLEAU CHRONOLOGIQUE

Vers 500 millions d'années av. J.-C. – Enfouis dans la croûte terrestre, des matériaux organiques forment de vastes réservoirs de combustibles fossiles : pétrole, charbon et gaz.

Vers 1820 – Le scientifique français Joseph Fourier découvre que la chaleur d'une partie de la lumière solaire réfléchie par la Terre est retenue par l'atmosphère, phénomène qui occasionne un réchauffement de la planète.

Vers 1850 – On évalue la possibilité de transformer l'huile brute extraite du sol en une puissante source d'énergie.

1857 – On découvre du pétrole à Oil Springs, en Ontario.

1859 – On découvre du pétrole à Titusville, en Pennsylvanie.

1862 – John D. Rockefeller, investit dans sa première raffinerie de pétrole à Cleveland, en Ohio, et ne tarde pas à devenir l'un des leaders de l'industrie pétrolière des États-Unis.

1895 – Le chimiste suédois Svante August Arrhenius prédit que la combustion excessive des combustibles fossiles finira par modifier le climat de la planète.

1901 – La première entente visant à exploiter les gisements pétrolifères du Proche-Orient est signée entre le shah de Perse (plus tard, l'Iran) et un groupe financier londonien qui met sur pied la Anglo-Persian Oil (qui devait plus tard devenir la société BP).

1911 – La Cour suprême des États-Unis ordonne le démantèlement du conglomérat Standard Oil appartenant à Rockefeller. Les intérêts de ce dernier continuent toutefois à dominer l'industrie pétrolière par le truchement d'un groupe appelé Exxon.

1925 – Le nouveau gouvernement irakien signe une entente accordant à un consortium pétrolier américano-européen (qui portera plus tard le nom d'Irak Petroleum Company) une concession pour développer le pétrole de l'Irak jusqu'à l'an 2000.

1928 – Les têtes dirigeantes des trois principales compagnies pétrolières internationales – Exxon, BP et Shell – se rencontrent au château d'Achnacarry, en Écosse, pour se partager le marché pétrolier international.

1938 – On découvre du pétrole en Arabie saoudite. Les gisements seront éventuellement exploités par Aramco, un cartel de compagnies pétrolières américaines comprenant notamment Exxon.

1945 – Le président américain Franklin D. Roosevelt rencontre le roi d'Arabie saoudite Ibn Séoud et met au point un accord bipartite entre leurs deux pays.

1948 – Le Venezuela améliore ses ententes avec les compagnies pétrolières en négociant des droits d'exploitation de 50 % (contre seulement 12 % pour l'Arabie saoudite).

1951 – Élu démocratiquement, le gouvernement de Mohammed Mossadegh nationalise les pétroles iraniens. En signe de protestation, les principales compagnies pétrolières internationales boycottent le pétrole en provenance d'Iran, mais le gouvernement de ce pays refuse de reculer.

1953 – Washington envoie à Téhéran Kermit Roosevelt, un agent de la CIA afin d'organiser un coup d'État visant à renverser le gouvernement de Mossadegh. Washington fait en sorte qu'un shah monte sur le trône et gouverne en monarque absolu.

1956 – King Hubbert, un géophysicien, prédit que la production pétrolière américaine atteindra son apogée en 1970.

1958 – Le brigadier général Abd al-Karim Kassem prend le pouvoir en Irak. Afin que son pays reçoive sa juste part des retombées économiques pétrolières, il exerce des pressions sur les consortiums étrangers, mais n'obtient pas de résultats.

1959 – Washington impose des restrictions sur les importations de pétrole étranger ; celles-ci demeureront en vigueur pendant quatorze ans. Elles contribueront à la réduction des réserves pétrolières des États-Unis et rendront éventuellement ce pays dépendant du pétrole du Proche-Orient.

1960 – Lors d'une réunion tenue à Bagdad, l'Organisation des pays exportateurs de pétrole (OPEP) est créée, principalement grâce aux efforts d'Abdullah Tariki, d'Arabie saoudite, et de Juan Pablo Pérez Alfonzo, du Venezuela.

Tariki est nommé ministre des Ressources pétrolières au sein d'un cabinet réformiste comprenant d'importants avocats d'une réforme démocratique et un plus grand contrôle de l'Arabie saoudite sur les réserves pétrolières du royaume. Cette tentative de réforme meurt dans l'œuf.

1962 – Tariki perd son poste de ministre des Ressources pétrolières au profit du scheik Zaki Yamani, un pro-occidental.

1963 – En Irak, le populaire gouvernement Kassem est renversé par le parti Baas, d'orientation extrémiste.

1968 – En Irak, un deuxième coup d'État permet au parti Baas de consolider son emprise sur le pays, avec Saddam Hussein à la barre.

1969 – Un jeune officier de l'armée, d'origine nomade, Muammar al-Kadhafi, prend le pouvoir en Libye.

1970 – Kadhafi négocie une entente plus profitable pour son pays avec les instances pétrolières internationales.

Tel que prédit par King Hubbert, la production pétrolière américaine atteint son apogée.

1972 – Au cours d'une vague de nationalisations des ressources pétrolières qui submerge le Proche-Orient, l'Irak nationalise les siennes.

1973 – La guerre israélo-arabe éclate.

Pour la première fois, l'OPEP hausse les prix du pétrole de manière unilatérale. En l'espace de quelques mois, les prix quadruplent. Les revenus des nations membres de l'OPEP s'accroissent considérablement.

Afin de forcer Israël à se retirer des territoires palestiniens, les nations arabes membres de l'OPEP diminuent leur production de pétrole.

L'Arabie saoudite suspend tous ses envois de pétrole aux États-Unis.

1974 – La guerre israélo-arabe prend fin, et l'embargo de cinq mois décrété par les pays arabes est suspendu.

Exxon enregistre un bénéfice de 2,5 milliards de dollars pour l'exercice de l'année précédente – le gain le plus important jamais réalisé par une société.

1975 – Les États-Unis décrètent de nouvelles exigences pour rendre les voitures plus efficaces sur le plan énergétique (Corporate Average Fuel Economy ou normes CAFE). Les constructeurs réalisent des progrès notables à ce chapitre.

Lors d'un sommet se déroulant à Alger, les radicaux au sein de l'OPEP, influencés par le gouvernement algérien, veulent faire de l'organisation ce qu'ils appellent « le Bouclier du tiers-monde ». Cette tentative de radicalisation ne se concrétisera pas.

1979 – En Iran, une insurrection menée par des islamistes renverse le shah et prend les rênes du pays. Un groupe de militants investit l'ambassade des États-Unis à Téhéran et saisit 52 otages. Le dénouement de cette affaire prendra quatorze mois.

1980 – Dans le cadre d'une politique connue sous le nom de « doctrine Carter », le président américain Jimmy Carter déclare que toute tentative par une puissance extérieure de s'implanter dans la région du golfe Persique sera considérée comme une ingérence dans les intérêts primordiaux des États-Unis et qu'elle sera repoussée par tous les moyens, « y compris une intervention militaire ».

1988 – Une conférence scientifique internationale sur le réchauffement de la planète se tient à Toronto. Son rapport conclut que « l'humanité est en train de mener une expérience involontaire, incontrôlée, globalement envahissante, dont les conséquences ultimes sont presque aussi dommageables que celles d'un conflit nucléaire généralisé ».

Les Nations unies et l'Organisation météorologique mondiale mettent sur pied le Groupe intergouvernemental d'experts sur l'évolution du climat (GIEC) afin d'évaluer et de mieux comprendre le phénomène du réchauffement planétaire.

1990 – L'Irak envahit le Koweït.

1991 – Une coalition menée par les États-Unis boute les forces irakiennes hors du Koweït et inflige une sérieuse défaite à l'armée de Saddam Hussein.

1992 – Au Sommet de la Terre, qui se déroule à Rio de Janeiro, les leaders de 154 pays – y compris les États-Unis et le Canada – signent une convention où ils s'engagent légalement à prendre les mesures qui s'imposent pour régler la question du réchauffement mondial de la planète.

1993 – Le Canada, les États-Unis et le Mexique signent l'Accord de libre-échange nord-américain (ALENA) aux termes duquel le Canada accepte de partager ses ressources énergétiques sur un plan continental – une possibilité que Washington cherchait depuis longtemps à concrétiser. Le Mexique refuse de signer cette clause.

1995 – Après compilation de données fournies par des scientifiques du monde entier, le GIEC soumet un rapport concluant que les conditions climatiques de la terre risquent de se modifier sous l'influence de l'accumulation de gaz à effet de serre dans l'atmosphère et déduit que cet accroissement est dû aux activités humaines.

Dick Cheney devient directeur général de la société Halliburton, un géant spécialisé dans les services aux compagnies pétrolières.

1997 – Le *Project for the New American Century* (projet pour le nouveau siècle américain) ou PNAC voit le jour. Ses fondateurs font partie d'un groupe de néoconservateurs américains comprenant entre autres Dick Cheney, Donald Rumsfeld, Paul Wolfowitz, des personnages que l'on retrouvera plus tard dans l'administration de George W. Bush.

Les leaders mondiaux se réunissent à Kyoto, au Japon, afin de fixer un emploi du temps et des dates cibles pour réduire les émissions de gaz à effet de serre autour du monde.

1998 – Le PNAC envoie une lettre au président Clinton pour l'exhorter à faire de la destitution de Saddam Hussein un objectif de premier plan pour les États-Unis. La lettre souligne que les « intérêts vitaux américains dans la région du golfe Persique comprennent une partie importante des réserves mondiales de pétrole ».

2000 – Le président du Venezuela, Hugo Chávez, « sauve » l'OPEP et déclare que cette organisation devrait servir de modèle de développement pour le tiers-monde.

Une publication en provenance du PNAC demande que les États-Unis se transforment en une puissance qui, demain, devrait dominer le monde. On y émet pourtant des réserves : en l'absence d'un événement catalyseur et catastrophique du genre de l'attaque japonaise sur Pearl Harbor, une telle éventualité pourrait prendre un temps considérable.

2001 – Lors de la première réunion du National Security Council (NSC) ou Conseil national de sécurité, les dirigeants de la nouvelle administration Bush discutent d'une intervention possible contre Saddam Hussein.

Un groupe de travail américain sur l'énergie, sous la direction du vice-président Dick Cheney, est rapidement mis sur pied, et ses membres se rencontrent dans le plus grand secret. Ce groupe projette la « capture des gisements pétrolifères et gaziers connus et nouveaux ».

En mars, les États-Unis annoncent qu'ils ne ratifieront pas le protocole de Kyoto.

Le 11 septembre, un groupe de terroristes reliés à Al-Qaida attaque le World Trade Center et le Pentagone, et près de 3000 personnes trouvent la mort dans cet attentat. Le jour suivant, le président Bush s'efforce d'établir un lien entre Saddam Hussein et Al-Qaida.

2002 – Selon le *Wall Street Journal*, en octobre, des membres du personnel de Dick Cheney rencontrent les dirigeants des principales compagnies pétrolières, y compris Halliburton.

L'ancien directeur général de la Shell Oil, Philip Carroll, est pressenti par le Pentagone pour mettre au point une stratégie permettant de développer le secteur pétrolier irakien sous l'égide d'une compagnie de type américain.

Le Pentagone retient les services d'une filiale de Halliburton afin de se préparer à maîtriser les incendies de puits de pétrole, dans le cas d'une guerre avec l'Irak.

En décembre, le Canada ratifie le protocole de Kyoto.

2003 – En février, le secrétaire d'État américain Colin Powell se présente devant les Nations unies pour exhorter celles-ci à sévir contre l'Irak qui, selon lui, possède des « armes de destruction massive ». Au cours du même mois, un document confidentiel du gouvernement américain expose des plans pour remplacer l'économie irakienne, largement contrôlée par l'État, par une économie presque entièrement privatisée. Ce projet comprend la privatisation de l'industrie pétrolière irakienne.

En mars, un contrat de sept milliards de dollars est accordé à une filiale de Halliburton par le Pentagone pour éteindre les incendies de puits de pétrole (les contrats accordés à Halliburton en Irak s'élèveront finalement à 18 milliards de dollars).

Le 20 mars, une « coalition » menée par les États-Unis envahit l'Irak et écrase rapidement les forces militaires de ce pays. Elle occupe Bagdad au début d'avril.

2004 – Chargé d'enquêter sur la présence d'armes en Irak, l'inspecteur en chef américain David Kay déclare que, malgré des mois de recherche, « nulle preuve n'existe quant à l'existence d'armes de destruction massive dans ce pays ».

En juin, la Commission sur les attaques terroristes contre les États-Unis (mieux connue sous l'appellation de Commission du 11 septembre) diffuse un rapport intérimaire détaillé dans lequel on ridiculise les allégations de l'administration Bush selon lesquelles Saddam Hussein avait des liens avec Al-Qaida.

PRÉFACE

Vers le milieu de mai 2004, les animateurs de l'émission *Sunday Morning*, diffusée sur les ondes du réseau anglais de Radio-Canada, avaient réuni un groupe de discussion pour tenter de jeter quelque éclairage sur les circonstances de plus en plus catastrophiques de l'occupation de l'Irak par les États-Unis. Les commentaires allaient bon train, notamment à la lumière des dernières révélations désastreuses concernant la torture de prisonniers par des Américains à la prison d'Abou Ghraib. Les invités discutaient afin d'évaluer si Washington devait poursuivre sa mission pour créer un État démocratique en Irak ou bien se retirer du pays. On critiqua abondamment Washington pour une occupation qui, de toute évidence, constituait de plus en plus un cafouillage lamentable. Un élément de la discussion était particulièrement frappant : tous les invités – comme la plupart des gens dans les médias d'ailleurs – semblaient accepter l'hypothèse que les États-Unis se trouvaient en Irak pour ramener la démocratie dans la région.

Cette hypothèse était de taille ! La raison pour laquelle elle semble avoir été acceptée si facilement est particulièrement surprenante. En effet, elle n'a vraiment pris la vedette que lorsque l'explication originelle des motifs américains – soit la destruction des prétendues armes de destruction massive – a été abondamment discréditée. En acceptant l'affirmation de Washington selon laquelle les

Américains étaient principalement intéressés à libérer le peuple irakien et à apporter la démocratie au Proche-Orient, les commentateurs ont permis à Washington de donner à leurs actions en Irak un air de légitimité, voire de noblesse. Ainsi n'y a-t-il eu aucun terme à la célébration des valeurs américaines et à l'affirmation de leur supériorité morale, car même si les soldats américains torturent leurs ennemis, ils savent où s'arrêter en se gardant de les décapiter. (Malgré tout cela, en juin 2004, la mort de neuf prisonniers irakiens faisait l'objet d'une enquête pour homicide.) On a admis que bien des erreurs ont été commises en Irak – beaucoup trop d'ailleurs. Mais même si Washington s'était rendu coupable par ses méthodes, son manque de planification et même son manque de respect pour la Convention de Genève, son objectif final avait été, en fin de compte, décrit comme positif. Après tout, les États-Unis n'avaient-ils pas sacrifié 800 vies américaines et quelque 200 milliards de l'argent de ses contribuables dans une croisade destinée à apporter la liberté au peuple opprimé d'un autre continent ? C'est ainsi que les légendes se forment...

On peut, bien sûr, penser que cette affaire ne constitue surtout qu'une fable lénifiante. Il est possible que l'invasion américaine de l'Irak – de concert avec le désir de Washington d'affirmer plus fermement son hégémonie– n'ait eu d'autre raison, pour des questions géopolitiques et économiques, que de mettre la main sur les abondantes réserves de pétrole irakien. Cette raison ayant été commodément écartée par ceux et celles qui ont la haute main sur les médias et dominent le débat public, on ne se surprendra pas que l'on n'y ait accordé qu'une attention des plus superficielles. Il est naturel que cette question exige un sérieux examen, et c'est ce que nous essaierons de faire dans ce livre.

De prime abord, il existe une foule de preuves permettant d'étayer l'affirmation selon laquelle Washington avait toutes les raisons du monde pour désirer faire main basse sur les champs de pétrole irakiens. Après tout, ce type d'intervention ne serait que dans le prolongement historique du comportement des États-Unis au Proche-Orient. Depuis des décennies, le contrôle de cette région du monde afin de s'assurer l'accès à ses vastes ressources pétrolières a été une constante de la politique de la Maison-Blanche. Cette possibilité a été largement écartée du débat public, même s'il existe une abondante documentation pour la soutenir. En développant de manière plus large l'aspect historique de la question, cet ouvrage essaie de replacer l'intervention américaine en Irak dans un contexte plus significatif et, au cours de cette réflexion, de déterminer comment une telle intervention a soulevé, par inadvertance, un mouvement terroriste des plus virulents contre les États-Unis.

L'examen de la question pétrolière dans l'invasion de l'Irak par les États-Unis nous permet également de réfléchir sur les conséquences sous-jacentes de la dépendance que les nations modernes ont contracté vis-à-vis le pétrole. Ce dernier est indispensable à la vie économique du monde industrialisé, mais il s'agit d'une ressource limitée, et il en existe probablement beaucoup moins dans les entrailles de la Terre que le grand public ne l'imagine. Non, nous ne sommes pas à la veille de manquer de pétrole. Nous en avons suffisamment pour qu'on l'exploite pendant encore quelques décennies – mais ne nous leurrons pas : cela représente très peu de temps lorsqu'on sait le rôle que joue ce combustible dans notre mode de vie. Même si les puits ne se tariront pas du jour au lendemain, il faut probablement s'attendre à la fin d'un pétrole abondant et bon marché que l'on peut extraire du sol sans grande difficulté et que l'on peut revendre aux bas prix que nous avons connus au cours des dernières décennies. Les sommets atteints par le brut vers la fin du printemps 2004 ne sont peut-être que des indices de la réduction des réserves mondiales de pétrole faciles à exploiter[1]. Au cours des années qui viennent, non seulement devons-nous nous attendre à une augmentation des prix à la pompe, mais aussi à une compétition internationale féroce – allant jusqu'à l'intervention militaire – pour garder le contrôle des réserves d'or noir bon marché tel qu'on en trouve dans les régions particulièrement instables comme le Proche-Orient.

---

1. Les prix n'ont d'ailleurs pas cessé de s'élever au cours de l'automne 2004, atteignant au-delà de 55 $ US le baril. *(N.d.T.)*

Notre dépendance envers le pétrole soulève un autre problème crucial. Même si la concurrence pour s'approprier les réserves de moins en moins abondantes de pétrole provoque des polémiques et risque de causer des conflits internationaux, nos habitudes énergétiques ont des conséquences encore plus désastreuses : le réchauffement mondial de la planète. Ainsi nous trouvons-nous dans une situation particulièrement paradoxale : non seulement nous n'avons pas suffisamment de pétrole pour satisfaire la consommation croissante de ce combustible dans le monde, mais cette consommation effrénée risque en elle-même de bouleverser le climat. Nous sommes donc coincés entre le marteau et l'enclume, et n'avons même pas conscience de notre position précaire.

Mais le problème n'est pas aussi insoluble qu'il n'y paraît. En fait, il est étonnamment facile à résoudre : il existe d'autres formes d'énergie viables que nous pourrions adopter sans être obligés de modifier sérieusement notre mode de vie. Les obstacles à l'adoption de mesures plus écologiques sont de toute évidence de nature politique. Voilà de bonnes et de mauvaises nouvelles. Bonnes parce qu'on peut surmonter les obstacles politiques ; mauvaises parce que cela ne se fera pas facilement. Les éléments qui résistent aux changements comptent dans leurs rangs certaines des entités les plus puissantes du globe, notamment le gouvernement des États-Unis et les multinationales.

Ne reconnaître que l'importance de notre problème de dépendance à l'égard du pétrole serait déjà un pas dans la bonne direction, car les interminables faux-fuyants concernant l'Irak sont nuls et non avenus. Que les États-Unis réussissent ou non à s'approprier le pétrole irakien – étant donné la résistance fanatique qui se manifeste, on pourrait en douter à ce stade-ci –, le fait de se montrer un peu plus sceptique à l'égard d'envahisseurs qui se travestissent en libérateurs peut contribuer à jeter un éclairage quelque peu différent sur l'un des problèmes mondiaux les plus explosifs.

Linda McQuaig

Chapitre 1

DES FRUITS MÛRS À PORTÉE DE LA MAIN

« Donnez-nous votre argent. Nous vous donnerons le camion. Et tout ira bien... »[2] Le 4 × 4 qui illustre la publicité ci-dessus est un véhicule de guerre qui, disons, aurait sa raison d'être pour aller promener sa petite famille dans le centre-ville de Bagdad. Avec son apparence subtile de camion blindé de la Brink's, le Hummer semble dire aux autres automobilistes : « Ôte-toi de là, crétin ! » Pas d'erreur : on se sent en sécurité dans cet engin. Mais son slogan discutable nous rappelle le message des braqueurs de banques à leurs victimes : « Si vous vous tenez tranquilles, tout ira bien... » C'est là où la mince frontière entre une publicité culottée et une mensongère est franchie. En effet, la multiplication de ces véhicules ultra voraces en carburant constitue l'une des causes du réchauffement mondial de la planète et de l'impact catastrophique de celui-ci sur toute vie à la surface du globe.

Cette publicité devrait en fait se lire : « Donnez-nous votre argent. Nous vous donnerons le camion. Et bonjour l'apocalypse... »

* * *

La guerre est toujours une expérience déroutante, mais avec le lancement de l'offensive des États-Unis contre l'Irak au printemps de

2. Publicité 2003 pour le véhicule tout-terrain Hummer.

2003, il semble que le monde soit entré dans une étrange quatrième dimension, une zone floue. Nous suivions jour après jour les sempiternelles inspections menées par la communauté internationale et l'inspecteur en chef exposant en détail les progrès de sa mission, lorsque celle-ci fut suspendue de manière abrupte afin que Washington puisse commencer à déverser ses bombes sur Bagdad, une ville de cinq millions d'habitants – le secrétaire d'État américain à la défense Donald Rumsfeld avait promis que cette attaque aurait « une puissance et un déploiement dépassant tout ce que l'on avait pu voir précédemment ». Non sans une pointe d'ironie, le président des États-Unis George W. Bush avait expliqué à l'occasion d'une allocution télévisée que ces bombardements avaient pour objectif de « rendre le monde plus pacifique ». (Je vous laisse imaginer ce qu'il pourrait faire s'il désirait rendre le monde plus violent !) Ainsi, en soirée, au lieu de voir les autorités irakiennes en train de démanteler ses missiles Al-Samoud sous l'autorité des inspecteurs des Nations unies, nos écrans de télé étaient remplis d'images montrant des explosions et des édifices brûlant dans Bagdad.

Chaque station de télévision possède ses experts militaires maison. Ils sont équipés de marqueurs de couleur pour tracer les mouvements de troupes, un peu comme les commentateurs de la météo nous montrant l'arrivée d'un front froid ou les chroniqueurs sportifs soulignant un coup plutôt génial dans le champ gauche. Chaque station avait son propre logo de guerre (« Objectif Irak », « Attaque en Irak », « Frappe sur l'Irak »). Pour CNN, un logo parfaitement dans le ton aurait pu être « Les joies de la guerre » ou « Allons-y gaiement ! » De concert avec un reporter de CNN décrivant un char américain roulant vers Bagdad comme « la machine à tuer la plus meurtrière au monde », le présentateur Aaron Brown avait du mal à dissimuler son émoi. « N'êtes-vous point émerveillé par ce que vous voyez ? » avait-il demandé au général de service chez CNN, Wesley Clark (qui devint plus tard candidat démocrate à la présidence). Les deux hommes contemplaient avec un évident émerveillement les machines américaines semeuses de mort rouler sur le sable.

Lorsqu'un important contingent de soldats américains investit le territoire irakien, Rumsfeld prévint les citoyens de ce pays que tout sabotage de puits de pétrole serait considéré comme un « crime de guerre ». De toute évidence, arroser la population avec des méga-bombes est une chose, mais détruire un puits de pétrole en parfait état de marche en est une autre frisant la personnification du mal. Ce commentaire de Rumsfeld aurait pu être interprété comme un indice que le pétrole était une préoccupation primordiale pour ceux qui avaient ordonné l'invasion du fief de Saddam Hussein. Une telle idée fut vigoureusement démentie par Rumsfeld en personne qui déclara : « La guerre en Irak n'a absolument rien à voir avec le pétrole... » Curieusement, cette prétendue absence de rapport entre l'invasion et le désir de s'approprier le pétrole irakien fut partagée par la plupart des commentateurs des principaux médias, qui, si l'on évoquait la possibilité d'une telle connivence, ne tardaient pas à passer à un autre sujet.

C'est ainsi que, pendant que se déroulait la saga irakienne, le pétrole semblait être curieusement absent de la scène, invisible, dissimulé à la vue de tous.

* * *

En évoquant le sujet controversé du réchauffement de la planète, on hésite à affirmer que la fin du monde est proche ou qu'il risque de survenir encore plus vite que le dernier divorce de Larry King[3]. Personne n'a envie de passer pour un froussard alarmiste. C'est ainsi que le groupe, relativement peu important, des sceptiques à propos du réchauffement planétaire surnomme les personnes préoccupées par la question.

Il est toutefois intéressant de noter que les froussards alarmistes ont déjà infiltré le Pentagone, l'un des rares lieux où, avec l'Institut national du pétrole et la Maison-Blanche, on semble faire preuve

3. Commentateur de CNN dont les unions éphémères et les remariages à répétition sont bien connus des amateurs américains de potins du genre. *(N.d.T.)*

d'indifférence envers les risques engendrés par notre consommation effrénée d'hydrocarbures. Un rapport commandé par l'influent conseiller du Pentagone Andrew Marshall et présenté en ce lieu en octobre 2003 décrit comment le réchauffement planétaire transformerait le monde de façon dramatique au cours des vingt prochaines années. On découvre dans ce compte rendu que les principales villes d'Europe seraient submergées, que la Grande-Bretagne subirait les effets d'un climat sibérien, tandis que d'autres parties du monde – notamment la côte est de l'Amérique du Nord – seraient forcées de vivre sous de violentes tempêtes hivernales et des sécheresses prolongées. Ailleurs dans le monde, on s'attendrait à des typhons, à des sécheresses interminables et une famine endémique. Le rapport poursuit que ces changements catastrophiques mèneraient à des conflits généralisés, à des émeutes et même à une guerre nucléaire. « L'humanité régresserait au stade où il lui faudrait se battre en permanence pour avoir accès à un nombre de ressources de moins en moins abondantes, souligne-t-on dans cette analyse du Pentagone. Une fois de plus, la vie humaine serait tributaire d'un état de guerre permanent. »

Hormis sa source, ce qu'il y a de plus frappant dans ce rapport du Pentagone, c'est qu'il brosse un tableau bien plus effrayant que celui soumis généralement au public par des groupes environnementalistes. Probablement, ces derniers ont appris, après des années de lutte acharnée, à ménager leur crédibilité en tenant des propos aussi peu alarmistes que possible. Imaginons un peu les activistes de Greenpeace en train de prétendre que le réchauffement de la planète nous conduirait à un conflit nucléaire ! Tout comme Nixon pouvait tirer son épingle du jeu en faisant la paix avec la Chine (car personne ne pouvait l'accuser d'être communiste), le Pentagone peut s'en tirer élégamment en laissant filtrer un véritable scénario catastrophe sur les conséquences du réchauffement de la planète (parce que personne n'oserait accuser les militaires de faire du sentimentalisme bien-pensant sur les questions environnementales). Voilà pourquoi un tel rapport ne fait guère de vagues.

Toute personne gardant allègrement ses distances vis-à-vis ces inquiétantes prévisions de réchauffement planétaire et s'imaginant qu'on y trouvera une solution – et qu'entre-temps un peu plus de chaleur sur les plages ne serait pas une si mauvaise chose – risque de subir un choc en prenant connaissance de ce rapport du Pentagone. La première rectification à apporter à ce raisonnement est de ne pas nous imaginer que nous nous exposons seulement à un réchauffement. Après tout, pour les Canadiens, une telle idée ne semble pas si mauvaise. Bien que peu souhaitable pour les ours blancs, la fonte des glaces des calottes polaires ne paraît pas nous déranger outre mesure. Le rapport souligne pourtant qu'à la lumière de preuves recueillies récemment, il existe une possibilité d'impact plutôt tragique : le dysfonctionnement du Gulf Stream. Les systèmes climatiques du monde étant interactifs, les surplus d'eau douce engendrés par la fonte des calottes polaires et des glaciers empêcheraient le Gulf Stream de jouer son rôle, soit faire remonter de l'eau chaude de l'Atlantique Sud vers le nord et, ce faisant, de protéger les populations de l'Europe et la côte est de l'Amérique du Nord d'un climat sibérien. (On note dans le rapport que, lorsque ce même système se dérégla voilà 12 700 ans, des icebergs flottaient au large du Portugal.) Si le terme « réchauffement planétaire » peut nous sembler anodin et même réconfortant, comme la caresse du soleil aux premiers jours du printemps, que dire de l'expression « glaciation planétaire » ?

Il existe une autre pensée réconfortante selon laquelle l'ingéniosité de l'homme lui permettra de survivre à une telle éventualité. Il n'est pas interdit de penser que, en leur fournissant des motivations suffisamment généreuses, les cerveaux qui nous ont donné Internet et la télé à écran plat imagineront des solutions aux problèmes avant que la situation ne dégénère. Seulement voilà, elle a peut-être déjà dégénéré. Le rapport du Pentagone souligne que nous avons tendance à considérer le réchauffement planétaire comme un problème qui se fera sentir graduellement, ce qui nous donnera la possibilité de nous adapter et, en agriculture, peut-être même d'en tirer avantage avec de plus longues saisons de récolte. Le rapport déclare clairement :

« Vu dans cette perspective, ce scénario climatique est probablement un leurre des plus dangereux, car, de plus en plus, nous avons [déjà] à faire face à des désastres reliés aux changements de climat. Au lieu d'un réchauffement planétaire pouvant s'échelonner sur des décennies ou sur des siècles, des preuves récentes nous indiquent qu'un scénario climatique plus désastreux se profilerait déjà à l'horizon. » Voilà pourquoi le rapport attire l'attention sur ce qu'il appelle un « scénario de changement climatique abrupt » qui aurait déjà commencé. Au lieu d'un réchauffement graduel, que diriez-vous d'une glaciation planétaire ne débutant pas plus tard que *demain* ?

Cependant, l'objectif réel de ce rapport n'est pas tant d'attirer l'attention des intéressés sur ces scénarios catastrophes que de suggérer qu'ils soient traités comme des préoccupations d'envergure nationale. Selon le rapport, un changement brutal de climat est fort « plausible » et « présenterait un risque pour la sécurité nationale du pays selon des paramètres dont il faut immédiatement tenir compte ». Il est vrai que l'idée de voir la vie sur Terre revenir à un mode de survie primitive, désespérée et brutale revient à faire face à la terreur aussi réelle que celle engendrée par les pirates de l'air ou les saboteurs de ponts.

Le rapport – préparé pour le Pentagone par le conseiller commercial Doug Randall et Peter Schwartz, l'ancien directeur de la planification du groupe Royal Dutch / Shell – n'a jamais été destiné au grand public. Mais même lorsqu'une fuite volontaire fit connaître le rapport au prestigieux *Observer* de Londres en février 2004, on constata avec surprise le peu d'attrait des principaux médias. Alors que pratiquement chaque Nord-Américain était au courant de l'incident au cours duquel Janet Jackson exhiba l'un de ses seins, seule une infime portion du même public fut tenu au courant d'un événement autrement spectaculaire : des spécialistes américains de la sécurité estimaient que notre consommation effrénée de combustibles fossiles ne tarderait pas à sonner le glas de la vie sur Terre sous sa forme actuelle. Il est évident que l'administration Bush, qui avait reçu un considérable appui financier des compagnies pétrolières et avait refusé de participer à l'effort international visant à assainir l'atmosphère, n'était pas pour changer son fusil d'épaule et renoncer à sa « guerre contre le terrorisme ». La croisade visant à protéger la sécurité du pays devait continuer à surveiller de près de mystérieux barbus en cafetan plutôt que des hommes d'affaires en complets-veston brandissant des chèques importants libellés à l'ordre du Parti républicain.

* * *

Même oubliés depuis longtemps, les progrès effectués dans le domaine du textile britannique au XVIIIe siècle furent suffisamment remarquables pour mobiliser dans le Yorkshire les fileurs sans emploi qui mirent à sac, en 1745, la maison du fabricant de lainages, John Kay. Ce dernier avait inventé une manière d'améliorer sensiblement le métier à tisser (la machine fonctionnant à la main qui avait permis à la Grande-Bretagne de se positionner très tôt sur l'échiquier des nations industrielles). Jusqu'à l'invention de Kay, deux fileurs étaient nécessaires pour lancer et renvoyer les navettes de bois qui permettaient, par un mouvement d'aller-retour, de croiser les fils pour les transformer en étoffe. L'idée était de monter la navette de bois sur des roulettes et de l'attacher à un ressort pouvant être actionné grâce à une cordelette. Cette petite idée ingénieuse changea la nature du tissage. Le procédé laborieux qui consistait à déplacer interminablement les navettes d'un bord à l'autre entre deux paires de mains appartenait au passé. Avec la « navette volante » de Kay, un seul tisserand pouvait tout faire en à peu près la moitié du temps.

Dans les filatures, cette amélioration technologique se traduisit par une baisse soudaine de demande de main-d'œuvre et rendit la vie précaire aux ouvriers les moins spécialisés qui approvisionnaient en fil les tisserands plus qualifiés. De moins en moins en demande, les fileurs ne tardèrent pas à apprendre la cause de leurs malheurs, et ils entreprirent de saccager la maison de Kay, contenant et contenu. Dans sa sagesse, Kay put prévoir le coup dès que la foule se massa à sa porte. Avec l'ingéniosité qui lui avait permis de révolutionner le tissage, il s'arrangea pour se déguiser de manière à passer pour un des émeutiers et à se glisser à l'extérieur par la porte d'en arrière.

Le sort de Kay n'est pas unique, car les inventeurs de nouveaux procédés industriels risquent souvent de causer un tort considérable aux travailleurs. James Hargreaves, un tisserand rondouillard, le constata à ses dépens lorsque, une belle journée de 1764, il découvrit que le fuseau d'un métier fonctionnerait mieux s'il se trouvait en position verticale – il eut cette idée en regardant le rouet que sa femme Jenny avait renversé sur le sol. Même s'il fit, au début, preuve de prudence en conservant son métier amélioré dans le cadre familial, il n'en fut pas moins tenté de monnayer son invention et se mit à vendre une machine améliorée nantie de huit fuseaux disposés verticalement. Il la nomma jenny en l'honneur de sa femme. Ces multiples fuseaux verticaux fonctionnaient beaucoup mieux lorsque des enfants, aux doigts plus délicats, s'en occupaient. L'arrivée soudaine de travailleurs juvéniles dans l'industrie textile représentait une sérieuse menace pour les fileurs aux doigts grossiers. En 1768, ces hommes détruisirent allègrement la première jenny de Hargreaves ainsi que l'intérieur de sa maison.

La même année, un jeune apprenti barbier du nom de Richard Arkwright se trouva attiré par le même défi que celui ayant retenu l'attention de gens astucieux vers la fin des années 1760, c'est-à-dire comment améliorer le métier à tisser. Le jeune homme inventa un moyen d'améliorer le tissage en augmentant la résistance du fil utilisé, une innovation qui ouvrit la voie à la fabrication des cotonnades. Il se montra suffisamment futé pour s'enfermer dans une maison louée dissimulée dans d'épais fourrés de groseilliers. Lorsqu'il s'aperçut que les habitants de Preston commençaient à le regarder de travers, il s'installa à Nottingham, une ville un peu plus sûre. Il y mit au point le bâti d'un métier de grande taille activé par des chevaux, puis déménagea près d'une rivière où il put remplacer les chevaux par l'énergie hydraulique. Cette innovation permit la production massive de calicots aux couleurs vives ou « indiennes », des tissus qui marquèrent la naissance des fabriques modernes de textiles. Il s'instaura alors une sorte d'événement mondain qui existe encore dans les sociétés anglo-saxonnes : le *Calico ball* ou Bal des calicots.

Alors que le monde profitait de ces améliorations techniques, les travailleurs mis à pied dans l'industrie textile ne pouvaient guère que les maudire, crever de faim et, à l'occasion, démolir ces satanées machines. Ils payèrent très cher cette résistance. Les autorités de l'époque décrétèrent des punitions très sévères, dont la peine de mort, pour toute personne prise à détruire l'équipement des filatures. Les historiens ne se sont guère montrés cléments dans leur description de ces travailleurs rejetés, appelés les luddites[4]. Ils les décrivent comme des revanchards criards, coincés par leurs intérêts méprisables, des énergumènes incapables de percevoir dans les changements auxquels ils résistaient les avantages remarquables qu'ils apportaient à l'humanité.

On pourrait établir une sorte de parallèle entre les luddites et un groupe bien différent qui, aujourd'hui, résiste de façon farouche au changement. Ces gens n'ont pas besoin de pénétrer dans les foyers des artisans pour démolir les machines qui menacent leur emploi. C'est inutile, car ils gèrent les affaires mondiales.

* * *

On peut s'attendre à ce que les bureaux réservés aux cadres supérieurs du siège social de la plus importante société au monde, ExxonMobil, dégagent une impression de puissance. Pour mieux ressentir ce qu'est ce saint des saints situé à Irving, au Texas, peut-être vaut-il mieux utiliser l'expression consacrée au sein de l'industrie pétrolière : *The God Pod*, le Repaire de Dieu. Cette expression est appropriée, car là réside quelqu'un dont la puissance sur terre est la plus proche de celle de Dieu. Au sommet de ce repaire, on trouve Lee R. Raymond, président du conseil d'administration et directeur général d'Exxon. Un reportage publié en première page de *Business Week* en avril 2001 a

4. Appellation venant du nom de John Ludd, l'un des pionniers de cette lutte. Ce mouvement prolétaire de résistance à l'industrialisation s'étendit à toute l'Angleterre et dura jusque vers 1816. *(N.d.T.)*

peut-être minimisé l'importance de cette réputation en se contentant de surnommer ce magnat du pétrole par le terme simpliste « l'Homme ».

Les fonctions de Lee R. Raymond sont multiples, mais se résument finalement à ceci : conserver à Exxon la place qu'elle occupe depuis un siècle et demi – au sommet du monde des entreprises, la plus grosse et la plus riche de toutes les sociétés de la planète. Cela signifie que le conglomérat doit croître constamment et administrer un empire immense et complexe où l'on produit, raffine et distribue des produits pétroliers et du gaz. Un empire qui a pour concurrents d'autre géants qui lui mordent les talons comme Royal Dutch / Shell, BP et Chevron Texaco. Depuis plus d'un siècle, tout comme son ancêtre la Standard Oil Company de John D. Rockefeller, Exxon a su garder ses rivaux à distance, parfois en les détruisant, parfois en se faisant leur complice, finalement en les dominant.

Depuis sa découverte vers le milieu du XIXe siècle, le pétrole est devenu une source d'énergie quasi divine. Bien des entreprises ont essayé d'accaparer le contrôle de cet or noir et visqueux enfoui aux quatre coins du globe. Au cours de cette lutte haute en couleur, ne connaissant souvent pas de lois, bien des gens se sont retrouvés littéralement imbus de puissance. Au cours du siècle qui vient de s'écouler, on ne se s'interrogea guère sur des questions importantes comme de savoir ce qui arriverait au tarissement des réserves de ce liquide magique. Après tout, il avait mis des millions d'années à se former et, une fois brûlé, était non renouvelable. L'aspect le plus important – et aussi le plus négligé – de la question concernait les dommages causés à l'environnement par la combustion des produits pétroliers. Depuis environ seulement une vingtaine d'années, à notre plus grande surprise, nous avons appris les méfaits imputables à ces produits.

La soudaine prise de conscience touchant le « réchauffement planétaire » a en quelque sorte souillé l'innocence de la chasse au trésor. C'est toujours le pétrole qui fait fonctionner l'économie mondiale, et nous sommes toujours aussi décidé à mettre la main sur l'or noir.

Toutefois, la réalité d'aujourd'hui est pénible : consommer davantage d'hydrocarbures n'est peut-être pas la meilleure idée qui soit. En fait, cette idée est parfaitement idiote quand on sait qu'en consommant des produits pétroliers ou tout autre combustible fossile, on envoie des quantités énormes de gaz carbonique dans l'atmosphère d'une manière qui risque de modifier le délicat écosystème de la planète. Nous reviendrons à la gravité de cette menace, mais, pour l'instant, contentons-nous d'examiner le problème selon le point de vue des gens qui règnent dans le Repaire de Dieu.

Les tentatives possibles du monde pour réduire sa dépendance aux combustibles fossiles ont des conséquences incalculables pour la multinationale Exxon. Selon *Business Week*, la « menace ultime » contre la domination absolue d'Exxon « repose probablement sur l'apparition perturbatrice d'une nouvelle technologie dans le domaine des carburants ». Cette technologie menaçante prendrait la forme d'un moteur qui utiliserait juste une quantité infime d'essence ou – horreur ! – pas d'essence du tout. Pour simplifier, disons qu'il s'agit là du pire cauchemar d'Exxon. Qu'arriverait-il si la plus importante société au monde se mettait à découvrir des champs de pétrole de plus en plus riches et que *personne ne voulait acheter de pétrole* ? Si cette nouvelle technologie se révélait « perturbatrice » pour Exxon, elle le serait certainement moins pour l'humanité qui aurait l'avantage d'avoir accès à une technologie efficace sur le plan des transports et respectueuse de l'environnement.

Le magazine *Business Week* se garde de parler de l'humanité et, dans cet article, on ne fait nullement allusion aux avantages d'une telle technologie. En revanche, on y mentionne que, dans les laboratoires de recherche, les scientifiques sont vivement intéressés à découvrir une solution de remplacement rentable aux moteurs énergivores. *Business Week* ne manque pas de faire remarquer que même la toute-puissante Exxon a investi des dollars pour enquêter sur les technologies de rechange, surtout dans les années soixante-dix et quatre-vingt, mais que, pour l'instant, elle fonde sa future stratégie « en pariant massivement sur le fait que la demande pour les produits pétroliers et le gaz continuera à s'accentuer jusqu'en 2010 et bien au-delà ».

Au premier abord, il semble que, tout simplement, Exxon se prépare pour l'avenir de manière responsable. Toutefois, l'article ne mentionne pas un autre point : cette multinationale lutte ardemment pour maintenir le monde tributaire des ressources pétrolières. En d'autres termes, Exxon n'a pas uniquement parié sur le fait que les pays voudraient peut être continuer à fonctionner grâce au pétrole. Raymond a plutôt mobilisé les vastes ressources de son entreprise pour s'assurer justement que cela arrive et que le monde soit incapable de fonctionner sans les produits qu'il vend. Plus que n'importe quel individu, Raymond a guerroyé pour arrêter la mise en œuvre du protocole de Kyoto, ce traité international destiné à limiter les émissions favorisant un réchauffement planétaire. L'agressive campagne d'Exxon, qui s'est étendue sur dix ans, a atteint son apogée lorsque George W. Bush, deux mois après être entré en poste, a pris la décision dramatique de supprimer l'appui des États-Unis au protocole de Kyoto. Ce geste met sérieusement en danger les possibilités des nations de s'attaquer au problème du réchauffement mondial avant que les dommages causés par celui-ci ne deviennent irréversibles. (Autre bizarrerie : dans son article de couverture, paru un mois après la décision catastrophique de Bush, *Business Week* se garde de mentionner le rôle d'Exxon dans le désengagement des États-Unis du protocole de Kyoto. C'est pourtant le pouvoir effrayant que ce conglomérat possède.)

En omettant de parler de l'attitude anti-Kyoto d'Exxon, *Business Week* nous présente Raymond comme un aimable président essayant de deviner les besoins de sa clientèle et de voir comment son entreprise pourrait mieux la servir. On le décrit comme un homme « ouvert aux ressources énergétiques de rechange », mais ce visionnaire exprime quelque scepticisme en doutant qu'elle soient « concurrentielles » dans un avenir rapproché. Autrement dit, c'est précisément ce qu'Exxon voudrait nous faire croire. Il n'existe pas de solution de rechange viable ou à prix raisonnable susceptible de remplacer le pétrole, et tout le reste n'est que rêves fumeux pour idéalistes impénitents. Dans cet article, on oublie également que les voitures fonctionnant avec très peu d'essence ou pas d'essence du tout existent et fonctionnent bien. Tout ce qui manque à ces véhicules innovateurs pour être vraiment « concurrentiels », ce sont de généreuses subventions gouvernementales, consenties à pratiquement chaque secteur manufacturier relié à la fabrication de voitures traditionnelles fonctionnant à l'essence (un sujet que nous explorerons plus tard). De plus, une lacune dans les règlements américains accorde un traitement de faveur à l'un des véhicules les plus gloutons qui soient, le « véhicule utilitaire sport » ou VUS. L'engouement croissant pour ce type de voiture a permis que la flotte de véhicules nord-américains actuelle possède le plus bas indice d'efficacité énergétique enregistré depuis vingt-deux ans. Sans cette absurde lacune[5] et sans les nombreux milliards de subventions annuelles, les nouvelles voitures plus économiques en carburant seraient parfaitement concurrentielles, mais perturberaient dangereusement l'ordre établi.

Autre curiosité, ces politiques perverses semblent avoir affaire avec la « liberté ». Lee Raymond aime décrire les strictes normes européennes concernant l'efficacité énergétique comme des entraves à la liberté que les Américains trouveraient intolérables. Comme il le confia à un quotidien anglais : « En Europe, on décrète quel genre de voiture les gens doivent conduire. La plupart des Américains préfèrent décider eux-mêmes – c'est d'ailleurs pour ça qu'ils ont quitté [l'Europe]... » On voit mal le rapport qui existe entre la liberté et le fait de conduire des véhicules énergivores...

Ce que *Business Week* omet dans son article est de faire le rapprochement possible entre la haute administration d'Exxon et les ouvriers tisserands qui mirent à sac la maison de John Kay en 1745. Les dirigeants d'Exxon, tout comme les fileurs, se sentent menacés par le progrès qui fait évoluer les techniques. Dans les deux cas, la

5. Les VUS sont assimilés aux camionnettes et échappent donc à la législation s'appliquant aux voitures de tourisme. *(N.d.T.)*

résistance au changement est similaire, et l'objectif est de s'accrocher désespérément au *statu quo* – pour Exxon, le but consiste à demeurer au sommet de la pyramide des compagnies pétrolières – alors que dans le cas des fileurs, il s'agissait de ne pas crever de faim.

Alors qu'à leur époque les fileurs durent payer très cher leurs gestes destructeurs et sont ensuite devenus la risée des historiens, Lee Raymond s'enrichit davantage, possède un pouvoir incroyable et, dans les magazines, on le célèbre comme un homme d'affaires clairvoyant. Si la comparaison entre les luddites du XVIIIe siècle et ceux d'aujourd'hui semble audacieuse, on se demande si ce ne sont pas les ouvriers tisserands de l'époque qui ont été injustement floués. S'il est vrai que leurs actions n'étaient guère recommandables, ils n'en étaient pas moins acculés au pied du mur, et leurs familles risquaient de mourir de faim. En contrepartie, les dirigeants d'Exxon ne sont pas ce qu'il est convenu d'appeler des cas sociaux. Ils font partie de la caste des cadres supérieurs les mieux payés de l'histoire et, au pire, Exxon pourrait perdre certaines parts du marché sans déclarer faillite. Si une telle perte de revenus survenait, nul occupant du Repaire de Dieu, nul membre de leur famille ne risquerait de mourir de faim.

Il n'est guère difficile d'en déduire que ces luddites du XXIe siècle sont autrement dangereux que les malheureux prolétaires saccageurs de filatures. Après tout, refuser à l'humanité la possibilité de sauver l'écosystème de notre planète – qui assure rien de moins que notre survie – est un délit autrement plus condamnable que de refuser à cette même humanité les bénéfices de la navette volante ou même le *Calico ball.*

* * *

Dans le monde hautement compétitif des cellules de réflexion de la capitale américaine, les pistes à suivre par les partisans de la droite ont été abondamment foulées par ces derniers. On y a invoqué jusqu'à la nausée le concept de liberté et glosé sur les horreurs du *Big Government* – de l'État envahissant. Les nouvelles cellules de réflexion se trouvent inévitablement coincées si elles tiennent à récupérer une partie des sommes généreuses que les conglomérats et les fondations sont prêtes à leur offrir. Au Competitive Enterprise Institute, un organisme qui a le vent en poupe et que l'on ne doit pas confondre avec l'American Enterprise Institute, plus ancien, bénéficiant d'un financement adéquat et d'appuis valables sur le plan politique, le ton monte graduellement, et les positions que l'on y adopte sont plutôt boiteuses. Kyoto est un objectif important, mais ceux qui défendent ce protocole sont accusés d'« animosité envers l'humanité ».

Au Competitive Enterprise Institute, le directeur du service qui s'occupe des questions de réchauffement planétaire et des politiques environnementales internationales, un certain Myron Ebell, se gargarise volontiers avec l'expression « animosité envers l'humanité » en soutenant que les écologistes considèrent l'homme comme un être foncièrement mauvais. « [Ils croient] que les êtres humains sont des créatures perverses et que toute modification de la nature par leurs soins est par principe maléfique », n'hésite-t-il pas à claironner. Ebell est un homme plutôt jovial, élevé dans l'Ouest rural et diplômé en philosophie. Depuis son installation à Washington dans les années quatre-vingt-dix, il a travaillé comme lobbyiste pour les politiciens et pour les causes de la droite américaine.

Ebell avoue ne pas avoir une formation scientifique très étendue, mais cela ne l'empêche pas de rejeter allègrement les données concernant le réchauffement planétaire, même si elles sont largement jugées crédibles par la communauté scientifique internationale. De son siège au conseil d'administration de son Institut, Ebell n'hésite pas à déclarer : « Nous estimons que l'argumentation alarmiste des scientifiques est faible, mais nous essayons autant que possible de rendre justice à la science... »

Il y a quelque chose de presque amusant à propos de ce rejet plutôt catégorique de données défendues par une armada de scientifiques, y compris plusieurs prix Nobel. Hélas ! le Competitive Enterprise

Institute d'Ebell – qui a reçu d'Exxon un million de dollars de subventions depuis 1998 – constitue une voix que l'on prend remarquablement au sérieux dans les arcanes du pouvoir. (Selon un échange de lettres dévoilé par *The Observer*, les dirigeants de l'administration Bush ont même demandé l'opinion d'Ebell sur les méthodes permettant de minimiser les faits concernant le réchauffement de la planète.) Ebell et son Institut font partie d'un virulent mouvement anti-Kyoto financé par certains conglomérats industriels. Il exerce d'importantes pressions visant à soustraire de l'ordre du jour du Congrès et de la Maison-Blanche le protocole de Kyoto et autres initiatives touchant les problèmes des changements climatiques. Au fil de ces manœuvres, ces tractations sont parvenues à créer une atmosphère malsaine au sein de laquelle la science et l'opinion internationale sont considérées comme suspectes et comme des obstacles importuns empêchant les Américains de vivre comme bon leur semble.

C'est ainsi que la question a été posée au peuple américain – comme une bataille pour le droit de l'Amérique de faire les choses selon son bon plaisir. L'idée que l'on doive freiner la consommation de combustibles fossiles est présentée aux Américains comme la violation de quelque droit fondamental. « L'énergie est essentielle à la mobilité et au confort et, quand vous commencez à limiter l'accès des gens à l'énergie, vous limitez leur capacité de vivre comme bon leur semble, de faire des choix, soutient Ebell, et nous nous opposons à tout ce qui limite les choix du peuple. »

Ebell esquive commodément une tragique réalité : la détérioration de l'écosystème terrestre et ses séquelles : ouragans, inondations, tornades, sécheresses, invasion d'insectes et destruction des récoltes. De tels cataclysmes limitent de manière beaucoup plus sérieuse le choix des gens… Au-delà de ces considérations pratiques, il existe toutefois un autre aspect dans ce débat, dont l'importance est autrement inquiétante. Ebell rejette implicitement que les êtres humains ont des responsabilités les uns vis-à-vis des autres, que vivre sur terre est une expérience partagée avec six milliards de personnes (sans compter un nombre incalculable d'êtres vivants). Au lieu de cela, vivre sur terre nous est présenté essentiellement comme une expérience individuelle au cours de laquelle chacun cherche à maximaliser sa mobilité, son confort et ses plaisirs.

Une telle attitude va très au-delà de toute notion raisonnable d'individualisme. Elle tourne en dérision la tradition d'individualisme forgée aux États-Unis, l'un des objectifs les plus nobles de la démocratie américaine et la pervertit au service de la justification d'une sorte de narcissisme monstrueux. Les besoins personnels des gens, ou plus simplement leurs fantasmes les plus saugrenus, ont préséance sur toute autre considération communautaire et surtout sur les nécessités des autres. Il suffit de regarder les publicités vantant les mérites de camionnettes glorifiées comme les 4 × 4 et autres véhicules prétendument utilitaires et « sport ». Avec seulement 4 % de la population mondiale, les États-Unis sont responsables d'à peu près 25 % des émissions qui causent le réchauffement de la planète. Et pourtant, si les Américains tiennent à conduire des véhicules plus massifs, plus encombrants, plus dépensiers en carburant et que cela risque d'empoisonner l'atmosphère du monde entier, ils ne se gêneront surtout pas et personne ne se mettra sur leur route pour les en empêcher. L'idée que quelqu'un pourrait remettre ce droit de polluer en question, l'idée que six milliards de gens puissent avoir leur mot à dire et qu'il faudrait peut-être penser au bien-être collectif est rejetée sans discussion.

Quelle est donc cette animosité envers l'humanité ?

* * *

Pays riche en ressources pétrolières, pays vulnérable, sous la férule d'un gros méchant nommé Saddam Hussein, on se demande comment l'Irak n'est pas tombé plus tôt sous la domination des États-Unis.

Lorsque l'invasion américaine survint en mars 2003, le plus surprenant n'est pas qu'une nation plutôt faible ait succombé aux attaques de la plus puissante armée du monde, mais comment, pendant des mois, Washington s'est arrangé pour attirer l'attention du monde sur les prétendues « armes de destruction massive » détenues par l'Irak plutôt que sur l'objectif réel de cette conquête : le pétrole.

Suggérer que le pétrole ait été le véritable enjeu de ce conflit, c'est se placer en marge des propos tenus généralement en public. Au printemps de 2004, alors que, dans le monde, des manifestants brandissaient des pancartes dénonçant le lien entre la guerre d'Irak et les intérêts pétroliers, nul rapprochement aussi simpliste n'était évident dans le discours des médias. Ceux-ci insistaient plutôt sur le bien-fondé de l'intervention américaine sous prétexte de stockage d'armes de destruction massive par l'Irak et rappelaient les méfaits de Saddam Hussein. On émit, sans aucun doute, des réserves à propos de certains aspects de cette guerre, même dans les milieux les plus avertis. Ainsi, à l'occasion, il était de bon ton de se demander laquelle des deux forces, l'Organisation des Nations unies (ONU) ou les États-Unis, était la mieux habilitée à désarmer l'Irak, ou encore si les Américains auraient la patience ou le courage de réorganiser l'Irak une fois la victoire militaire acquise. « Il s'agissait là de questions cruciales », écrivait David Remnick, le rédacteur en chef hyper branché du *New Yorker*. Dans la même foulée, il dédaignait l'avis de ceux estimant que la guerre avait été menée par un « complot de l'oligarchie pétrolière ».

Le théoricien du complot est facilement objet de dérision. Accuser quelqu'un d'en être un est une façon raffinée de lui porter un coup bas. Les thèses faisant intervenir quelque conspiration sont largement vues comme appartenant au domaine des éternels déçus et des naïfs impénitents, le refuge de manichéens, incapables de nuancer, ne voyant les choses qu'en noir et blanc alors qu'il existe un camaïeu infini de gris. À l'évocation de la thèse du complot, la discussion peut prendre fin de façon abrupte. Ainsi, en février 2003, une analyste politique d'expérience appartenant au Washington Institute parvint sans peine à faire avorter un entretien en éludant la question d'un journaliste de la radio anglaise de Radio-Canada qui lui demandait si le pétrole pouvait être le véritable motif de l'invasion de l'Irak.

Mettant sèchement un terme à la conversation, elle se contenta de répondre : « Je pense que n'importe quelle analyse rationnelle démontrerait qu'il s'agit là d'une thèse de complot... »

Il est vrai que n'importe quelle question peut devenir infiniment complexe en raison de multiples facteurs. Il est également vrai que certains de ces facteurs sont plus importants que d'autres et qu'en fin de compte les gens agissent pour des raisons servant leurs intérêts personnels, mais qu'ils sont réticents à l'admettre. Choisir de passer par-dessus ces motifs personnels et voir des choses complexes là où de simples explications touchant le lucre ou la malfaisance suffiraient ne nous rapproche pas nécessairement de la vérité. Un dessin humoristique qui m'a marquée montre deux vaches riant des rumeurs alarmistes concernant ce qui se passe dans un abattoir. Ces perspicaces bovidés semblent comprendre qu'ils n'ont rien à craindre et que les gérants de l'abattoir ne sont intéressés qu'à améliorer le bien-être des animaux.

Dans le même ordre d'idées, les esprits subtils laissent entendre que les individus à la tête du gouvernement américain ne veulent qu'améliorer le bien-être des Irakiens. C'est du moins ce que ces personnages précieux semblent croire en accordant beaucoup d'attention à analyser le prétendu objectif américain qui vise à transformer l'Irak en un modèle de démocratie au Proche-Orient. C'est ainsi que ces beaux esprits se posent les questions suivantes : La démocratie est-elle possible au Proche-Orient ? L'invasion américaine peut-elle apporter la démocratie en Irak ? Un Irak démocratique incitera-t-il d'autres pays du Proche-Orient à s'en inspirer ou engendrera-t-il davantage de fondamentalisme islamique ? Toutes ces questions, qui se recoupent, partent d'une supposition initiale voulant que la Maison-Blanche soit animée du désir intense d'apporter la démocratie en Irak et ailleurs au Proche-Orient, même s'il n'existe aucune évidence capable d'étayer une telle affirmation. (Il existe en fait une preuve manifeste permettant de contredire cette hypothèse. Nous y reviendrons.) D'un autre côté, l'idée que la Maison-Blanche soit motivée à prendre les choses en main en Irak parce que ce pays possède les deuxièmes plus importantes ressources d'une matière première qui est la clé de l'économie mondiale est écartée commodément comme une sorte de « thèse du complot » plutôt simpliste.

Bien sûr, on sait que l'invasion de l'Irak ne s'est pas déroulée exclusivement pour faire main basse sur le pétrole. Elle visait aussi, n'en doutons pas, à démontrer au monde de manière vigoureuse la puissance américaine en éliminant un irréductible ennemi d'Israël et, peut-être, en accordant à George W. Bush une victoire militaire majeure sans le désavantage de s'attaquer à un pays possédant vraiment des armes de destruction massive et en risquant, par la même occasion, un affrontement nucléaire trop près d'une élection. Il est permis de spéculer que, dans le fond, cette invasion a peut-être bien eu comme objectif réel de permettre à Bush de se débarrasser de son complexe vis-à-vis d'un père surdoué, en remportant dans le Golfe une victoire plus complète que celle de ce dernier.

Pourtant, il est frappant de voir comment les pontifes de la grande presse mirent au vestiaire leur scepticisme pour prêter foi aux déclarations de Washington selon lesquelles le véritable objectif de cette guerre était d'apporter la démocratie au Proche-Orient. Même un journaliste chevronné comme le correspondant du *New York Times*, John F. Burns, sembla tomber dans le panneau lorsqu'en mars 2004 il écrivit : « À un mois de l'anniversaire de la chute [de Saddam Hussein], le projet américain visant à remplacer son régime par la première démocratie fonctionnant au Proche-Orient se trouve de nouveau en péril. » De manière implicite, Burns accepte le principe que le « projet » américain en Irak était de créer « la première démocratie fonctionnant au Proche-Orient ». Dans le même ordre d'idées, Thomas Friedman, chroniqueur spécialisé dans les affaires étrangères au *Times*, écrivit : « Il existe une communauté d'intérêts entre les aspirations que l'Amérique entretient à l'égard de l'Irak et celles de la majorité silencieuse irakienne. »

Passant rapidement sur la manière dont Friedman aurait pu sonder la majorité silencieuse iranienne, on se pose une question encore plus fondamentale : Sur quoi peut-il fonder sa conviction apparente de connaître les desseins de Washington en Irak ? Il semble simplement tenir pour acquis les paroles des responsables de l'administration Bush, soit que les Américains se sont rendus en Irak pour améliorer la situation dans ce pays et apporter une meilleure qualité de vie au peuple irakien. On s'explique assez mal pourquoi l'amélioration du mode de vie de ces braves gens préoccupe tant l'administration américaine – celle-ci dépense quatre milliards de dollars par mois à cette fin, alors que cet argent pourrait améliorer la vie des électeurs américains ou encore servir à réduire les impôts des bien nantis. Friedman présume juste que ces affirmations sont vraies et que nous sommes censés ne pas les remettre en question.

La volonté dont font preuve les commentateurs des médias à ajouter foi aux motifs invoqués par la Maison-Blanche ne laisse pas de surprendre quand on sait que la plupart des journalistes sont partisans d'une grande théorie économique moderne, plutôt cynique pour la nature humaine : selon cette thèse, l'individu (ou *homo economicus* dans les manuels spécialisés) est principalement motivé par des intérêts personnels d'ordre matériel. Toute suggestion laissant entendre que les êtres humains sont animés de désirs plus nobles – comme la justice sociale ou le bien-être d'autrui – est rapidement écartée comme étant une vision naïve et idéaliste. On se demande alors pourquoi cette théorie ne s'appliquerait pas aux occupants de la Maison-Blanche, que l'on présente comme des êtres désintéressés se consacrant à des idéaux élevés comme la paix mondiale, la démocratie et la libération des peuples opprimés. On essaie donc de nous persuader qu'une telle opinion est celle des journalistes « dans le vent ».

* * *

À New York, à deux pâtés de maison de l'endroit où s'élevait le World Trade Center, dans un gratte-ciel du quartier financier, Fadel Gheit, un analyste spécialisé dans les affaires pétrolières pour la prestigieuse maison de Wall Street Oppenheimer & Co., suit de près ce qui se passe dans les salles du conseil d'administration des grandes compagnies pétrolières. Depuis plus de 25 ans, cet ancien ingénieur chimiste chez Mobil est un observateur perspicace des marchés pétroliers. Mince et élégant, de retour d'une croisière de deux semaines sur le Nil, il me reçoit avec affabilité en janvier 2004.

Précisons d'emblée que personne ne s'est jamais apitoyé sur le sort de l'industrie pétrolière. Vendre au monde moderne la matière première la plus indispensable à son expansion s'est toujours révélé une bonne affaire, tout spécialement pour le petit groupe de sociétés qui trône au sommet de ce milieu privilégié. Même à l'époque héroïque, lorsque les populistes les brocardaient, que les gouvernements votaient des lois antitrust et que les tribunaux tentaient de juguler leur puissance, les grandes compagnies pétrolières ont toujours eu la vie belle et, aujourd'hui, cela dépasse tout ce que l'on pourrait imaginer. « Sur le plan des bénéfices, on ne peut dire mieux, explique Fadel Gheit en parlant de ces énormes conglomérats. Au cours des trois dernières années, elle n'ont pas eu besoin de mourir pour monter directement au ciel où le bon Dieu leur a donné tout ce qu'elles ont voulu... elles ont engrangé les plus gros bénéfices de leur histoire ! » Ainsi, cet expert signale qu'ExxonMobil possède quelque 13 milliards de dollars en comptant, et aucune dette. (Avec la hausse très marquée des prix des carburants au printemps 2004, les profits se sont encore accrus, permettant aux compagnies pétrolières de battre leurs propres records des trois exercices précédents.)

Les compagnies pétrolières doivent prévoir quoi faire avec ce trésor, car leur santé financière repose sur la découverte de nouveaux gisements. Même si la richesse d'une pétrolière consiste simplement à se maintenir à son niveau habituel, elle doit à tout prix découvrir de nouvelles réserves pour remplacer celles que l'on épuise. « Il suffit de penser au bas de laine d'un individu, explique Fadel Gheit. [Imaginez] que tout ce que vous possédez se trouve dans votre jardin, entreposé dans votre piscine. Chaque jour, vous puisez dans celle-ci un baril de pétrole pour le vendre. Si vous ne remplacez pas ce produit, dans quelques mois, la piscine risquera d'être à sec. C'est ainsi que vous assurez votre existence, mais si vous ne mettez pas de pétrole dans la piscine, vous n'aurez bientôt plus rien. Les compagnies pétrolières ne tiennent pas à se retrouver dans une telle situation et, surtout, moins riches qu'elles ne l'étaient… » Et voilà pourquoi il faut constamment remplir la piscine. « Si ExxonMobil ou tout autre conglomérat du genre produit deux ou trois millions de barils par jour pour se maintenir à flot, poursuit notre expert, pour demeurer dans la course, la compagnie doit découvrir quotidiennement deux ou trois millions de barils supplémentaires. »

Cette nécessité impose des pressions énormes sur les dirigeants de ces grosses compagnies. Lorsqu'ils augmentent leur production, le marché les récompense en poussant à la hausse les actions de la société, à la plus grande satisfaction des actionnaires. L'envers du décor est qu'ils doivent travailler davantage pour découvrir de nouvelles sources d'approvisionnement afin de remplacer le pétrole qu'ils puisent dans leur piscine.

Les compagnies pétrolières font donc face à un dilemme : alors qu'elles sont plus riches que jamais, les réserves d'or noir dans la croûte terrestre s'amenuisent. En d'autres termes, le sous-sol fournit de moins en moins l'ingrédient vital qui a fait leur richesse. Après avoir épuisé les gisements les plus facilement accessibles, les compagnies pétrolières doivent forer de plus en plus loin et de plus en plus profondément, à travers l'épais pergélisol et dans les mers. Voilà vingt ans, elles foraient dans le plancher océanique à des profondeurs de 1000 ou 2000 pieds[6]. Aujourd'hui, il n'est pas rare d'atteindre les 9000 pieds[7]. Il est inutile de parler des coûts faramineux associés à de telles entreprises et des prix de revient désastreux qui en résultent. De plus, il y a un piège : les compagnies pétrolières ne touchent pas un sou de plus à la pompe, car le pétrole se négocie essentiellement à un prix mondial, que l'or noir coûte 1 $ le baril à produire (comme c'est le cas en Arabie saoudite) ou 25 ou 30 $ le baril (comme dans les sables bitumineux de l'Alberta ou bien *offshore*, dans le golfe du

6. De 300 ou 600 m.

7. 2700 m.

Mexique). Tant que les prix mondiaux demeurent élevés, comme ils l'ont été ces dernières années, les gisements difficiles d'accès peuvent se révéler rentables. Il y a toutefois un inconvénient : ce pétrole coûteux à exploiter n'est pas aussi profitable que celui qu'on peut extraire à vil prix – et qui se fait de plus en plus rare. « Le pétrole bon marché a déjà été découvert, raffiné et brûlé, souligne Fadel Gheit. Les fruits qui se trouvaient sur les branches les plus basses des arbres ont déjà été cueillis... »

Peut être, mais pas *tous* !

* * *

L'une des plus importantes concentrations de brut au monde se trouve en Irak. Il s'agit là de fruits à portée de la main. Pas de pergélisol, pas d'insondables fonds marins, seulement de vastes champs de pétrole sous un climat chaud. Les fruits qui pendent aux branches des arbres touchent pratiquement le sol.

Non seulement l'Irak possède-t-il de grandes quantités de brut aisément accessibles, mais son marché n'a pratiquement pas encore été entamé. Même si, au Proche-Orient, dans la première moitié du XXe siècle, ce pays fut l'un des premiers à avoir été pressenti par l'industrie pétrolière, son potentiel dans ce domaine n'a jamais été vraiment exploité par les conglomérats internationaux. Déçu par le rythme où allaient les choses, le gouvernement irakien s'est saisi du problème en nationalisant l'industrie pétrolière de son pays en 1972. Mais avant que le développement ait pris réellement forme, l'Irak s'est trouvé aux prises avec une guerre contre l'Iran qui a duré huit ans et épuisé toutes ses ressources financières. Deux ans plus tard, l'Irak a envahi le Koweït, avec des conséquences encore plus désastreuses. Vaincu militairement, ruiné sur le plan financier et incapable de remonter la pente à cause de sanctions internationales, le pays a dû mettre en veilleuse ses espoirs de développer ses réserves pétrolières. « Pensez à l'Irak comme à un territoire vierge... » souligne Fadel Gheit.

Les réserves potentielles de l'Irak sont certainement plus considérables que ce que nous en connaissons à l'heure actuelle. Au cours des dernières années, des progrès technologiques extraordinaires comme l'imagerie numérique et la photo par satellite ont permis de déterminer avec plus de précision les réserves pétrolières d'un pays. Par exemple, nous savons que l'Arabie saoudite a en réserve quelque chose comme 260 milliards de barils de brut dans son sous-sol, soit environ le quart des ressources mondiales. Il y a vingt ans, les réserves connues de ce pays se chiffraient à la moitié sinon au tiers de cette quantité. Les ressources pétrolières de l'Arabie saoudite n'ont pas augmenté, mais nos moyens de les évaluer se sont grandement perfectionnés. Le même phénomène s'applique à d'autres pays où, dans beaucoup de cas, les réserves connues se sont trouvées être plus considérables que prévu grâce à des techniques exploratoires plus avancées. Mais l'Irak fait du sur-place, car son potentiel pétrolier n'a pratiquement pas été exploité au cours des deux dernières décennies. Même avec des informations datant de vingt ans, nous pouvons établir que l'Irak possède au moins 10 % des réserves mondiales de pétrole. Si, comme en Arabie saoudite, on découvrait, grâce aux nouvelles technologies, que ces réserves sont en réalité deux ou trois fois plus importantes, on imagine le potentiel fabuleux qui sommeille dans le sous-sol irakien.

Ce ne sont donc pas les fruits mûrs à portée de main et les ressources connues de pétrole qui sont si attirantes, mais les richesses qui restent à découvrir. La perspective d'une oasis irakienne, aux réserves virtuellement illimitées, dépasse l'imagination. Pragmatique, Gheit en déduit : « C'est pourquoi l'Irak est devenu le bien foncier le plus convoité au monde... »

L'analyste fait un bref calcul permettant d'illustrer son propos. Même en supposant des coûts d'exploitation aussi élevés que 5 ou 6 $ le baril (des prix forts pour des fruits poussant sur des branches aussi basses) et un prix mondial de 26 $ le baril (un tarif plus bas que celui auquel on nous a habitués au cours des dernières années), le pétrole irakien générerait donc un bénéfice moyen de 20 $ le baril. Si l'on pompe quotidiennement deux millions de barils, cela représente un bénéfice annuel d'environ 15 milliards de dollars. Mais si l'Irak finit par extraire cinq millions de barils par jour – ce n'est pas inconcevable puisque l'Arabie saoudite en pompe huit millions –, les profits du pétrole irakien s'élèveront à 35 milliards de dollars par année – une somme ahurissante. À sept millions de barils par jour, le bénéfice se trouve catapulté à 49 milliards par année et ainsi de suite... (Contentons-nous de dire que les bénéfices de la toute-puissante Exxon oscillent actuellement aux alentours des 15 milliards.) « Tout cela est bien plus considérable que toute entreprise dans laquelle Exxon s'investit en ce moment... s'émerveille Fadel Gheit. L'Irak est la super star de l'avenir. C'est comme un grand bal : tout le monde veut aller y danser... »

Un autre aspect rend l'Irak particulièrement attirant : sa vulnérabilité sur le plan militaire. La Russie satisferait aussi les besoins pétroliers du monde, car elle possède aussi un fantastique potentiel de croissance dans ce domaine. Toutefois, elle a entre les mains un arsenal nucléaire et, comme le relève Fadel Gheit : « Il est hors de question de nous rendre [en Russie] pour occuper leurs champs de pétrole. On imagine les conséquences... » L'Irak s'est révélé le pays idéal, un pays faible et, ironiquement, complètement dénué d'armes de destruction massive. (Si l'Irak avait possédé ce genre d'armes, une invasion américaine se serait révélée trop risquée.) D'autre part, ce pays, niché au sommet du golfe Persique – entre l'Arabie saoudite et l'Iran – offre un terrain stratégique important pour une présence militaire dans la région. Même après le retrait du gros des forces militaires américaines et l'instauration d'un gouvernement irakien sous protectorat américain, l'Irak demeurera un important enjeu militaire grâce auquel Washington pourra exercer son influence dans toute la région. « Pensez à une base militaire avec une gigantesque réserve de pétrole en dessous... Que peut-on demander de mieux ? » fait remarquer Gheit en souriant.

* * *

Beaucoup de gens s'imaginent que les êtres humains sont si ingénieux qu'ils trouveront bien un moyen de résoudre leurs problèmes d'énergie. C'est possible, mais le passé ne se porte guère garant de l'avenir. En effet, depuis plus d'un siècle, depuis que le pétrole a pris la valeur qu'on connaît, la façon dont le monde s'est occupé de ses ressources énergétiques ne s'est pas révélée très brillante. Le pétrole est le résultat d'un ensemble de conditions climatiques survenues une seule fois en 4,5 milliards d'années dans l'histoire de notre planète. Il a fallu des millions d'années pour que cette matière première prenne forme, et nous pouvons nous estimer heureux d'avoir été les bénéficiaires de cet héritage unique. Mais le pétrole est un produit aux quantités limitées et non recyclable. Une quantité fixe est enfouie dans les entrailles de la terre et, une fois que nous l'aurons entièrement pompée, il n'en restera plus, du moins avant des millions d'années. Pourtant, au cours des quelque douze décennies qui se sont écoulées depuis le début de l'utilisation du pétrole, nous avons dépensé approximativement la moitié des stocks que la planète peut nous offrir, et cette première moitié représentait la partie facile à extraire.

Nous en sommes au deuxième volet du dilemme concernant l'énergie et là, nous constatons que l'espèce humaine est loin d'être raisonnable. Nous avons dépensé le pétrole si rapidement et de manière si peu responsable que nous n'avons pas seulement mis en danger la viabilité de la planète (premier volet du dilemme concernant l'énergie), mais nous avons par la même occasion dilapidé la plus grande partie de ce précieux héritage qui n'est pas près de nous échoir de nouveau. Cela peut sembler être une contradiction. Si le pétrole est si néfaste pour notre écosystème, peut-être vaudrait-il mieux ne pas nous soucier de sa disparition éventuelle. Le problème réside dans le fait que nous avons construit le monde moderne autour de cette forme d'énergie. Nous comptons sur le pétrole pour les transports, l'industrie, l'agriculture et pour pratiquement toutes nos activités comme manger ou nous habiller. Il est donc évident que nous devrions passer à d'autres formes d'énergies moins nuisibles –

énergie solaire, éolienne, marémotrice – et modifier notre mode de vie. Mais, entre-temps, nous ne voulons pas que le monde moderne ralentisse tant que nous en faisons encore partie. Le journaliste George Monbiot décrit adéquatement le piège dans lequel nous sommes tombés : « Ou bien nous faisons main basse sur toutes les formes possibles de combustibles fossiles et, en tel cas, nous grillons la planète et la civilisation s'écroule, ou bien nous n'avons plus de carburant et la civilisation s'effondre. »

À court terme, la civilisation ne s'effondrera probablement pas, mais s'en trouvera un peu plus perturbée. Quand nous commencerons à consommer la moitié du pétrole qui nous reste, les choses risquent alors de devenir plus problématiques. La bataille pour s'approprier le pétrole – une constante au cours du siècle dernier – risque de s'intensifier sensiblement.

Pourtant, nous ne sommes pas à court de pétrole. Il y en a environ un billion de barils enfouis dans la croûte terrestre. À la vitesse où nous dépensons l'énergie, il nous reste du pétrole pour environ trente-cinq ans. D'ici là, nous aurons probablement trouvé des formes d'énergies alternatives, et notre monde se sera adapté à la situation, mais en attendant, il nous faudra faire face à un problème bien avant l'épuisement des réserves : l'atteinte de l'apogée de la production. Cela ne paraît pas très menaçant, mais dès que ces stocks atteindront leur apogée – c'est-à-dire à peu près vers la moitié de l'extraction des réserves globales de pétrole –, le brut le plus facilement accessible ne sera qu'un souvenir. Ce qui restera sera beaucoup plus difficile à extraire, et les frais d'exploitation seront plus considérables. L'idée que la production pétrolière puisse atteindre un « sommet » a été conçue pour la première fois en 1956 par un géophysicien, King Hubbert, qui travaillait aux laboratoires de recherches de la Shell à Houston. Ce dernier prévoyait que la production pétrolière des États-Unis plafonnerait vers 1970, ce dont, à l'époque, on se moqua. Malheureusement, Hubbert avait parfaitement raison. La production pétrolière des États-Unis a atteint un sommet en 1970 et, depuis, n'a cessé de chuter. L'idée prétendument radicale de Hubbert est aujourd'hui largement acceptée par les géologues. (Au Canada, l'exploitation du brut le plus accessible a plafonné en 1973 ; quant aux réserves moins aisément exploitables, elles semblent être considérables, et il est dur de prédire une date de plafonnement.)

Mais, pour le monde en général, le plafonnement fatidique approche à grand pas. Un des géologues pétroliers les plus célèbres, Colin Campbell, estime que les réserves atteindront leur maximum dès 2005. « Le monde a commencé à utiliser davantage de pétrole qu'on en découvrait dès 1981, nous a-t-il déclaré au cours d'une conversation téléphonique alors qu'il se trouvait chez lui, en Irlande. Depuis lors, nous avons déjà consommé notre part de ces découvertes passées. » Même s'il est contesté par certains analystes financiers, le point de vue de Colin Campbell a reçu un appui croissant des spécialistes et a obtenu une visibilité appréciable depuis la publication de ses recherches dans le *Scientific American* en 1998. Kenneth Deffeyes, un géophysicien de Princeton, auteur de *Hubbert's Peak : The Impending World Oil Shortage* (Le sommet de Hubbert ou l'imminente pénurie mondiale de pétrole), a prévu que la production mondiale de brut atteindrait son apogée dans les années qui viennent.

On peut évidemment faire valoir que l'on découvrira de nouveaux gisements. Bien sûr, mais il ne faut guère s'attendre à des miracles. « Toutes les régions prometteuses ont été soigneusement explorées, relève Colin Campbell, et il existe de bonnes raisons pour que les autres régions ne reçoivent qu'une attention très limitée. Il y a des détails à régler, c'est certain, mais la situation n'en demeure pas moins très claire. Ainsi, certains économistes spécialisés soutiennent que si tous les gisements du monde étaient exploités avec autant de soins que ceux du Texas, ils fourniraient de nouvelles quantités de brut de manière phénoménale. Ils se trompent lourdement, pour une excellente raison scientifique. » S'il est vrai qu'il y a encore beaucoup de brut à trouver en Irak, les stocks de ce pays ont déjà été évalués avec précision. Dans l'ensemble, dans le monde, le taux de découverte de nouveaux gisements est en déclin depuis quarante ans. « Il n'existe qu'une certaine quantité de brut dans le monde, reprend Campbell, et l'industrie a découvert 90 % des gisements. » Selon ce spécialiste, les scénarios les plus optimistes concernant les réserves enfouies dans les sables bitumineux ou sous les fonds océaniques ne feront que retarder d'une dizaine d'années l'atteinte du sommet fatidique de production.

La situation serait moins grave si la gloutonnerie dont le monde fait preuve pour les produits pétroliers diminuait, mais le contraire se produit. Même si la découverte de nouveaux gisements décroît, la consommation mondiale augmente. « Pour chaque nouveau baril de brut découvert, nous consommons quatre barils déjà découverts », soutient Campbell, pour qui ce genre de calcul ne présage rien de bon et promet d'être encore plus catastrophique. En effet, au cours des décennies à venir, on s'attend à ce que la consommation augmente de 2 % par année. Comme le mentionne le rapport du Pentagone sur les brusques changements climatiques : « [La] demande mondiale de pétrole augmentera de 66 % au cours des trente prochaines années, mais *on ne sait pas clairement d'où viendront les approvisionnements* » (les italiques sont de moi).

Tout cela laisse entendre que l'incertitude planera de plus en plus sur les approvisionnements de brut. On peut imaginer les résultats, qui se traduiront par des prix de plus en plus élevés. Avec l'augmentation du baril à 40 $ au printemps 2004 et à plus de 50 $ à l'automne de la même année apparaît clairement la réalité de la disparition des réserves. La cause la plus indirecte de ce sommet était due aux craintes de rupture d'approvisionnement engendrées par la détérioration de la situation en Irak et l'augmentation de la violence politique en Arabie saoudite. Colin Campbell prévoit des hauts et des bas dans le prix du brut, mais à cause de la diminution des réserves, « la tendance sera à la hausse ». Fadel Gheit est d'accord. « Avec le temps, les approvisionnements seront de plus en plus serrés », dit-il. Ces réserves en baisse se traduiront aussi par une concurrence internationale permettant de sécuriser les approvisionnements, particulièrement entre les États-Unis et la Chine, dont la consommation d'énergie s'accroît rapidement. Ces dures réalités nous préparent un monde de plus en plus volatil. « Nul pays hautement industrialisé ne peut actuellement survivre sans de substantielles réserves de pétrole », affirme l'analyste politique Michael Klare. Ce conseiller, qui vit au Massachusetts, est l'auteur de *Resource Wars*[8]. Parlant du brut, il n'hésite pas à affirmer : « Tout ce qui menacera sérieusement la disponibilité de cette matière première provoquera des crises et, dans les cas les plus extrêmes, des interventions militaires. » Au cours de cette ruée grandissante vers l'or noir, les pays contrôlant de larges réserves auront la puissance nécessaire pour s'assurer un accès au brut et, fait tout aussi important, pour en empêcher l'accès aux autres nations – une puissance potentiellement terrifiante.

Les données sont particulièrement inquiétantes lorsqu'on les applique aux États-Unis. Avec leur production pétrolière, qui a depuis longtemps dépassé son apogée, et leur consommation en hausse – sans compter l'administration Bush qui ne manifeste aucun intérêt pour la réduire –, les États-Unis, avec le temps, deviendront de plus en plus dépendants du pétrole en provenance de l'étranger. Cela est d'autant plus significatif, non seulement pour les Américains, mais aussi pour le reste du monde, car ces derniers ont depuis longtemps désigné leur libre accès aux sources d'énergie comme une « question de sécurité nationale ». En d'autres termes, avec leur puissance militaire écrasante, les États-Unis mettront tout en œuvre pour satisfaire leur avidité d'énergie – et le reste du monde doit collaborer à la poursuite d'un tel objectif. Point final.

Le Canada joue un rôle plus important qu'il ne le croit dans ce scénario intitulé « Le monstre énergivore américain ». En effet, le Canada est le plus grand fournisseur de pétrole des États-Unis. Il fournit à son voisin du sud 15 % de son brut, juste devant l'Arabie saoudite et le Venezuela, et son appui ne cesse de s'amplifier. Un rapport en trois volumes préparé par une équipe bipartite du Congrès et une influente cellule de réflexion de Washington, le Centre d'études

8. Titre exact : *Resource War : The New Landscape of Global Conflict.* Apparemment non traduit en français, ce livre parle de la lutte que se livrent les pays pour s'approprier les ressources qui leur sont indispensables.

stratégiques et internationales, souligne l'importance du Canada dans la conjoncture énergétique américaine de l'avenir. « Discrètement mais graduellement, le Canada a assumé un rôle de plus en plus important comme fournisseur majeur de pétrole et de gaz naturel des États-Unis », lit-on dans ce document intitulé *La Géopolitique de l'énergie au XXIe siècle*. On y relève que les importations globales de pétrole en provenance du Canada, qui représentaient 11,9 % de la totalité des importations américaines au début des années quatre-vingt-dix, sont passées à 14,3 % à la fin de cette même décennie. Entre-temps, la dépendance des États-Unis envers le gaz naturel canadien « approche les 95 % ». Le rapport souligne que, lorsqu'on tient compte du pétrole et du gaz, « le Canada se trouve être le plus important fournisseur d'énergie des États-Unis, dépassant l'Arabie saoudite, le Venezuela et le Mexique. Il est prêt à augmenter sensiblement ses exportations de brut vers les États-Unis dans les années à venir ».

Tout semble donc aller pour le mieux dans le meilleur des mondes... du moins tant que le Canada ne changera pas d'idée. Enfin, disons qu'*il ne peut* se permettre le luxe de changer d'idée à ce propos – et le rapport s'empresse de le souligner. Lorsque le Canada a signé l'Accord sur le libre-échange nord-américain (ALENA) en 1993, il a renoncé à ses droits de réduire les quantités de brut et de gaz naturel qu'il exporte aux États-Unis – à moins qu'il ne réduise proportionnellement sa propre consommation. Il est intéressant de noter que le Mexique, qui a également signé l'accord, s'est opposé à cette clause et qu'on lui a accordé une exception.

L'une des raisons qui ont motivé les Américains à signer un accord libre-échangiste avec le Canada, tout d'abord en 1989 à l'occasion du traité canado-américain sur le « libre-échange » puis, plus tard, avec l'ALENA, était de garantir et de sécuriser leur accès aux ressources énergétiques canadiennes. Une légende court au Canada selon laquelle l'initiative de ces accords est le fruit d'ententes soumises par Ottawa. En fait, c'est Washington et non Ottawa qui a insisté sur un engagement à large spectre plutôt que sur des ententes sectorielles négociées à la pièce. L'une des raisons pour lesquelles Washington a opté pour une approche plus large de la question est que les Américains favorisaient depuis belle lurette une entente de partage de l'énergie à l'échelle continentale.

L'empressement du Canada à signer cette entente selon les termes de l'ALENA – ce que le Mexique a refusé – soulève une hypothèse intéressante. Le pétrole canadien se trouve surtout dans l'Ouest, alors que le gros de notre population se trouve au centre et à l'est du pays. Il n'existe pas de pipeline reliant ces régions, si bien que le centre et l'est du Canada dépendent du pétrole importé. Si ces approvisionnements en brut étranger devaient un jour être perturbés – ce qui ne serait pas inconcevable dans l'avenir peu souriant qui se prépare –, ces deux régions pourraient se retrouver avec un problème de taille. Qu'arriverait-il dans ce genre de crise ? Le rapport américain soumet un scénario et pose la question suivante : « Les exportations [canadiennes] de pétrole acheminées normalement vers les États-Unis risqueraient-elles d'être redistribuées aux consommateurs canadiens ? » Mais, dans la même foulée, le rapport s'empresse de fournir la réponse : « Non, parce qu'aux termes de l'ALENA, toute pénurie d'approvisionnement doit être partagée par les deux pays. » Autrement dit, le Canada n'a pas le droit de réduire ses exportations de brut vers les États-Unis en acheminant, si nécessaire, des barils vers le centre et l'est, sinon ils doivent réduire proportionnellement leur propre consommation. Il n'est pas question de favoriser les citoyens du pays fournisseur, *peu importe s'ils ont des besoins criants en carburant.* Au Canada, les critiques de l'ALENA ont souvent condamné cette clause léonine, mais elle n'a jamais été reconnue aussi ouvertement par les Américains. Certains observateurs extérieurs comme Colin Campbell, en Irlande, trouvent la situation assez paradoxale. Il m'explique : « Vous, les malheureux Canadiens, risquez de grelotter dans le noir pendant qu'aux États-Unis ils feront fonctionner leurs gadgets à qui mieux mieux... » Cette situation n'en rassure pas moins les sénateurs, les membres du Congrès américain et les analystes de la cellule de réflexions, auteurs du rapport. Non sans une ostensible satisfaction, ils concluent : « Pour les États-Unis, nul fournisseur n'est plus fiable que le Canada. »

* * *

Malheureusement pour l'Oncle Sam, tout le monde n'est pas aussi malléable que le Canada. En fait, le Canada ne possède qu'une partie relativement restreinte des réserves mondiales de pétrole. La plupart de celles-ci, soit 65 %, se trouvent au Proche-Orient. Pendant que le monde commence à dépenser la deuxième moitié de ses réserves de brut, au Proche-Orient, on en est loin. En effet, quand la plupart des régions du globe atteindront l'apogée de leur production à différentes dates, le Proche-Orient sera la dernière à atteindre ce point critique. « Les pays du Proche-Orient auront alors acquis la confiance d'imposer des tarifs beaucoup plus élevés... » remarque Colin Campbell. Quiconque mettra la main sur les importantes réserves de brut du Proche-Orient se positionnera avantageusement pour contrôler l'économie mondiale.

Actuellement, cette situation a été fort bien comprise par la Maison-Blanche. Dernièrement, dans ce même esprit, l'attention de tous les administrateurs américains s'est portée sur l'énergie, mais jamais autant que celle du clan Bush. Le Comité spécial sur l'énergie, réuni par le vice-président Dick Cheney – il a été lancé moins de neuf jours après la prise du pouvoir par l'administration Bush en 2001 – est bien connu pour ses nombreux cadeaux fiscaux et subsides aux industries œuvrant dans les ressources énergétiques. Il faut avouer que le groupe de travail a aussi révélé que la nouvelle administration était très bien informée du dilemme causé par la diminution des réserves mondiales de brut, en particulier par les préoccupantes diminutions de stocks aux États-Unis. Dans le rapport de ce groupe, Cheney a admis que la production des États-Unis a plafonné en 1970 et qu'en l'an 2000 « la production totale des États-Unis avait chuté de 39 %, comparativement à l'année où elle avait atteint son apogée ». Comme résultat, Cheney a noté que la dépendance des États-Unis envers l'étranger pour s'approvisionner en brut n'a jamais été aussi élevée et que l'on s'attendait encore à un accroissement. L'un des messages clés ressortant de ce rapport, produit en seulement quatre mois, était que « l'économie mondiale et celle des États-Unis demeurent vulnérables à toute rupture d'approvisionnement en brut ».

En fait, même avant de devenir vice-président, Dick Cheney avait abondamment abordé ces sujets. En novembre 1999, au cours d'une allocution qu'il prononçait devant le London Petroleum Institute, alors qu'il était directeur général de la géante société de services pétroliers Halliburton, Cheney avait évoqué la difficulté de trouver assez de réserves pour se maintenir à flot face à la demande croissante de produits pétroliers. « Selon certaines estimations, au cours des années à venir, la demande mondiale de pétrole peut être estimée de manière conservatrice à 2 % par année, tandis que le déclin naturel de la production alimentant les réserves actuelles s'élève à 3 %. Cela signifie que, d'ici 2010, nous aurons besoin quotidiennement de 50 millions de barils supplémentaires. D'où obtiendrons-nous ce pétrole ? » a-t-il dit. Cheney a poursuivi en ces termes : « Le Proche-Orient, avec ses deux tiers des réserves mondiales de pétrole et ses prix plancher est encore le pays de cocagne pour les compagnies pétrolières... » Toutefois, il s'empresse de relever que le brut du Proche-Orient se trouve largement sous le contrôle des gouvernements locaux. Ainsi, même si les compagnies pétrolières sont « soucieuses d'y accéder plus facilement, les progrès enregistrés sont assez peu notables ».

L'intérêt de Cheney pour le Proche-Orient – ce « pays de cocagne » – n'a pas faibli d'un iota lorsqu'il est devenu vice-président. Dans le rapport de son groupe de travail, il déclare : « Peu importe ce que l'on peut prévoir, les pays producteurs de pétrole du Proche-Orient demeurent d'un intérêt primordial pour la sécurité des approvisionnements mondiaux. » Il poursuit : « [...] Les politiques énergétiques internationales des États-Unis feront du golfe Persique l'objet d'une attention de tous les instants. » Tout comme lors de son allocution au London Petroleum Institute, Cheney a souligné le problème du contrôle des industries pétrolières par les gouvernements locaux. Il ajouta dans le rapport de son groupe de travail que les États proche-orientaux se feraient « vivement recommander d'ouvrir certains secteurs de leurs richesses énergétiques aux investisseurs étrangers ». Un an plus tard, Cheney a franchement fait le lien entre les préoccupations grandissantes de Washington concernant l'Irak et le rôle central possible de ce pays dans la situation énergétique mondiale. En août 2002, s'adressant à un groupe d'anciens combattants à Nashville, Cheney a prévenu son auditoire que si Saddam Hussein parvenait à maîtriser des armes particulièrement meurtrières, il rechercherait « à dominer tout le Levant et à faire main basse sur une portion appréciable des réserves mondiales d'énergie ».

Cependant, nous sommes censés croire que, lorsque l'administration Bush a évalué les options qui s'offraient à elle au printemps de 2003, les avantages à protéger de vastes gisements pétrolifères regorgeant de richesses n'avaient pas effleuré son esprit... même si cela garantissait la sécurité énergétique de Washington et permettait aux compagnies pétrolières américaines d'engranger des bénéfices considérables. Ce qui comptait vraiment pour la Maison-Blanche, nous assure les médias « sophistiqués », c'était la libération du peuple irakien.

* * *

Soutenue par des forces militaires, la recherche frénétique de pétrole s'est révélée l'une des caractéristiques du siècle dernier, qu'on aurait pu qualifier d'« âge des combustibles fossiles » et il en sera de même pour le XXIe siècle. Si nous parvenions à nous débarrasser de notre dépendance maladive envers les produits pétroliers, nous parviendrions à diminuer la violence, la sauvagerie et la rapacité qui, si souvent, accompagnent la recherche de nouveaux gisements. Il est sûr que l'or noir, source de cette quête insensée, perdrait beaucoup de son lustre. Bien évidemment, il y aurait d'autres raisons de lutter et d'autres sources d'approvisionnement à sécuriser. Cependant, avec ses quantités limitées et non renouvelables, le pétrole joue un rôle central dans l'économie globale moderne. Cela en fait une matière première particulièrement convoitée et, par conséquent, une source de conflits particulièrement puissante.

Réduire notre niveau de dépendance à l'égard du pétrole nous offrirait un avantage très clair – sans compter celui de préserver la nature. Face à des avantages aussi capitaux, il est difficile d'imaginer pourquoi nous devrions accorder quelque crédibilité que ce soit à la prétendue « perte de liberté » de ceux à qui l'on demande de rouler dans des voitures moins voraces.

Toutefois, il existe un scénario nettement plus prometteur, et il est à notre portée. Aux termes de celui-ci, comme dans la subtile allusion à un hold-up dans la publicité du Hummer, si tout le monde collabore, « tout ira bien et personne ne sera blessé », sauf peut-être nos luddites modernes qui ont assis leurs empires financiers et politiques sur la domination permanente des combustibles fossiles. La question est celle-ci : Un minuscule mais très puissant groupement d'intérêts privés peut-il bloquer la volonté du monde entier de progresser vers l'âge des combustibles post-fossiles ? La réponse est oui – du moins jusqu'à maintenant.

Chapitre 2

ET VOICI L'IRAK... COMME PAR HASARD

Finalement, ce fut David Kay qui mit un terme à cette affaire. En comparaissant devant le Comité des Forces armées du Sénat à Washington, en janvier 2004, l'inspecteur en chef américain chargé de découvrir des armements illicites en Irak a déclaré officiellement ce qui, en fait, était évident depuis des mois : malgré d'innombrables fouilles, aucune arme de destruction massive n'avait été découverte en Irak. Comme Kay l'a mentionné sèchement : « Nous n'avions absolument aucune preuve que l'Irak possédait des armes chimiques ou biologiques. » C'était pourtant l'accusation invoquée par l'administration Bush pour justifier une invasion qui, apparemment, s'imposait de toute urgence.

Pendant des mois, l'administration Bush a essayé de faire oublier les accusations pesant sur l'Irak relatives à la détention d'armes de destruction massive. Pour justifier une guerre, le chef de la Maison-Blanche se recentra sur la perversité de Saddam Hussein. Mais ces armes introuvables ont collé à l'effort de guerre américain comme des remugles particulièrement nauséabonds. Que Saddam ait été mauvais et pervers, toute le monde le savait, car il l'avait toujours été. Même dans les années quatre-vingt, lorsqu'il était l'allié des Américains, cet individu était déjà malfaisant. Il aurait donc été difficile de préparer un réquisitoire contre lui et de démontrer qu'il était important de le chasser sur-le-champ, à moins qu'il n'ait présenté une nouvelle menace criante pour la communauté internationale. En conséquence, George Bush et son allié Tony Blair avaient insisté sur le fait que Saddam Hussein avait soi-disant stocké de manière fébrile des armes de destruction massive. Le 7 octobre 2002, Bush a même suggéré que, si l'on ne chassait pas Saddam, la situation pourrait mener à un abominable cauchemar. Il déclara notamment : « Face à l'évidence très nette du péril, nous ne pouvons nous payer le luxe d'attendre la preuve finale, l'arme encore fumante qui pourrait bien prendre la forme d'un champignon nucléaire... »

Lors de son discours sur l'état de l'Union, en janvier 2003, Bush réitéra ses allusions à une catastrophe en affirmant que, dans le cadre d'un programme nucléaire, Saddam avait essayé d'acheter de l'uranium enrichi à la république du Niger. Cette nouvelle fit monter la fièvre belliqueuse jusqu'à ce que Mohammed El Baradi, l'inspecteur en chef des Nations unies en Irak pour les questions nucléaires, examine soigneusement le document, cherche en vain la preuve d'un tel marché avec le pays africain et le qualifie de faux. C'est ainsi que le plus important discours de l'année, prononcé par celui qui se targue d'être le « leader du monde libre », diffusé devant des millions de personnes et contenant une information cruciale pouvant justifier une intervention militaire, était fondé sur rien de moins qu'un *faux* ! Dans les plus grands pays démocratiques, on se serait attendu à une levée de boucliers. Bien au contraire. Il n'y eut pratiquement aucune enquête sur ce faux. Qui donc avait bien pu en être l'auteur ? Pourquoi ? Comment une telle énormité n'avait-elle pas été détectée par les rédacteurs de l'un des discours les plus révisés au monde ? Avait-on seulement vérifié de telles accusations ? Ces questions troublantes trouvèrent à peine d'échos sur les écrans radars des médias. Une polémique s'ensuivit pour savoir s'il était ou non important que George W. Bush ait présenté au monde une fausse information pour justifier d'aller en guerre. Après tout, insistèrent les laudateurs, cette information douteuse ne représentait-elle pas qu'une infime portion de cet important discours ? Après tout, elle ne tenait que dans « seize petits mots »... Comment 16 malheureux petits mots pouvaient-ils avoir une telle importance ? À en croire ces gens, Bush aurait pu aussi bien utiliser son discours sur l'état de l'Union pour annoncer les nouvelles suivantes : « J'abolis la Constitution, je suis président à vie et j'ai l'intention de bombarder Boston... » Eh oui ! Cette déclaration ne fait que 13 mots, direz-vous. Il aurait même pu se permettre d'ajouter « Je suis gay ! », et le compte aurait été le bon.

Relativement à la question des armes de destruction massive, lorsque Washington a demandé à maintes reprises au gouvernement canadien de se joindre à sa croisade, ce dernier a manifesté un scepticisme pertinent. Les spécialistes canadiens ont simplement demandé des preuves des préparatifs de guerre de l'Irak. Bien entendu, Washington fut en peine de les fournir et, à la place, délégua une équipe qui a soumis à Ottawa son plan de préparatifs de combat. Ottawa refusa de participer à cette aventure. « Ce prétendu stockage d'armes irakiennes ne nous intéressait pas. Nous voulions des preuves... » répliqua un porte-parole du premier ministre du Canada lors d'une interview au *Globe and Mail* ; il qualifia d'ailleurs la présentation américaine comme rien de plus qu'une « projection de diapositives sur logiciel PowerPoint ». Cette absence de preuves permit donc au premier ministre de l'époque, Jean Chrétien, de ne pas aller en guerre.

Pendant ce temps, en Grande-Bretagne, le gouvernement entreprenait des efforts considérables pour étouffer les rumeurs voulant que Saddam Hussein possédait un arsenal terrifiant. Lorsqu'on ne découvrit rien, il y eut des retombées négatives. Selon un rapport de la BBC, le gouvernement de Sa Majesté se trouvait maintenant accusé d'avoir monté cette affaire en épingle pour justifier une intervention militaire en Irak – accusations qui furent examinées à la loupe après le mystérieux suicide de David Kelly, un inspecteur du gouvernement britannique. Une enquête publique s'ensuivit, au cours de laquelle des foules de documents gouvernementaux furent examinés. On s'aperçut qu'ils avaient été modifiés. Par exemple, en septembre 2002, Blair avait demandé à ses adjoints de monter un dossier sur les armes irakiennes afin de mieux convaincre un public britannique plutôt dubitatif. Les services de renseignements du Royaume-Uni préparèrent donc un dossier que les collaborateurs de Blair trouvèrent peu probant. Selon les renseignements qu'on y trouvait, l'Irak ne semblait guère menaçant. Tout au plus y découvrait-on que ce pays possédait les *moyens* de fabriquer des armes chimiques et bactériologiques et que, même si les sanctions étaient levées contre son gouvernement, il faudrait au moins cinq ans à Saddam Hussein pour produire des armes nucléaires. (Cinq ans ! À ce rythme, l'attente aurait été interminable avant de donner l'ordre de faire déferler les tank sur l'Irak...)

Ce n'est certes pas ce type de renseignements qui aurait pu motiver le public britannique à partir joyeusement en guerre. Voilà pourquoi on renvoya les experts faire leurs devoirs. Au cours des deux semaines qui suivirent, sous la houlette des adjoints de Blair, le dossier sur l'arsenal irakien fut sérieusement remanié. Ceux-ci insistaient constamment pour que l'on utilise un langage plus percutant. À un certain moment, le secrétaire de presse de Blair s'excusa même auprès du responsable des renseignements de le tarabuster. « Je m'excuse de vous empoisonner avec ça », lui disait-il, mais il ne se gênait pas moins pour lui compliquer la vie. Lorsqu'une version revue et corrigée du dossier soutint que l'Irak « pourrait » fort bien avoir déjà commencé à produire des gaz neurotoxiques, le secrétaire de presse commença à se plaindre du conditionnel « pourrait » qui, remarqua-t-il, « était un peu faible ». L'équipe d'agents de renseignements refit ses devoirs et revint le jour suivant en déclarant : « Nous avons réussi à corriger la majeure partie du texte dans le sens que vous souhaitiez... » L'une des prétendues menaces – les forces irakiennes auraient « peut-être » été en mesure de déployer des armes chimiques et bactériologiques en l'espace de trois-quarts d'heure – avait été renforcée : on affirmait que ces mêmes forces « étaient capables » de déployer de telles armes en 45 minutes. Voilà qui était mieux !

Et c'est ainsi que le portrait original d'un arsenal irakien plutôt tiers-mondiste brossé par les services de renseignements britanniques se transforma en un scénario apocalyptique pouvant être mis en œuvre en moins d'une heure de préavis. Une telle nouvelle ne tarda pas à faire la manchette des tabloïds londoniens : *Saddam peut attaquer en 45 minutes !* ou encore *Il a les armes. Sus à Saddam !*

Les documents fournis lors de l'enquête nous exposent de façon étonnante comment le gouvernement Blair a manipulé les faits pour obtenir une raison de justifier une déclaration de guerre. Pourtant, au terme de cette enquête, sous la direction de Lord Hutton, on décida que le gouvernement n'avait rien commis de répréhensible, même si Hutton admettait que, dans l'intention évidente d'étoffer son dossier, Blair avait « inconsciemment influencé » les responsables des services de renseignement. La rédaction de la BBC avec ses pratiques « discutables » subit les foudres de Lord Hutton, même si ce que rapportaient les journalistes, mis au courant des tripotages des nouvelles, était généralement conforme à l'information qu'ils avaient obtenue. C'était oublier un peu trop rapidement que les deux journalistes du *Washington Post* responsables de la divulgation du scandale du Watergate avaient également commis des erreurs au cours de leur reportage. En fin de compte, l'attention du public ne se désintéressa pas de cette affaire dont l'enjeu était la malhonnêteté foncière du président Richard Nixon. Il serait intéressant de spéculer sur ce que Hutton aurait pensé du Watergate. Si nous appliquions les normes de Hutton au Watergate, nous nous souviendrions de ce scandale américain comme d'une espèce de vague enquête interne ayant finalement mis au jour les méthodes discutables auxquelles la rédaction du *Washington Post* avait eu recours.

* * *

Avec la mythologie des armes de destruction massive finalement dévoilée, le débat public eut à subir de bien étranges contorsions. On parla beaucoup de « bavures des renseignements » et on se creusa la cervelle pour se demander comment des informations aussi erronées avaient pu servir de caution à l'élaboration de politiques aussi importantes. Comment les choses en étaient-elles arrivées là ? On lança des enquêtes et, au fil de tout ce remue-ménage, on constata avec surprise l'absence de volonté d'imputer le problème à des renseignements falsifiés.

Les services de renseignements britanniques avaient certes commis de sérieuses erreurs, mais ils défendaient toujours les allégations les plus grossières suggérant la présence d'armes de destruction massive. En fait, ils avaient maintes fois tenté de filtrer certains renseignements provenant d'informateurs peu fiables faisant partie de la communauté irakienne en exil. En vérité, ces gens savaient peu de choses et avaient de bonnes raisons d'exagérer le potentiel des armements dont Saddam Hussein disposait. Mais, même s'ils n'accordaient que peu de foi à ces informations, les leaders américains et britanniques les compilaient et les mettaient en évidence afin de desservir le régime de Bagdad. Nous avons vu comment cette mascarade a fonctionné en Grande-Bretagne, mais la distorsion des faits fut plus prononcée aux États-Unis, où le vice-président Dick Cheney en personne s'impliqua de manière très active. Une enquête détaillée menée par une équipe d'écrivains et publiée dans la revue *Vanity Fair* en 2004 explique, preuves à l'appui, comment Cheney s'était mouillé de manière très active en diffusant des renseignements d'origine suspecte sur Saddam Hussein. Faisant à plusieurs reprises acte de présence au siège social de la CIA, Cheney fit abondamment savoir qu'il voulait à tout prix obtenir des informations laissant entendre que l'Irak possédait un armement particulièrement redoutable. On l'a même vu intimider délibérément ceux qui avaient l'outrecuidance de lui brosser un tableau moins alarmiste de la situation. Toutes ces manigances portent à croire qu'aux niveaux les plus élevés de l'administration Bush, on se moquait royalement de connaître la vérité sur la menace réelle que Saddam Hussein faisait peser sur le monde – particulièrement dans le cas de Cheney – et tout prétexte était bon pour envahir l'Irak.

La rumeur selon laquelle Saddam Hussein entretenait des liens occultes avec Al-Qaida ne tint pas non plus. Une fois de plus, les services de renseignements ont enquêté sur ces liens présumés et en ont conclu qu'ils n'étaient guère réalistes. L'équipe du *Vanity Fair* souleva un point particulièrement intéressant : « Au sein de la CIA, écrit-elle, on estimait que le gouvernement laïque de Saddam Hussein ne voulait rien savoir des intégristes musulmans, dont l'objectif, après tout, était de renverser des gouvernements non religieux tels que le sien. » Pourtant, les dirigeants de l'administration Bush insistèrent sur le lien entre le fondamentaliste Oussama Ben Laden et Saddam Hussein, un individu médiocrement religieux (connu pour avoir un faible pour le scotch et les cassettes de Frank Sinatra). Les sondages montraient constamment un public américain convaincu de l'existence d'une relation entre Saddam Hussein et les intégristes musulmans et, par conséquent, il estimait que l'invasion de l'Irak constituait – du moins partiellement – une réponse aux attentats du 11 septembre. En fin de compte, Bush clarifia les choses en septembre 2003 lorsqu'il déclara officiellement : « Nous n'avons pas de preuves que Saddam Hussein était mêlé aux attentats du 11 septembre. »

Étant donné qu'on n'avait pas découvert d'armes de destruction massive ni établi de rapport avec les attentats du 11 septembre, pourquoi l'invasion devait-elle avoir lieu ? « Pour la démocratie », répondit-on. Au cours de l'automne 2003, Bush parla beaucoup de son désir d'apporter la démocratie au Proche-Orient, et les médias se posèrent de plus en plus fréquemment la question de savoir si cela était possible, si le peuple irakien et la région étaient prêts à accepter une telle idée, si l'islam était forcément antidémocratique.

Entre-temps, un autre motif possible pour envahir l'Irak demeurait caché, trouble, emmailloté de déni.

* * *

L'hésitation à admettre que le pétrole constituait un facteur pouvant influencer l'invasion américaine est particulièrement curieuse quand on connaît le rôle que les autres pays attribuaient à cette matière première dans leurs rapports avec l'Irak. Pendant les préparatifs de guerre, par exemple, les journalistes des médias nord-américains se sont empressés de signaler – à juste titre – que la France, la Russie et la Chine avaient tous des vues sur le pétrole irakien et avaient conclu des ententes avec Saddam Hussein pour développer les ressources pétrolières du pays, une fois levées les sanctions contre lui. Certains éditorialistes ont laissé entendre que cette situation expliquait l'hésitation des pays précédemment cités à se joindre à l'invasion menée par les États-Unis : ils avaient déjà négocié des ententes et n'avaient aucunement l'intention de partager le gâteau avec les Américains. Bien qu'il semble improbable que de telles tractations aient entièrement motivé les hésitations de ces pays dissidents à se joindre à l'effort de guerre américain, on ne saurait minimiser cette hypothèse. De toute façon, il était juste que les journalistes prennent de tels facteurs en considération.

Le plus curieux, c'est que ces mêmes journalistes se sont montrés bizarrement peu empressés de parler d'intérêts pétroliers quand il était question de Washington. À les entendre, les États-Unis n'avaient aucun intérêt de ce genre en Irak et étaient uniquement animés par un sentiment purement défensif et le désir de contribuer à prévenir l'agression de ceux qui désiraient se rendre maîtres d'une matière première convoitée. En août 2002, lors d'un discours prononcé devant des anciens combattants ayant servi à l'étranger, Dick Cheney a évoqué la possibilité que Saddam Hussein s'apprête à s'assurer la domination de la plus grande partie du brut dans le monde au moyen d'armes terrifiantes. Le vice-président américain a précisé : « *En contrôlant 10 % des réserves mondiales de brut, Saddam Hussein pourrait ensuite dominer tout le Proche-Orient et s'assurer la mainmise sur les ressources énergétiques mondiales*, menacer directement les amis des États-Unis dans la région et imposer à ceux-ci un chantage nucléaire » (les italiques sont de moi). Dans cet ensemble d'activités agressives appréhendées et attribuées à Saddam Hussein, le brut se trouve largement au centre des décisions. On suggère que, une fois en possession d'une grande partie des réserves d'énergie mondiales, le maître de Bagdad se servirait de son pouvoir pour causer du tort aux Occidentaux, probablement en leur coupant l'accès à leurs sources d'approvisionnement en brut.

À première vue, de telles préoccupations paraissent légitimes, mais c'est oublier que Saddam Hussein avait été grandement affaibli par la monumentale correction qu'il avait subie lors de la première guerre du Golfe (opération Bouclier du désert). Il est fort plausible qu'au cours des années quatre-vingt-dix le dictateur se soit surtout préoccupé de sa propre survie politique. En effet, on ne trouve pas de preuve qu'il ait essayé de bloquer l'accès du pétrole à l'Occident. Bien au contraire. L'Irak tentait désespérément de vendre son pétrole à qui le voulait, puisque le brut constituait pratiquement sa seule source de revenus. Ce furent les sanctions sévères de l'ONU, appliquées pendant plus de dix ans à l'Irak – sur l'insistance des États-Unis –, qui l'empêchaient de développer son industrie pétrolière et de vendre davantage de brut. Malgré cette hostilité permanente envers l'Irak (n'oublions pas que les bombardiers américains se livraient à de fréquentes missions au-dessus du pays), Saddam Hussein tenait à vendre du brut aux Américains dans le cadre du programme *Oil for food*[9] des Nations unies. Il est vrai qu'avant l'invasion américaine les États-Unis étaient les plus grands clients de l'Irak pour le pétrole, avec deux millions de barils par jour.

En présentant les actes commis par Washington comme purement défensifs – soit pour assurer que les Américains et leurs alliés ne soient pas coupés de leurs sources d'approvisionnement vitales –, l'administration Bush s'évertua à rendre l'invasion de l'Irak acceptable pour le grand public. Il n'était pas question d'évoquer de quelque manière que ce soit l'intention de s'approprier le brut irakien afin de contrôler le marché pour des raisons géopolitiques, ou encore pour en faire profiter les compagnies pétrolières américaines. Washington affirma que l'Amérique essayait tout simplement de protéger nos intérêts communs en sécurisant l'accès au pétrole (même si celui-ci n'était aucunement mis en péril), comme elle nous protégeait des armes de destruction massive (même si ces armes étaient imaginaires). Cette notion d'intérêt commun occulte le fait que l'intervention américaine en Irak ne sert, au fond, qu'un ensemble d'intérêts très étroits.

9. « Pétrole contre nourriture », selon la définition officielle de l'ONU.

Ces intérêts se composent principalement de deux groupes. D'abord une cabale d'avocats puissants défendant une politique étrangère américaine plus musclée et, deuxièmement, un certain nombre de sociétés possédant des intérêts dans le secteur pétrolier et dans d'autres activités touchant la reconstruction et la transformation de l'Irak. Alors que les magnats du pétrole et que les industries gravitant autour de ces sphères d'influence ont toujours manifesté de l'intérêt pour l'Irak, les forces les plus immédiates derrière l'invasion de 2003 semblent provenir plutôt du premier groupe, c'est-à-dire une cabale favorisant une politique étrangère américaine plus énergique. Ce groupe se compose largement de républicains influents et radicaux qui, depuis longtemps, incitent l'Amérique à se débarrasser une fois pour toutes du « syndrome du Viêt Nam » et à agir de manière plus vigoureuse – c'est-à-dire à agir encore plus vigoureusement qu'elle ne l'a fait jusqu'à ce jour. Certains de ces radicaux avaient fait leurs classes du temps des beaux jours de l'hyperconservatisme de Ronald Reagan et, plus tard, avaient occupé des postes importants dans l'administration de Bush père. Cependant, même pendant les années Clinton, lorsque l'effondrement de l'Union soviétique semblait ouvrir la voie à une nouvelle hégémonie américaine dans le monde, ils n'avaient eu aucun rôle à jouer. Ces bellicistes furent très déçus de constater que l'administration Clinton n'avait pas l'air intéressée à remplir le vide laissé par la disparition de l'empire soviétique.

Un certain nombre de « néo-conservateurs », partisans d'une Amérique plus ferme, se réunirent en 1997 pour former une cellule de réflexion ayant pour nom *Project for a New American Century*[10] (PNAC) – dans leur esprit, cette initiative signifiait que le XXIe siècle appartenait à une Amérique plus énergique. Paraphée par Dick Cheney, Ronald Rumsfeld, Paul Wolfowitz et 22 autres signataires, la déclaration de principes de la cellule demandait que Washington « accepte la responsabilité allant de pair avec le rôle unique incombant aux États-Unis, ainsi qu'un élargissement de leur rôle international

10. « Projet pour un nouveau siècle américain ».

afin qu'il soit conforme à la sécurité, à la prospérité et aux principes des Américains ». Afin de mettre en œuvre ce « leadership américain planétaire », comme les signataires l'appelaient, ces derniers préconisaient une augmentation significative des dépenses militaires des États-Unis. Les objectifs ouvertement militaristes et impérialistes du PNAC, quoique souvent dénoncés par les critiques de l'administration Bush, passèrent pratiquement inaperçus dans les médias. Pour replacer les choses dans leur contexte, on peut imaginer la réaction des médias occidentaux si, dans les années quatre-vingt, un groupe de personnalités politiques avait formé à Moscou une cellule qu'ils auraient baptisée « Projet pour un nouveau siècle soviétique » et s'ils avaient demandé aux maîtres du Kremlin d'augmenter leur budget militaire de manière à promouvoir un ordre international favorable aux intérêts soviétiques. Les commentateurs de la presse occidentale n'auraient certes pas tardé à dénoncer les visées impérialistes d'un semblable mouvement.

Bien auparavant, le PNAC avait déjà des visées sur l'Irak. En janvier 1998, cette cellule de réflexion avait fait parvenir une lettre au président Clinton l'exhortant à faire du renversement de Saddam Hussein un objectif prioritaire des États-Unis. La Maison-Blanche étant inondée de requêtes de ce genre, cette demande ne provoqua aucun changement notable dans la politique extérieure américaine, d'autant plus qu'elle venait d'un groupe de faucons républicains. Sa portée devint toutefois très claire, lorsque l'administration Bush prit le pouvoir en 2001 et qu'un nombre appréciable de signataires parmi les 18 ayant envoyé le message du PNAC à Bill Clinton (notamment Rumsfeld, Wolfowitz et Richard Perle) occupèrent des postes principaux dans la nouvelle administration. Le rêve d'invasion de l'Irak ne semblait plus inaccessible. De plus, la lettre du PNAC à Bill Clinton prouve que l'intérêt des néo-conservateurs pour un renversement de Saddam Hussein était antérieur de plusieurs années aux attentats du 11 septembre. Elle fait aussi ressortir nettement le souci du PNAC de protéger ce qu'il appelle « nos intérêts vitaux dans le Golfe », des intérêts de premier plan nettement mentionnés dans le message. Ils comprenaient, entre autres, « la sécurité des troupes américaines dans la région, celle de nos amis et alliés comme Israël, les États arabes modérés, *ainsi qu'une importante quantité des réserves mondiales de pétrole* » (les italiques sont de moi).

Le pétrole mis à part, la fine équipe du PNAC avait clairement d'autres projets en tête. Ainsi, la sécurité d'Israël apparaît nettement comme prioritaire. L'idée de renverser Saddam Hussein par des moyens militaires avait été encouragée deux ans auparavant par un membre du PNAC, Richard Perle, un pur et dur de l'époque Reagan entretenant de solides liens avec Israël. Dans une note rédigée en 1996 à l'intention du premier ministre israélien Benyamin Netanyahou, Perle recommandait le renversement du raïs de Bagdad comme faisant partie d'une stratégie plus large pour réaménager l'échiquier proche-oriental, en accroissant la sécurité d'Israël et en permettant son expansion. Perle proposait que les accords d'Oslo – selon lesquels on accordait des terres aux Palestiniens en échange de la paix – soient remplacés par une politique israélienne consistant à annexer la rive occidentale du Jourdain et l'enclave de Gaza. L'essentiel de cette tragédie consistait à renverser, dans cette région, les régimes offrant de sérieuses résistances. Perle désignait l'Irak de Saddam, ainsi que les régimes au pouvoir en Syrie, au Liban, en Arabie saoudite et en Iran. Plus tard, Perle fut nommé président du Defence Policy Board, un organisme extrêmement influent créé par l'administration Bush pour conseiller le Pentagone.

Le fait le plus frappant dans la vision de Perle n'est pas seulement que la région soit réaménagée pour accommoder Israël, mais que l'objectif ultime soit de permettre à l'État hébreux d'étendre ses frontières de manière spectaculaire pour englober des territoires où vivent actuellement des millions de Palestiniens. Cela explique l'insistance de Perle à voir dans Saddam Hussein une menace possible, alors qu'en vérité cette menace n'est guère réelle (tout particulièrement depuis 1981, quand Israël avait pulvérisé un réacteur nucléaire irakien). Toutefois, le dictateur était l'un des rares leaders des pays arabes de la région à exprimer des critiques virulentes contre Israël. Il offrit aussi son appui à la résistance palestinienne, et on rapporte qu'il versait des pensions aux familles des kamikazes palestiniens. Ainsi, même si le régime de Saddam Hussein ne représentait pas une menace très sérieuse pour Israël – et aucune pour les États-Unis –, il n'en représentait pas moins un obstacle politique aux visées expansionnistes israéliennes telles que formulées par Perle.

Par ailleurs, en plus d'ouvrir la voie à l'expansion d'Israël, se débarrasser de Saddam offrait de séduisantes perspectives comme d'étendre la mainmise et l'influence des États-Unis sur le Proche-Orient. Saddam représentait la pierre d'achoppement de ces projets dans la mesure où il s'opposait sans tergiverser à l'hégémonie américaine dans cette partie du globe. De plus, son attitude obstructionniste échauffait bien plus les oreilles des membres du PNAC que la manière brutale avec laquelle il traitait son propre peuple. (Cette brutalité avait d'ailleurs atteint son summum dans les années quatre-vingt, alors que le tyran était en bons termes avec les États-Unis. Il avait même reçu l'émissaire américain d'alors, Donald Rumsfeld, qui devint plus tard membre du PNAC.) Non seulement Saddam Hussein représentait-il un obstacle potentiel aux objectifs politiques d'Israël, mais aussi à la domination américaine dans la région. Il donnait aussi le mauvais exemple en refusant de se présenter comme un leader arabe à la botte des Américains. Il s'agissait là d'un précédent propre à inspirer certains nationalistes arabes qui déploraient la facilité avec laquelle les régimes pro-américains de la région – que le PNAC appelait « les modérés » – se pliaient sans difficultés aux exigences de Washington.

En septembre 2000, juste avant les élections américaines qui amenèrent Bush au pouvoir, le PNAC diffusa un document important décrivant plus précisément sa vision de l'hégémonie américaine mondiale. On y soutenait que les États-Unis devaient se transformer en « puissance dominante de demain ». (Avec la disparition de l'Union soviétique, les États-Unis *détenaient déjà* cette puissance, mais le PNAC voulait apparemment que Washington exerce son pouvoir de manière plus éclatante et plus soutenue.) Cependant, le PNAC remarqua que la transformation des États-Unis en « puissance dominante de demain » prendrait du temps, « à moins d'un événement catastrophique et catalyseur comme Pearl Harbor ». Douze mois plus tard, l'attaque contre le World Trade Center concrétisa cet hypothétique événement. Avec bien des membres du PNAC occupant maintenant des postes clés à la Maison-Blanche – entre autres Cheney, Rumsfeld et Wolfowitz –, la possibilité de provoquer un changement de régime en Irak se rapprochait à grand pas.

Bien des mois avant les attentats terroristes contre New York et Washington, des projets de renversement de Saddam Hussein progressaient déjà au sein de l'administration Bush. Nous en savons maintenant davantage sur l'importance de l'Irak dans les projets de l'équipe Bush dès ses premier mois à Washington grâce à une série de livres, en particulier celui de Ron Suskind, un reporter du *Wall Street Journal*. Pour rédiger cet ouvrage, *Le Roman noir de la Maison-Blanche*[11], Suskind collabora étroitement avec l'ancien ministre américain des Finances Paul O'Neill, un républicain modéré très respecté qui fut limogé de son poste pour avoir refusé d'appuyer le programme de réduction des impôts de Bush. Indépendant grâce à sa fortune et ancien P.D.G. dans le secteur privé, O'Neill n'a rien à prouver et rien à gagner à critiquer l'Administration. De toute évidence, il fut fortement ébranlé par les événements dont il avait été témoin à la Maison-Blanche. Il décrit son étonnement en constatant à l'occasion de la première réunion du National Security Council (NSC) ou Conseil national de sécurité, seulement dix jours après la prise de pouvoir de l'administration Bush, que le renversement de Saddam Hussein faisait déjà partie des priorités de cette dernière. « Saddam se trouvait clairement dans le collimateur de l'Administration », rappelle O'Neill qui se souvient que, lors de cette réunion, la question irakienne semblait pratiquement faire partie d'un scénario bien rodé. Cheney orchestrait les événements avec une « exaltation peu ordinaire » ; il demanda aux personnes présentes de regarder une

11. Traduction de *The Price of Loyalty : George W. Bush, the White-House and the Education of Paul O'Neill*, Éditions Saint-Simon, Paris, 2004, 466 p.

photographie aérienne censée représenter une usine située en Irak, où l'on fabriquait des armes de destruction massive. O'Neill n'avait guère été impressionné et avait rétorqué : « Dans le monde, j'ai vu bien des usines qui ressemblent à celle-là. Qu'est-ce qui peut nous faire croire qu'on y fabrique des armes chimiques ou biologiques à des fins militaires ? »

O'Neill se souvient que, deux jours plus tard, lors d'une autre réunion du National Security Council, Rumsfeld rejeta la suggestion du secrétaire d'État Colin Powell de décréter de nouvelles sanctions ciblées contre l'Irak. Au lieu de cela, Rumsfeld insista lourdement en faveur d'un renversement de Saddam Hussein. « Imaginez seulement de quoi aurait l'air la région sans Saddam, et avec un régime en accord avec les intérêts américains... », aurait dit Rumsfeld. Selon O'Neill, une fois de plus Cheney semblait orchestrer les choses.

Ron Suskind fait remarquer que, dès février 2001 – seulement un mois après que la nouvelle administration Bush eut pris les choses en main et sept mois avant le 11 septembre –, la décision d'envahir l'Irak paraissait déjà être prise. « Dès février, on parla surtout de logistique. La question n'était plus *pourquoi* il fallait l'entreprendre, mais *comment* et *avec quelle rapidité.* »

Après le 11 septembre, l'attention continua à se porter sur l'Irak, même s'il n'y avait aucune preuve de l'implication de ce pays dans les attaques terroristes des tours jumelles. O'Neill rapporte que, lors d'une réunion du National Security Council, le 12 septembre, Rumsfeld fit valoir que la riposte contre le terrorisme international devait, à un moment donné, prendre la forme d'une attaque contre Bagdad. Le week-end suivant, lors d'une réunion d'un « cabinet de guerre » nouvellement nommé qui avait lieu dans la retraite campagnarde présidentielle de Camp David, Wolfowitz recommanda avec insistance que l'on passe à l'action contre l'Irak. « J'ai eu l'impression que ce que Wolfowitz recommandait à ce propos était chose accomplie. C'était comme changer de sujet, se rappelle O'Neill. J'étais mystifié. C'était comme si un relieur insérait accidentellement le chapitre d'un livre dans un autre. À sa manière, le chapitre est cohérent, mais ne semble avoir rien à faire avec le reste du livre. »

D'ailleurs, ce que O'Neill pense de cette attention hâtive sur l'Irak a été décrit dans deux livres publiés au printemps 2004. Dans *Plan d'attaque*[12], Bob Woodward rapporte que, même avant la nomination de Bush, Cheney avait demandé au secrétaire sortant à la Défense, William S. Cohen, d'organiser une réunion avec le nouveau président sur les questions prioritaires en matière de sécurité, « y compris une discussion portant sur l'Irak et sur différentes options ». Dans *Contre tous les ennemis*[13], Richard A. Clarke, qui occupa le poste d'expert en contre-terrorisme à la Maison-Blanche avant de démissionner en 2003, signale également l'attention soutenue de l'administration Bush pour la question irakienne avant le 11 septembre et l'échec de cette même administration en raison de la négligence de ses responsables concernant la préparation de l'attaque par les terroristes d'Al-Qaida.

Le compte rendu de Clarke ajoute des détails sur la vitesse et la dextérité avec lesquelles l'administration Bush détourna l'attention dont Al-Qaida faisait l'objet pour les concentrer sur l'homme retranché dans son palais de Bagdad. Le matin du 12 septembre, Clarke arriva à la Maison-Blanche et s'attendait « à une tournée de réunion où l'on étudierait la nature des attaques... Au lieu de cela, [il] se retrouv[a] au milieu d'une série de colloques portant sur l'Irak ». Clarke se décrit comme « incrédule » et ajoute qu'il « prit conscience avec une douleur quasi physique du fait que Rumsfeld et Wolfowitz s'évertuaient à prendre avantage de cette tragédie nationale pour promouvoir leur attaque contre l'Irak ». Ce soir-là, Clarke rencontra le président dans la Situation Room, un local réservé aux réunions d'urgence à la Maison-Blanche. Clarke expliqua que George W. Bush le prit à part avec quelques autres conseillers et demanda au groupe

12. Bob Woodward, *Plan of Attack*, Simon & Schuster, publié en France chez Denoël en 2004.

13. Richard A. Clarke, *Against All Enemies*, Simon & Schuster, publié en France chez Albin Michel en 2004.

« de vérifier si Saddam avait fait ceci ou cela ou s'il pouvait se trouver impliqué dans l'affaire des attentats ».

Cette fixation sur l'Irak traduisait bien l'intérêt intense pour ce pays, exprimé dans une lettre du PNAC au président Clinton, en 1988 – et dont les signataires étaient, entre autres, Rumsfeld et Wolfowitz. Cette lettre traitait spécifiquement des raisons qui justifiaient l'intérêt porté à l'Irak : le souci de maintenir la sécurité d'Israël et des pays alliés des Américains dans la région, ainsi que celui de savoir qui allait contrôler les réserves pétrolières de la région. On peut présumer que ces préoccupations inquiétaient au plus haut point la bande de néo-conservateurs qui avaient investi la Maison-Blanche.

Cette planification préliminaire du renversement de Saddam ne fut pas révélée publiquement dans les jours qui précédèrent ou suivirent de près le 11 septembre. L'Afghanistan occupait alors l'avant-scène. Un mois après les attaques terroristes, les États-Unis envahirent ce pays appauvri par la guerre et renversèrent facilement le régime islamiste fondamentaliste des Talibans. Ils se livrèrent alors à un long jeu de cache-cache dans les chaînes de montagnes du pays, à la poursuite d'Oussama ben Laden. L'attention du public se trouvait captée par un pays vivant encore comme au XVe siècle, ainsi que par l'Arabie saoudite, patrie de 15 des 19 pirates de l'air qui avaient détourné les avions le 11 septembre. Ces deux foyers de troubles mobilisaient l'attention de l'Administration qui n'en oubliait pas l'Irak pour autant.

Cette fixation de l'administration Bush sur l'Irak, bien claire avant le 11 septembre 2001, prit un nouvel essor après ce jour, mais pas pour les raisons invoquées habituellement, soit les armes de destruction massive, les relations avec la mouvance Al-Qaida et l'implantation de la « démocratie » au Proche-Orient. Ce regain d'intérêt avait une relation directe avec le pétrole brut.

Au lendemain du 11 septembre, le potentiel immense de l'Irak en réserves pétrolières prit une nouvelle importance géopolitique. L'un des effets les plus clairs des attaques terroristes fut de mettre en lumière le problème qui couvait en Arabie saoudite, d'où tant de terroristes du 11 septembre étaient originaires, à commencer par Ben Laden. Ce fait dramatique mit au premier plan un scénario inquiétant qui avait longtemps obsédé les planificateurs de la Maison-Blanche : ils risquaient de perdre le contrôle des plus importantes réserves de brut du monde, enfouies sous les sables de l'Arabie saoudite. Ce scénario catastrophe eut l'heur d'amener de l'eau au moulin de ceux qui projetaient de conquérir l'Irak, où se trouvent les deuxièmes plus importantes réserves mondiales de pétrole. C'était également le seul autre pays en mesure de jouer le rôle de *swing producer*, c'est-à-dire de balancier, de producteur d'appoint, permettant d'assurer le fonctionnement sans heurts de l'économie mondiale. (L'Arabie saoudite peut se targuer d'être le premier producteur d'appoint à cause de ses réserves énormes et de ses champs de pétrole bien exploités. Cette situation lui permet d'augmenter ou de diminuer sa production quotidienne de façon spectaculaire. Elle peut jouer son rôle régulateur en fournissant du pétrole en cas de pénurie et en coupant l'approvisionnement en cas de surplus. L'Arabie saoudite joue donc aussi un rôle clé pour déterminer le prix du brut et, par conséquent, assurer la stabilité de l'économie mondiale.)

Le fait que tant de pirates de l'air du 11 septembre aient été saoudiens ne relève pas du hasard. Cette situation reflète la nature problématique des relations entre l'Arabie saoudite et les États-Unis ; elles sont depuis longtemps un foyer de conflits engendrant une situation particulièrement explosive. La dynastie saoudienne n'est rien d'autre qu'une dictature féodale dissimulée sous des extravagances se voulant royales. Elle tient sa légitimité du fait qu'elle se veut la protectrice des wahhabites, un mouvement musulman fondamentaliste dont la doctrine puritaine est doctrine d'État. Non satisfaite de compter sur les hasards du soutien populaire, la famille royale saoudienne compte sur Washington depuis des décennies pour se maintenir au pouvoir. Aux termes d'une entente très claire, Washington protège la famille royale contre toute menace interne et externe. En échange, les États-Unis exercent une grande influence sur le royaume et sur sa manière de gérer les intérêts du monde occidental. Même si de tels arrangements font l'affaire de Washington comme de Riyad, ce n'est guère l'avis de l'Arabe de la rue, qui enrage de voir son gouvernement s'allier si étroitement avec des infidèles étrangers qui, de plus, soutiennent Israël sans réserve et se montrent indifférents au sort des Palestiniens. Ce sentiment antiaméricain féroce se manifeste tout spécialement chez les intégristes wahhabites et leurs adeptes, qui ne cessent d'injurier une Amérique à leurs yeux décadente, de la blâmer pour avoir corrompu la famille royale saoudienne et d'avoir fait dévier celle-ci du chemin de la rédemption wahhabite.

Il ne reste qu'une touche à ajouter à ce sombre tableau : une quantité phénoménale d'argent provenant des revenus du pétrole, dont on arrose les wahhabites à profusion. Craignant de les affronter directement, le royaume saoudien tente de tempérer leur opposition et de gagner leurs faveurs en contribuant généreusement au trésor des institutions de ces intégristes. C'est ainsi que, paradoxalement, au sein de ce royaume des sables, s'est développée une opposition farouche, haineuse à l'égard des États-Unis, prête à mourir pour sa conception de l'Islam et grassement entretenue par les autorités.

Les événements du 11 septembre ont mis en lumière ce qu'étaient devenues les relations étroites avec l'Arabie saoudite. Pour les dissidents de ce pays – le plus célèbre étant Ben Laden – la principale cible n'est pas seulement la Maison-Blanche, mais aussi la famille royale qui, selon eux, est méprisable pour avoir vendu son âme aux infidèles américains. Cette situation indique que, tôt ou tard, la dynastie saoudienne pourrait bien être renversée de l'intérieur, un scénario qui, depuis longtemps pour Washington, se trouve en haut de la liste des catastrophes potentielles pouvant modifier le paysage énergétique. « Lorsque nous envisageons des scénarios catastrophes en rapport avec le marché pétrolier, c'est généralement le premier qui nous vient à l'esprit », nous a confié Robert E. Ebel, chef du programme des énergies au Centre des études stratégiques et internationales de Washington. Il ajoute : « Qu'arriverait-il si le gouvernement saoudien était renversé, que les intégristes prennent le pouvoir et que l'accès au brut soit perdu ?... Le monde aurait du mal à supporter la perte du pétrole saoudien... Notre économie s'arrêterait de fonctionner. »

Washington verrait clairement un tel changement comme un bon prétexte pour intervenir. En fait, depuis les années soixante-dix, les différents présidents américains ont indiqué qu'ils considéraient le libre accès au pétrole brut du Proche-Orient comme un élément essentiel de la sécurité nationale des États-Unis. « Tous les présidents ont souligné que l'intérêt porté par les Américains au pétrole du Proche-Orient était crucial », remarque Lee H. Hamilton, un ancien démocrate membre du Congrès et directeur du Centre Woodrow-Wilson, une institution traditionnelle de Washington. Selon cet observateur, « la préservation d'un accès sans entraves – et à prix raisonnable – » au brut de ces régions représente un accès vital que l'Amérique « est prête à défendre par tous les moyens nécessaires ».

Au lendemain du 11 septembre, alors que la maîtrise de Washington sur le pétrole et l'économie mondiale semblait de plus en plus ténue, les réserves de pétrole irakien paraissaient de plus en plus alléchantes. En plus de toutes les autres raisons que les faucons de Washington pouvaient invoquer pour envahir l'Irak, ils en avaient une nouvelle : la possibilité que le brut saoudien leur échappe. L'Irak représentait alors le meilleur plan de rechange de la Maison-Blanche, en quelque sorte une police d'assurance contre l'impensable.

* * *

Une carte qui circula au printemps de 2001 parmi les personnages clés de l'administration Bush et les pontes des grandes sociétés présente un aspect quasi obscène. Cette carte de l'Irak assez détaillée ne comporte pas les détails présents généralement sur une représentation géographique de ce genre : grands centres, villes secondaires, régions. Tout est consacré aux ressources pétrolières. On peut y voir les pipelines, les raffineries et les terminaux pétroliers. Des douzaines de gisements pétrolifères sont désignés par la mention « super géant » (ceux dont les réserves sont supérieures à cinq milliards de barils). Le sud-ouest du pays est divisé nettement en neuf « blocs

Champs pétrolifères et blocs de prospection irakiens

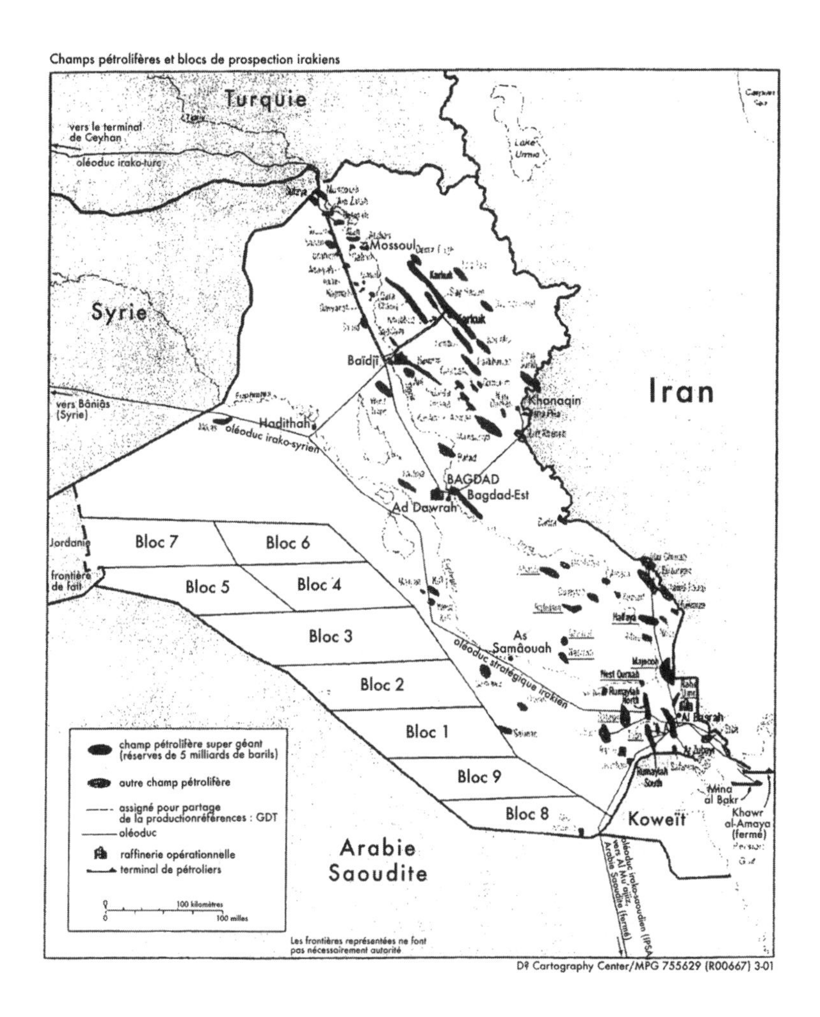

D? Cartography Center/MPG 755629 (R00667) 3-01

d'exploration ». Cette carte nous montre un Irak dénué de ses particularités géopolitiques ou culturelles. Seules comptent les abondantes richesses de son sous-sol. On a l'impression de regarder le genre d'affiche que l'on voit parfois dans les boucheries et les supermarchés, et qui indiquent aux clients dans quelle partie de l'animal se trouve le morceau qu'ils désirent. La partie nº 1 représente la viande à pot-au-feu, les parties nº 2 et 3 le filet et le faux-filet et, ô merveille ! la partie nº 8 le succulent filet mignon.

Une telle carte peut sembler grossière – les dirigeants des compagnies pétrolières peuvent y saliver dessus en privé, mais elle n'a jamais été dressée pour informer les contribuables. Elle était destinée au groupe d'intervention de Cheney et n'a pu être rendue publique que grâce aux efforts de Judicial Watch, un groupe de pression qui n'hésite pas à faire appel aux tribunaux pour rendre publics les documents ayant quelque rapport avec les activités hyperconfidentielles de la vice-présidence américaine. Même si Judicial Watch obtint la carte et la diffusa en juillet 2003, les médias n'y accordèrent à peu près pas d'attention. (Après tout, quel intérêt y avait-il pour le public de savoir que des membres du gouvernement et que leurs obligeants conseillers des multinationales étudiaient une carte détaillée des gisements pétrolifères irakiens, quand il est bien connu que l'invasion de l'Irak n'avait absolument aucun rapport avec le pétrole ?)

Judicial Watch a également réussi à mettre la main sur un autre document. Il s'agit d'un tableau sur deux pages intitulé « Partenaires potentiels étrangers pour les champs de pétrole irakiens ». Parmi ceux qui courtisaient l'Irak, on trouve 63 compagnies pétrolières venant d'une trentaine de pays. On y précise quels gisements intéressent telle ou telle compagnie et l'état des négociations entre cette société et le régime de Saddam Hussein. Ainsi, on apprend que la société canadienne Ranger Oil manifestait de l'intérêt « pour le bloc nº 6 et autres » et avait « signé un protocole d'entente préliminaire avec Bagdad ». Une autre société canadienne, Chauvco Resources, de Calgary, était intéressée par les gisements d'Ayn Zalah et « [à] la fin de 1996, les pourparlers avec Bagdad allaient bon train. Il s'agissait de contrats de service pour la récupération du brut par injection de gaz dans un gisement déjà largement exploité ». Parmi les autres compagnies pétrolières, on retrouvait la Royal Dutch/Shell et la Lukoil russe, qui avaient apparemment bien progressé dans leurs pourparlers pour développer les riches gisements de Rumaila. On trouvait également dans cette liste le groupe français Total Elf Aquitaine, qui gardait l'œil sur les riches gisements de Majnoun – un potentiel de 25 milliards de barils. Bagdad avait accepté, du moins en principe, de laisser les Français exploiter ce morceau de choix de la carcasse de bœuf irakienne. Le filet mignon allait donc à la France.

Tout est clair : le groupe de travail de Cheney était très intéressé par les gisements pétroliers irakiens et les sociétés aptes à les exploiter une fois les sanctions contre Bagdad levées. (D'autre documents rendus publics par Judicial Watch prouvent également que le groupe de travail possédait aussi des cartes semblables de l'Arabie saoudite et des Émirats arabes unis.) Ce qui rend la carte des gisements irakiens beaucoup plus significative est qu'elle valide ce que nous savions d'autres sources, soit que l'administration Bush attendait d'attaquer l'Irak depuis les premiers jours de sa prise de pouvoir (donc bien avant le 11 septembre). En d'autres termes, en même temps que la Maison-Blanche se concentrait intensément sur une invasion possible de l'Irak, elle étudiait non moins attentivement les possibilités des réserves de brut irakien et, pour obtenir sa part du gâteau, évaluait l'état des pourparlers entre les concurrents dans leurs négociations avec Saddam. Il semble que ce soit Dick Cheney, à la suite des délibérations de son groupe de travail, qui ait organisé l'invasion de l'Irak.

Le rôle central de Dick Cheney dans ces deux initiatives, lancées presque immédiatement après l'arrivée de l'administration Bush, est remarquable – surtout quand on tient compte du pouvoir énorme qu'il détient dans cette dernière. Le fait que Cheney ait fortement focalisé ses préoccupations sur l'invasion de l'Irak ainsi que sur les politiques énergétiques dévoile le lien existant entre l'invasion et le désir de s'approprier le pétrole. L'analyste de Wall Street, Fadel Gheit, assure que ces deux termes sont « indissociablement liés ». Pourtant, ce lien a toujours été démenti par la Maison-Blanche. Cela tendrait à expliquer pourquoi elle tient opiniâtrement à présenter l'invasion de l'Irak comme l'idée du président et non celle de Cheney. En fait, c'est ce qu'il y a de plus troublant dans le compte rendu de Bob Woodward sur les préparatifs de guerre contre l'Irak. Woodward a eu le privilège d'approcher les dirigeants de la Maison-Blanche et a même eu la possibilité inouïe de passer personnellement trois heures et demie en compagnie de George Bush. De bien des façons, son récit pourrait être considéré comme une version autorisée des faits, avec l'imprimatur des grandes pointures de Washington. Même si l'on y trouve maints détails fascinants, l'interview présente toutefois un portrait peu convaincant, fondé exclusivement sur les déclarations de Bush, c'est-à-dire d'un président jouant le rôle d'élément moteur derrière l'invasion. Il est intéressant de noter que, dans les années quatre-vingt-dix, Bush n'avait même pas paraphé les documents du PNAC traitant de l'importance de renverser Saddam Hussein. On racontait même qu'il s'inquiétait assez peu de politique étrangère avant de se présenter à la Maison-Blanche. Pourtant, Woodward semble accepter, en principe, que l'idée de renverser Saddam Hussein venait de Bush en personne. L'auteur va d'ailleurs jusqu'à tenter de réfuter la perception des événements selon laquelle Cheney serait la véritable force en arrière-scène. Il est compréhensible que la Maison-Blanche veuille faire paraître Bush comme l'homme fort de la situation, mais elle peut aussi vouloir détourner l'attention de Cheney qui, avec sa fixation sur la question énergétique, surtout le pétrole, ne doit pas avoir l'air de s'occuper de choses aussi controversées que l'invasion de l'Irak. Une fois de plus, l'objectif est de dissocier l'invasion des questions pétrolières.

Mais revenons à notre carte de coupes de viande. Elle signifie simplement que l'intérêt porté par la Maison-Blanche à l'Irak est de nature purement *commerciale*. Peu importe les préoccupations réelles ou pas concernant les armes détenues par l'Irak, les possibles relations du régime de Saddam Hussein avec Al-Qaida ou toute autre considération géopolitique, les documents obtenus par Judicial Watch dévoilent que Washington manifestait également un vif intérêt pour les richesses du sous-sol irakien et s'inquiétait que celles-ci ne tombent dans les mains avides de sociétés étrangères plutôt que dans celles, non moins intéressées mais du moins amies, de compagnies pétrolières américaines. D'ailleurs, comme le montre le document des « partenaires potentiels étrangers », une foule de sociétés non américaines avaient déjà pris leurs dispositions pour coincer avec leur pied la porte du pétrole irakien et s'étaient positionnées en douce pour être prêtes à s'impliquer à fond en Irak dès la levée des sanctions décrétées par l'ONU. Par contraste, après des années d'hostilités entre l'Irak et les États-Unis, les grandes compagnies pétrolières américaines se trouvaient éliminées de la scène. En fait, si les sanctions avaient été simplement levées – une perspective de plus en plus plausible étant donné les pressions internationales contre ces sanctions et les difficultés législatives pour les maintenir –, ces sociétés auraient subi un cuisant échec. Dans un rapport de la Deutsche Bank d'octobre 2002, on peut d'ailleurs lire : « Au cas où Saddam Hussein parviendrait à s'entendre avec l'ONU [sur la levée des sanctions], les grandes compagnies pétrolières américaines seraient perdantes. »

James A. Paul, du Global Policy Forum, un organisme ayant son siège social à New York, est d'accord avec la banque allemande et soutient que les perspectives d'avenir des compagnies pétrolières américaines auraient subi un coup fatal. « Toutes les compagnies étrangères auraient ramassé la crème, affirme Paul, car tout l'avenir de l'industrie pétrolière se trouvait là. » Les gisements pétrolifères irakiens sont les beaux restes de la manne et ne demandent qu'à être exploités. Si ces richesses étaient tombées dans des mains étrangères, Paul est d'avis que le choc aurait été insoutenable pour les grandes compagnies pétrolières. « En tant que challengers sur l'échiquier énergétique, elle auraient été ruinées, faute d'avoir les réserves nécessaires », soutient-il. Il pense d'ailleurs que la présence de la Compagnie nationale chinoise des pétroles parmi les postulants étrangers constituait une véritable provocation pour Washington qui envisage la Chine comme la prochaine menace pour l'hégémonie américaine.

Il est fort probable que, à l'occasion des réunions du groupe de travail de Cheney, on ait discuté de la position peu avantageuse des compagnies pétrolières américaines dans l'Irak de Saddam Hussein et que des discussions aient eu lieu avec les représentants de ces sociétés. On ne peut savoir avec précision qui étaient ces participants parce qu'aussi incroyable que cela puisse paraître, le groupe de travail a refusé de divulguer non seulement la teneur de ces discussions, mais également l'identité des participants ainsi que celle de leurs conseillers. Des actions d'ordre judiciaire ayant pour objectif d'obtenir d'autres informations sont actuellement en cours. Parmi les plaideurs, on retrouve le GAO ou General Accounting Office (Bureau général de la comptabilité) – la branche enquêteuse du Congrès, qui s'est rendu jusqu'en Cour fédérale pour avoir accès aux dossiers du groupe de travail. Un rapport du GAO en date d'août 2003 conclut que le groupe étoffait ses travaux grâce aux conseils de dirigeants du secteur pétrolier. On pouvait y remarquer la compagnie géante Chevron, ainsi que de grands patrons des secteurs charbonnier, gazier et nucléaire. Des articles ont également fait état de l'implication de grandes compagnies pétrolières dans les travaux du groupe de travail. Le magazine *Time* a rapporté que ce groupe s'était réuni en compagnie de près de 50 sociétés ou associations ayant des activités dans le secteur énergétique. On mentionne notamment dans cette revue que le président de Conoco, Archie Dunham – le *Time* le qualifie de « vieux copain de Cheney » –, avait rendu visite au vice-président le 21 mars 2001 pour lui faire part de l'opinion de la Conoco.

Le mystère insondable qui entourait ces consultations porte à croire que les dirigeants des compagnies pétrolières discutaient, entre autres, de la manière d'empêcher les concurrents étrangers de les battre dans la course au pétrole irakien. Cela expliquerait la carte de type « coupes de viande » et les tableaux des partenaires potentiels de l'Irak. À l'occasion de certaines déclarations, les compagnies pétrolières ont simplement recommandé de lever les sanctions contre l'Irak (et autres États « en marge » – sinon « voyous » –, comme la Libye ou l'Iran). Il est donc concevable qu'elles aient pu insister en privé auprès de Cheney pour faire lever les sanctions plutôt que pour provoquer un changement de régime en Irak. (Souvenons-nous toutefois que la Deutsche Bank avait prédit que la fin des sanctions désavantagerait les compagnies pétrolières américaines –, une perspective peu souriante pour les magnats de l'or noir.) Sachant qu'à cette époque, dans l'administration Bush, Cheney mettait tout en œuvre pour renverser Saddam Hussein, il est fort plausible que cette idée ait été évoquée par le vice-président lors de ses réunions avec les grands administrateurs des compagnies pétrolières, des gens probablement peu hostiles à une telle intervention. Dans le cas contraire, leur opposition aurait eu beaucoup de poids. On voit mal d'ailleurs comment Cheney et Bush auraient pu mettre en marche leur plan d'invasion en passant outre aux objections des compagnies pétrolières – des organisations proches des deux hommes et qui les avaient soutenus financièrement avec une générosité sans faille.

Les relations de l'administration Bush avec l'industrie pétrolière sont bien connues. Le Center for Responsive Politics de Washington, un organisme non partisan, relève que George W. Bush, qui a été mêlé à plusieurs initiatives menées par des compagnies pétrolières dans les années soixante-dix, avait encaissé plus d'argent du secteur pétrolier et gazier au cours de l'exercice 1999-2000 que tout autre candidat à la présidence n'en avait reçu *au cours de la dernière décennie*. Pour sa part, ExxonMobil a versé 1,3 million de dollars à la caisse électorale. (En plus des liens que Bush entretenait avec l'industrie pétrolière, Cheney, avant d'accéder à la vice-présidence des États-Unis, était directeur général de Halliburton ; par ailleurs, la conseillère à la Sécurité nationale de l'époque, Condoleeza Rice, siégeait au conseil d'administration de Chevron dans les années quatre-vingt-dix) Étant donné la nature des liens très étroits – sans compter l'appui financier – qui unissaient l'industrie pétrolière et l'administration Bush, il est difficile d'imaginer que les politiques de la Maison-Blanche ne reflètent pas de façon substantielle les desiderata de l'industrie du pétrole. Dès qu'il fut en poste, Bush ne tarda pas à mettre en vigueur deux politiques clés : le retrait des États-Unis des accords de Kyoto et l'invasion de l'Irak. Le soutien massif du secteur pétrolier suggère sans aucun doute que ce dernier appuyait ces deux politiques.

Il est donc probable que les grosses compagnies du pétrole aient allègrement collaboré, dès le début, aux projets de l'équipe présidentielle concernant l'Irak. On déploya des efforts considérables pour dissimuler une telle implication, car, si le fait avait été rendu public, l'invasion aurait baigné dans des relents de pétrole, ce que l'administration Bush tenait à éviter. Le rôle exact des grandes compagnies pétrolières dans cette affaire est imprécis. Fadel Gheit laisse simplement entendre que ces entreprises sont en mesure « de diriger les antennes de l'administration dans la direction qu'elles désirent ».

L'une des preuves les plus curieuses de l'implication des compagnies pétrolières se trouve dans un article du *New Yorker* de février 2004. La journaliste Jane Mayer souligne qu'un document du National Security Council (NSC) datant de février 2001 ordonnait au personnel de ce conseil de coopérer pleinement avec le groupe de travail mis sur pied par Dick Cheney. Cela peut sembler incongru, puisque ce groupe était centré sur les politiques énergétiques, alors que le NSC s'occupait de questions militaires et de défense. Dans le document du NSC, on découvre que le groupe de travail pense à « fusionner » deux secteurs de politiques : « l'examen des politiques opérationnelles envers les États voyous » et « les actions concernant la prise en main de gisements pétrolifères et gaziers existants ». Cela implique que le groupe de travail de Cheney débordait du domaine habituel des politiques énergétiques et qu'il prenait en considération des questions géopolitiques, notamment la manière de « prendre en mains » les réserves de pétrole et de gaz dans les États « voyous », y compris, on s'en doute, en Irak.

S'il existe quelque part une arme encore fumante, il faut probablement la chercher dans cette direction. Dans son article du *New*

Yorker, Jane Mayer cite Mark Medish, l'un des responsables du NSC pendant les années Clinton. Selon lui, le public croyait que le groupe de travail plutôt secret de Dick Cheney traitait exclusivement de questions internes. « Si ce cénacle discutait de plans géostratégiques concernant le pétrole, dit Medish, les questions touchant un éventuel conflit étaient soumises aux grands capitaines de l'industrie pétrolière siégeant avec Cheney et ils dressaient ensemble de gigantesques plans planétaires. » En d'autres termes, grâce au groupe de travail de Cheney, les compagnies pétrolières étaient impliquées dans de longues discussions concernant une éventuelle invasion de l'Irak. D'ailleurs, il semble que Cheney et ses anciens collègues du secteur pétrolier étaient en train de mettre au point une politique énergétique d'ensemble, incluant la possibilité de prendre le contrôle de l'Irak. Cette attitude permet de comprendre le secret stupéfiant entourant les travaux du groupe, censés exclusivement porter sur des questions énergétiques à propos desquelles les toutes-puissantes compagnies pétrolières seraient de toute façon consultées. Si l'on se fie au document du NSC, le groupe de travail donnait la priorité à des questions géopolitiques plus importantes comme la prise de contrôle du pétrole irakien – un sujet à l'égard duquel les compagnies pétrolières préféraient publiquement prendre leurs distances. On comprend mieux alors leurs attitudes de conspirateurs.

Un peu plus tard, durant l'automne 2002, lorsque les plans d'invasion de l'Irak furent élaborés et connus du public, un même voile de mystère tomba sur l'implication possible des compagnies pétrolières. Ainsi, en octobre 2002, Ahmed Chalabi, le leader irakien en exil que l'administration Bush avait pressenti pour remplacer Saddam Hussein à la tête de l'Irak, participa à des réunions secrètes avec trois multinationales du pétrole pour discuter de futurs contrats. Dès un début de fuites à propos de ces pourparlers, le groupe d'exilés conduit par Chalabi confirma la nouvelle et expliqua aux journalistes que les pétroliers sont « naturellement nerveux ». « Nous nous sommes entretenus avec eux, mais ce n'est pas dans nos habitudes », précisa le groupe. Pourquoi les pétroliers étaient-ils « naturellement nerveux » et pourquoi organisaient-ils des réunions secrètes avec Chalabi ?

Celui-ci avait depuis longtemps insisté pour que l'on renverse Saddam Hussein et avait tissé des liens étroits avec les faucons de Washington. Il semble qu'il ait aussi tenté de s'assurer l'appui des conglomérats pétroliers et que ceux-ci aient manifesté suffisamment d'intérêt pour le rencontrer. Il n'y a pas de doute que ses projets pour l'après-Saddam étaient de nature à leur plaire. Chalabi confia au *Washington Post* que pour exploiter le pétrole irakien, il favorisait l'établissement d'un consortium dirigé par les Etats-Unis et ainsi « les compagnies américaines auront un bon accès au pétrole irakien ». (Il ne faut pas s'étonner si ce genre de propos eut de quoi alarmer les gestionnaires des compagnies pétrolières non américaines qui, dans le cas de l'arrivée au pouvoir d'un gouvernement Chalabi, auraient été tenues à l'écart des futurs contrats. Lord Browne, le P.D.G. de la pétrolière britannique BP, déclara à l'occasion d'une réunion où il annonçait les résultats financiers de son entreprise qu'il avait insisté auprès de Washington pour qu'une fois la guerre terminée l'Irak ne devienne pas la chasse gardée exclusive des pétroliers américains : « Dans le cas d'un changement de régime en Irak, nous aimerions faire savoir que nous tenons à ce que la sélection des compagnies pétrolières dont la présence se révélerait utile en ce pays soit faite de manière équitable. »)

Entre-temps, une autre réunion secrète se tenait apparemment entre les compagnies pétrolières et les super-stratèges américains. Le *Wall Street Journal* rapporte qu'en octobre 2002 l'état-major de Cheney organisa une réunion avec les directeurs d'ExxonMobil, de ChevronTexaco, de ConocoPhillips et de Halliburton, et discutèrent de plans pour sécuriser et remettre en valeur les champs de pétrole irakiens. Ce journal, qui entretient des contacts exemplaires avec le monde financier, signale qu'il a obtenu ces renseignements de « têtes dirigeantes de cette industrie ». Et aussi que l'administration Bush, tout comme les compagnies pétrolières, nia la tenue d'une telle réunion. S'il est toujours possible que l'on ait induit en erreur les sources d'information du *Wall Street Journal* et que cette réunion n'ait été qu'imaginaire, la tenue de ce sommet n'en est pas moins plausible. Toutefois, étant donné le rapport entre l'invasion de l'Irak et les contrats pétroliers à la clé, mieux valait pour l'administration Bush et les compagnies nier l'existence d'un événement aussi embarrassant.

En fouinant quelque peu, on est surpris de constater comment les grandes compagnies pétrolières ont réussi à effacer leurs traces. Si l'on se fie aux médias ayant traité de l'invasion et de l'occupation de l'Irak, on y évoque très peu de choses sur le pétrole et les conglomérats pétroliers, et encore moins sur les gratifications financières de l'ordre de 30 à 50 milliards de dollars annuels que récolteraient les entreprises privées – un sujet évoqué par Fadel Gheit dans le premier chapitre de ce livre. Au lieu de cela, on a raconté au grand public des histoires interminables sur les difficultés éprouvées par les États-Unis pour aider l'Irak dans sa transition vers la démocratie.

* * *

L'une des raisons pour lesquelles un changement de régime en Irak était considéré comme alléchant est qu'il remettait à des intérêts privés la clé d'un coffre au trésor depuis longtemps fermé, celui du pétrole levantin. Avant les années soixante-dix, le secteur pétrolier de cette région du monde était privatisé. Les gisements étaient exploités par un petit groupe de compagnies pétrolières importantes versant des redevances aux gouvernements. Dès le début de la nouvelle décennie, la plupart des pays du Proche-Orient (comme bien d'autres d'ailleurs) ont nationalisé leurs richesses compagnies pétrolières. Résultat : une majorité de sociétés d'État ont la main haute sur les principales réserves pétrolières mondiales. Les conglomérats privés ne contrôlent actuellement que 4 % des réserves.

Les *majors* se sont bien adaptées à ce nouveau système et ont prospéré en continuant à dominer le raffinage et la commercialisation du produit aux quatre coins du monde. Elles ont également continué à effectuer des forages et à pomper le brut au Proche-Orient, à cette différence près que les opérations se déroulent sous contrat avec les gouvernements hôtes. Réduites au rôle de promoteurs plutôt que de propriétaires, ces *majors* pensent qu'il vaut mieux être propriétaires, surtout avec des enjeux promettant le paradis terrestre.

Michael Tenzer, l'économiste new-yorkais qui conseille les pays du tiers-monde sur les questions énergétiques, remarque que « [l'] un des objectifs des compagnies pétrolières et des nations occidentales est d'affaiblir et, éventuellement, de privatiser le secteur pétrolier public ». (Lors d'une allocution au London Petroleum Institute en 1999, Dick Cheney évoquait l'intérêt du secteur pétrolier privé pour les sociétés d'État. Il notait toutefois que, selon ses propres termes, « les progrès continuaient à être lents... »).

Au cours des préparatifs américains d'invasion, il ne fait aucun doute que les perspectives de voir les champs de pétrole rouvrir sous l'égide du secteur privé n'ont pas manqué d'exalter les imaginations avec leurs promesses de trésors fabuleux. En février 2003, alors que le secrétaire d'État Colin Powell tentait obstinément de convaincre le Conseil de sécurité des Nations unies que Saddam Hussein était une menace pour la sécurité mondiale, d'autres instances du gouvernement américain s'affairaient à développer des projets secrets pour privatiser, entre autres actifs, le brut irakien. Un document contractuel et confidentiel de 100 pages, préparé par la U. S. Agency for International Development, avec l'aide des directeurs du Trésor américain, expose des plans élaborés pour remplacer l'économie presque entièrement nationalisée de l'Irak par un système de libre marché. Ce document, intercepté par le *Wall Street Journal*, après avoir circulé parmi les conseillers financiers privés, énonce clairement que le pétrole est la pierre angulaire de ce « programme de privatisations massives ». On y préconise une « implication du privé dans des secteurs stratégiques incluant la privatisation, la liquidation d'actifs, des contrats de franchise, de location et d'administration, *tout particulièrement dans le pétrole et dans ses industries concomitantes* » (les italiques sont de moi).

Les hauts fonctionnaires qui préparèrent ce document ne firent apparemment preuve d'aucun état d'âme en proposant de tels changements ainsi que des amendements à long terme selon des paramètres susceptibles de rendre le pays plus sûr pour des investissements étrangers. Ils préconisent, par exemple, l'établissement à Bagdad d'une bourse de « calibre mondial », avec des courtiers formés aux États-Unis, afin que l'on puisse y négocier les actions de sociétés irakiennes fraîchement privatisées. Ils demandent aussi que l'on établisse en Irak un nouveau régime fiscal « cohérent avec les pratiques internationales actuellement en vigueur », y compris une taxe à la consommation. (Signalons au passage que cette initiative permettrait au fardeau fiscal de peser plus lourdement sur les consommateurs irakiens plutôt que sur les sociétés étrangères fonctionnant dans le pays.)

Dans l'intervalle, le Pentagone travaillait également sur des plans pour développer le secteur pétrolier irakien une fois défait le régime de Saddam Hussein. Au cours de l'automne 2002, des mois avant l'invasion, le Pentagone avait retenu les services de Philip Carroll, un ancien directeur général de Shell Oil au Texas, afin qu'il élabore une stratégie permettant de mettre en valeur les gisements de l'Irak. Apparemment, les plans de Carroll devinrent les pierres angulaires d'un programme rendu public peu après la guerre. Il consistait à restructurer l'industrie pétrolière irakienne selon les critères des grandes sociétés américaines, avec un président du conseil d'administration, un P.D.G. et un comité de conseillers internationaux formé de 15 membres. Carroll fut choisi pour être président du conseil d'administration et envoyé à Bagdad en qualité de principal conseiller de l'administration Bush pour les questions pétrolières. (Les projets d'établissement d'une compagnie pétrolière de style américain furent rapidement mis de côté lorsqu'ils se heurtèrent à une vive opposition dans le pays.)

Selon Robert Ebel, du Center for Strategic and International Studies, qui entretenait des liens étroits avec les multinationales pétrolières américaines, le brut irakien présente toujours autant d'intérêt pour celles-ci. Ebel est un ancien vice-président de Enserch Corporation, une société d'exploration pétrolière de Dallas ; il a travaillé étroitement avec les gestionnaires du plus haut niveau chez Exxon, Halliburton et Aramco en qualité de directeur d'un projet étalé sur deux ans, *La Géopolitique de l'énergie au XXIe siècle*, déjà cité au premier chapitre. Ebel entretient également des liens avec le gouvernement américain. Il admet avoir été un ancien agent de la CIA et, avant la guerre d'Irak, il a pris part à des réunions du Département d'État en compagnie d'un groupe d'exilés irakiens à qui l'on avait demandé d'aider à formuler des plans de développement pétroliers pour l'après-guerre. Lors d'une interview qui s'est déroulée dans son bureau de Washington en novembre 2003, Ebel a pris soin de faire remarquer que la tâche d'exploiter les champs de pétrole irakiens revenait en priorité aux Irakiens, mais il fit remarquer que les compagnies pétrolières américaines préféraient de beaucoup que l'Irak renonce à la nationalisation. « Nous préférons nettement ne pas travailler avec les sociétés d'État », a déclaré Ebel sans mettre de gants, en précisant que les *majors* étaient prêtes à investir les 35 à 40 milliards nécessaires pour développer les gisements de brut irakien au cours des années qui viennent. « Nous cherchons dans le monde des endroits où investir, et voilà l'Irak qui se présente. Je pense que beaucoup de compagnies pétrolières seraient déçues si ce pays disait d'un seul coup qu'il allait se débrouiller tout seul pour exploiter son brut... », ajoute-t-il.

Et voici l'Irak... comme par hasard ? Un incident vraiment fortuit, en quelque sorte. Juste comme les compagnies pétrolières américaines ont des milliards à investir dans les réserves non exploitées de brut, voilà l'Irak qui s'amène, prêt à se faire envahir.

Quel merveilleux hasard...

* * *

À l'automne 2003, des mois après son intervention en Irak, Washington a lancé son plan de privatisation de l'économie irakienne, à l'exception du secteur pétrolier. En effet, les forces d'occupation américaines ont eu à faire face à une résistance plus forte que prévue, et les beaux projets de privatisation du brut ont été temporairement suspendus. Entre-temps, le travail ne manquait pas, et il y avait beaucoup d'argent à gagner. Une chose fut rapidement très claire : la coûteuse reconstruction de l'Irak – avec des perspectives de faire fortune à court terme – serait réservée à un petit groupe d'entrepreneurs privilégiés, proches – certains même intimes – de l'administration Bush.

Pendant ce temps, des pays comme le Canada qui avaient refusé de participer à l'invasion menée par les États-Unis ont été éliminés ouvertement et n'ont pu obtenir leur part des contrats de 18 milliards de dollars accordés par le Pentagone pour reconstruire l'Irak. Cette attitude renforce l'idée que, selon Washington, les seuls pays à profiter de cette manne doivent être ceux qui les ont soutenus dans ses ambitions belliqueuses. Les protestations n'ont pas tardé, on s'en doute. Paul Martin, le premier ministre du Canada, a rapidement protesté contre l'exclusion des sociétés canadiennes du filon mis au jour par le Pentagone et essaya tant bien que mal de trouver une place au soleil d'Irak pour son pays. Une fois de plus, la communauté internationale se trouvait plongée dans un débat acerbe sur l'Irak, cette fois-ci à propos du butin de guerre. Personne n'avait pensé à une option bien simple : laisser la reconstruction de l'Irak aux Irakiens.

Chapitre 3

UN HOMME À RENCONTRER

Lorsque Issam Al-Chalabi prend ses aises dans l'un des meilleurs restaurants d'Amman, en Jordanie, il arrive qu'il ait à chasser d'un revers de main une mouche importune. La journée est torride – le genre de température qui pousse les Nord-Américains à se réfugier dans les immeubles bien climatisés. Toutefois, ici, à Amman, les gens font les choses autrement. Il se rendent dans des restaurants où des ventilateurs bruissent doucement sous des auvents haut perchés, recréant en ces lieux l'atmosphère de certaines stations balnéaires.

Il ne faudrait pas confondre Issam Al-Chalabi avec Ahmed Chalabi, l'exilé irakien pressenti par Washington pour diriger l'Irak après la chute de Saddam Hussein. Mais Issam Al-Chalabi est également bien connu en Irak où il a servi comme ministre des Ressources pétrolières jusqu'en août 1990, lorsque Saddam décida brutalement qu'il préférait voir son gendre à ce poste. La situation était alors tendue à Bagdad. Saddam Hussein venait d'envahir le Koweït, une nouvelle qu'Al-Chalabi découvrit un beau matin en arrivant au bureau. Ce même matin, il apprit aussi qu'il venait d'être révoqué. L'idée lui a probablement traversé l'esprit qu'il s'en tirait à bon compte. D'autres avaient perdu la vie pour la seule raison qu'ils occupaient un poste que Saddam voulait confier à l'un de ses gendres. Al-Chalabi avait vraiment eu de la chance, car la police secrète ne l'avait pas importuné. Une douzaine d'années plus tard, il avait déménagé à Amman avec sa famille, où il dirige un bureau de conseillers en investissements pétroliers. Il fréquente les meilleurs restaurants et roule en Mercedes.

Ingénieur diplômé de l'University College de Londres, Al-Chalabi est pro-occidental depuis longtemps. Il parle couramment l'anglais et est vêtu à l'européenne. Une de ses filles vit au Texas, et il lui arrive de séjourner aux États-Unis. Lorsqu'il était ministre des Ressources pétrolières, il préférait recourir aux technologies occidentales plutôt qu'à celles de l'Union soviétique, que Saddam Hussein favorisait. Il affirme n'avoir jamais pris part aux manœuvres politiques du gouvernement irakien et se décrit comme un simple technicien supérieur intéressé à développer les richesses naturelles de sa patrie. Il se réjouit de la chute de Saddam Hussein et l'un de ses amis, qui déjeunait avec nous, décrit Al-Chalabi comme un « pro-Américain ».

Malgré ses sympathies pour l'Occident, Al-Chalabi n'hésite pas à critiquer la façon dont les Américains se sont occupés de la reconstruction de l'Irak. « Ils ne font pas un bon travail et ont contribué à semer la pagaille », déclare-t-il sans ménagement. Ce que Al-Chalabi trouve particulièrement exaspérant est l'insistance avec laquelle les Américains se fient à leurs compatriotes pour reconstruire l'Irak. « Ils préfèrent dépendre d'étrangers, car ils pensent que les Irakiens sont des incapables », n'hésite-t-il pas à affirmer. En fait, l'Irak possède une main d'œuvre éduquée – probablement la plus éduquée du Proche-Orient – qui possède une vaste expertise pour reconstruire les infrastructures du pays, son réseau électrique et d'aqueducs, ses écoles et ses hôpitaux. Les professionnels irakiens savent ce que rebâtir veut dire. En dépit des sanctions des Nation unies, qui les avaient laissés à court d'équipement, d'outillage et de pièces détachées, ils arrivaient néanmoins à assurer les services.

Selon Al-Chalabi, c'est dans le domaine pétrolier de son pays que cette réalité est la plus flagrante. À son avis, les Irakiens sont les mieux qualifiés pour développer et remettre en état ce secteur meurtri. « Au cours de la guerre Iran-Irak, explique-t-il, toutes les installations pétrolières constituaient des cibles. Elles étaient bombardées et attaquées à la roquette et, malgré tout cela, nous les reconstruisions... » L'homme a occupé plusieurs postes importants dans la hiérarchie pétrolière irakienne avant d'être ministre durant la guerre qui fit rage de 1980 à 1988. Après les lourds bombardements américains de la première guerre du Golfe, en 1991, les professionnels irakiens se montrèrent également fort compétents pour réparer les dommages. « Toutes les raffineries et les centrales électriques furent touchées, remarque-t-il, mais en l'espace de six semaines, la population avait de l'électricité et des produits pétroliers. Après la guerre du Golfe [de 1991], les Américains furent ébahis de constater que des raffineries construites voilà cinquante ou cinquante-cinq ans fonctionnaient encore, malgré les sanctions que l'on nous avait imposées et le manque de pièces de rechange... »

Al-Chalabi fait remarquer, par contraste, à quel point les forces américaines se sont montrées incapables de restaurer les services publics essentiels au lendemain de la conquête de Bagdad en avril 2003. Quatre mois plus tard, lors de l'interview qu'il m'accordait, il me fit remarquer que l'Irak importait toujours du fuel et de l'essence, et que le réseau électrique fonctionnait de manière irrégulière. Il ne s'est d'ailleurs pas gêné pour se gausser des prétentions américaines voulant que seuls des étrangers travaillant avec des contrats lucratifs soient en mesure de faire fonctionner l'économie irakienne, alors que, pratiquement sans ressources, les Irakiens avaient déjà réussi ce tour de force.

Ce qui le surprenait aussi, c'était l'échec des Américains à assurer une sécurité minimale. Après la chute de Bagdad, alors que les troupes montaient la garde à l'extérieur du ministère des Ressources pétrolières, le Musée fut laissé sans surveillance, ce qui conduisit à de tragiques pillages. Les forces américaines se montrèrent également inefficaces à protéger les installations pétrolières et les pipelines dans tout le pays. En conséquence, ces infrastructures furent la cible de nombreux sabotages qui retardèrent considérablement la remise en route de la production.

Al-Chalabi m'a fait remarquer que les sabotages ont toujours existé, ne serait-ce qu'à cause des nombreuses factions et mouvements séparatistes qui tentent de perturber les livraisons de pétrole ou de se les approprier à des fins politiques. Afin de faire face à cette menace permanente, le ministère des Ressources pétrolières avait créé sa propre entité policière. Forte de plusieurs milliers d'homme, cette « police du pétrole » possédait ses propres armes et véhicules, et était entièrement autonome à l'égard des forces habituelles. Leur unique fonction était de protéger les installations pétrolières du pays et les milliers de kilomètres de pipelines. De plus, le Ministère concluait parfois des ententes avec des tribus, chargées de protéger les installations dans les régions à risques. C'est avec ce genre de dispositions que l'Irak avait réussi à protéger efficacement ses ressources naturelles, une tâche qui, pour les Américains, s'était, au mieux, révélée difficile.

Pendant que les Américains se fiaient à leurs sociétés pour remettre sur pied l'industrie pétrolière et pour assurer la sécurité, selon Al-Chalabi, il était inutile de se tourner vers eux pour effectuer de telles tâches : « Les opérations pétrolières auraient pu être reprises par des professionnels [irakiens]. Depuis des décennies, ils excellent dans ce travail et ils font partie des meilleurs spécialistes au monde en la matière. Je n'accepte pas la mainmise de cette coalition [menée par les Américains] sur ces installations. »

L'évaluation de Al-Chalabi des compétences des pétroliers irakiens est corroborée par des observateurs indépendants. Dans une analyse de 20 pages sur les opérations pétrolières irakiennes préparée par la Deutsche Bank en octobre 2002, l'établissement financier allemand conclut que la Iraqi National Oil Company (INOC) – ou Société nationale des pétroles irakiens – serait parfaitement en mesure de s'occuper de cette industrie une fois les sanctions de l'ONU levées. Selon ce rapport, l'INOC « possède de solides références quant à ses réserves et à la manière dont elle a géré sa technologie dans le passé, même si elle s'est retrouvée dangereusement handicapée depuis 1990 par un manque d'argent et de nouvelles technologies, ainsi que par des politiques où alternaient les cessations de production et les remises en route. Alors que le leadership de l'INOC pourrait fort bien changer les événements consécutifs aux sanctions, l'armature organisationnelle de base, les bases de données de production et le personnel technique seraient fort capables de structurer les assises d'une nouvelle société de gestion. »

Par-dessus tout, Al-Chalabi est attristé et frustré par le gaspillage de l'énorme potentiel économique de l'Irak. De l'intérieur, il a été le témoin privilégié de la manière dont l'Irak a failli devenir une économie moderne et florissante, et a vu tous ces beaux rêves s'envoler.

Pour les Irakiens, le pétrole a toujours été proche des préoccupations et des espoirs de développement national et, dans les années soixante-dix, les perspectives économiques semblaient extrêmement prometteuses. Avec la nationalisation de l'industrie pétrolière en 1972 et l'augmentation dramatique des prix du brut sur le plan international, les 25 millions d'Irakiens, même privés de libertés politiques, jouissaient tout de même d'un niveau de vie enviable : soins médicaux gratuits, absence d'impôt sur le revenu, instruction gratuite (y compris l'université). Ces avantages ne constituaient qu'un début : aussi incroyable que cela puisse paraître, *moins de 1 %* des ressources de brut irakien avaient été exploitées. À la fin des années soixante-dix, en tant que président de l'Iraq State Company for Oil Projects, Al-Chalabi était prêt à superviser le développement des immenses réserves de pétrole du pays et à faire de l'Irak la locomotive du Proche-Orient. Dès 1979, tout était en place pour réaliser ce projet, et les contrats d'ingénierie et de construction avaient déjà été signés. Certains avaient été accordés à des firmes étrangères, mais toutes les décisions étaient prises en Irak, et le ministère des Ressources pétrolières demeurait le maître d'œuvre des projets. « Nous étions très conscients de nos richesses et allions faire fonctionner les choses par nos propres moyens », dit-il d'un air nostalgique.

En 1980, l'invasion de l'Iran par Saddam Hussein fit avorter ces beaux projets. Au cours des années qui suivirent, toutes les énergies se concentrèrent sur le conflit avec le pays voisin. À la fin du carnage, en 1988, ruiné mais victorieux, l'Irak n'en possédait pas moins un potentiel pétrolier fabuleux. Une fois de plus, l'optimisme revint brièvement, pour disparaître deux ans plus tard lorsque Saddam Hussein décida de s'en prendre au Koweït. Cette fois-ci, l'Irak essuya une défaite rapide et décisive contre la coalition rassemblée par les Américains, et le tout fut suivi de plus d'une décennie de sanctions économiques, décrétées par l'ONU, qui laissèrent le pays exsangue.

Depuis le départ de Saddam Hussein, on était en droit de s'imaginer que le potentiel pétrolier irakien allait peut-être se manifester. Cependant, le rêve de développement des vastes réserves de brut du pays – qui semblait si proche en 1979 – paraît une fois de plus s'estomper. Al-Chalabi pense que les Américains continueront de contrôler l'Irak. « Ils sont là pour y demeurer de longues, longues années, pense-t-il. Je ne crois pas qu'ils le quitteront un jour... »

* * *

Voir des Irakiens reconstruire leur pays et exploiter leurs ressources pétrolières constitue probablement un grand rêve populaire et peut sembler une idée valable pour les observateurs des banques internationales, mais elle n'effleura jamais l'esprit de ceux qui, à Washington, planifièrent l'occupation de l'Irak. Bien sûr, une profusion d'emplois peu qualifiés sera réservée aux Irakiens, mais la gérance et la propriété des entreprises engagées dans la reconstruction de l'Irak – ainsi que les décisions relatives à cette reconstruction – se trouveront presque exclusivement concentrées entre des mains américaines. Cela avait été clairement énoncé depuis que les plans originaux de privatisation avaient été préparés (voir chapitre précédent) par des responsables du Trésor américain et de l'Agence américaine pour le développement international. Bien avant le débarquement des troupes en Irak, un contrat fut accordé à une firme de Virginie, Bearing Point Inc. (autrefois KPMG Consulting[14]). Selon un rapport

14. KPMG est un cabinet-conseil tentaculaire spécialisé dans la gestion et les enquêtes. Il emploie 100 000 personnes dans le monde entier, y compris 7000 associés, dans 155 pays, y compris dans des endroits apparemment aussi peu prometteurs que l'Albanie. Peu connue du grand public, cette organisation d'une discrétion remarquable joue un rôle d'éminence grise pour les grands intérêts américains. *(N.d.T.)*

du *Wall Street Journal*, les autres contrats ont été accordés « à un groupe limité de concurrents ». Dans ce cénacle exclusif, on trouve d'autres firmes influentes comme Deloitte Touche Tohmatsu et International Business Machine (IBM). *Le Wall Street Journal* résume la situation en ces termes : « L'exécution des plans [de privatisation] échoit à des entrepreneurs américains du secteur privé travaillant de concert avec une équipe de responsables du gouvernement américain. »

* * *

Comme il fallait le prévoir, les ambitieux projets de privatisation élaborés avant la guerre durent être mis presque immédiatement de côté lorsque la résistance à la conquête américaine se révéla plus vive que prévu. Comme je l'ai mentionné précédemment, on décida alors de ne pas privatiser les pétroles irakiens. Dans le même ordre d'idées, à l'annonce de l'ouverture de l'économie irakienne aux investissements étrangers, on exclut le pétrole de cette transaction. Cette décision de Washington s'explique par la résistance coriace des Irakiens face aux tripotages américains de leurs richesses naturelles. Mais Washington n'en démordait pas lorsqu'il s'agissait d'imposer la privatisation et la propriété étrangère en Irak – *avant même que le peuple irakien ait eu son mot à dire sur des changements aussi radicaux*. Dans la planification de son budget pour 2004, l'administration nommée par les Américains en Irak signale son intention d'ouvrir l'économie largement nationalisée du pays aux investissements privés, alléguant que les entreprises nationalisées s'étaient révélées « des échecs dans le monde entier ». Que le peuple irakien soit ou non d'accord avec ces affirmations importait peu : tout avait été décidé pour lui. Ainsi, pendant que Bush répétait sans arrêt qu'il apportait la démocratie en Irak, certaines des décisions les plus importantes qu'un corps électoral puisse décider, soit le choix de son type d'économie, avaient déjà été prises par les responsables de la Maison-Blanche.

Il est douteux que ces changements économiques soient même légaux selon les lois internationales. Un rapport préparé en juin 2003 par le U. S. Congressional Research Service relève que la vente d'actifs appartenant à un État par une puissance d'occupation viole la Convention sur les lois de la guerre signée à La Haye en 1907. Voici ce qu'en dit le rapport, soumis au Congrès : « La plupart des spécialistes sont d'avis que l'Irak devrait avoir un gouvernement légitime avant que des changements permanents puissent être apportés à ses lois, à son économie et à ses institutions. »

Washington s'est également approprié les importantes sommes d'argent devant servir à la reconstruction de l'Irak, lesquelles ne provenaient pas toutes des contribuables américains. En mai 2003, seulement un mois après la chute de Bagdad, Washington se fit appuyer par les Nations unies dans son plan visant à déplacer des millions de dollars en revenus provenant du pétrole irakien, avant et après la guerre, dans le nouveau Fonds de développement pour l'Irak. Un comité consultatif de l'ONU a été établi pour vérifier les comptes, mais la vérification finale des activités du Fonds fut confiée à l'Autorité provisoire de la coalition, dirigée par l'administration américaine. Les espèces devaient être gardées dans les coffres de la Federal Reserve Bank de New York, et un haut fonctionnaire du Trésor américain, George Wolfe, fut nommé en tant que conseiller. Il était chargé de la répartition des sommes affectées, entre autres, aux infrastructures pétrolières et aux programmes de production d'électricité.

La plupart des sommes affectées à la reconstruction de l'Irak ont été directement contrôlées par le Pentagone, avec des centaines de millions tombant dans les poches de grandes sociétés américaines comme Bechtel, General Electric et DynCorp. Cependant, aucune société n'a davantage profité de l'invasion et de l'occupation de l'Irak que le conglomérat de services pétroliers Halliburton, qui a reçu de multiples contrats pour assurer le soutien de l'armée américaine et réparer les installations pétrolières. Le *Wall Street Journal* signale que ces services sont évalués à *18 milliards* de dollars et, ici plus qu'ailleurs, Dick Cheney se situe au centre des activités.

Mais retournons à cette réunion mentionnée dans le chapitre précédent, et qui s'est tenue, selon le *Wall Street Journal*, en octobre 2002. Cette rencontre, dont la Maison-Blanche nie l'existence, comprenait des membres du personnel de Cheney et de grands gestionnaires d'ExxonMobil, de ChevronTexaco, de ConocoPhillips – et de *Halliburton*. Si la présence des cadres d'ExxonMobil dans la suite vice-présidentielle ne suffisait pas pour que l'administration Bush démente officiellement la tenue de cette réunion, la seule présence des cadres de Halliburton aurait certainement justifié ce démenti. La relation entre Cheney et Halliburton est un peu trop voyante, même selon les normes fort permissives de l'administration Bush. Jusqu'à ce qu'il soit choisi comme colistier de Bush, Cheney – on le sait – avait déjà été P.D.G. de Halliburton, une entreprise qui lui versait 44 millions en compensations sur cinq ans, lui verse encore 150 000 $ par année et dans laquelle il possède toujours des options d'achat d'actions valant 18 millions. Depuis qu'il est en poste, Cheney a toujours soutenu avoir coupé tous les ponts avec cette entreprise. Voilà pourquoi la possibilité que lui ou ses employés aient rencontré les dirigeants de Halliburton en octobre 2002 et qu'il ait discuté avec eux d'affaires extrêmement rentables pour son ancienne maison est vraiment frappante.

Si, éventuellement, Exxon ou Chevron récoltent des bénéfices mémorables en Irak, Halliburton peut être considérée comme membre honoraire des grosses compagnies pétrolières, car elle engrange déjà des profits à ne savoir qu'en faire. Les sommes en cause et la proximité que cette société entretient avec l'homme peut-être le plus puissant de l'administration Bush font de Halliburton un cas unique dans la saga irakienne.

* * *

Dans le monde du copinage qui existe entre l'industrie pétrolière et le gouvernement américain, nulle relation n'est plus intime que celle unissant Halliburton et les successives administrations républicaines. Diplômé en sciences politiques, Cheney a débuté à Washington comme attaché de cabinet. Il a travaillé sous le gouvernement Nixon pour Donald Rumsfeld, qui dirigeait alors l'Office of Economic Opportunity, qui avait joué un rôle important dans la guerre à la pauvreté, organisée par Lyndon B. Johnson – ce genre de guerre n'intéressait Nixon que très médiocrement et encore moins Rumsfeld et son protégé, Cheney. Dans le cadre d'une association et d'une amitié qui devaient durer toute leur existence, Rumsfeld et Cheney s'entendirent pour saboter l'efficacité du bureau anti-pauvreté. Ils parvinrent à leurs fins en se débarrassant de la quasi-totalité du personnel et en accordant des postes à des amis du secteur privé. Cheney et Rumsfeld étaient donc passés maîtres dans le petit jeu de la privatisation avant qu'elle ne devienne la tactique préférée de la droite américaine pour enrichir le secteur privé en minant tout programme gouvernemental destiné à pallier les inégalités sociales.

Cheney parvint à se faire une place au Congrès, où il représenta le Wyoming pendant onze années durant lesquelles il ne cessa de promouvoir les intérêts des sociétés travaillant dans le secteur énergétique (et où il s'illustra comme opposant farouche à l'avortement en toutes circonstances). Choisi comme secrétaire à la Défense dans l'administration de George Bush père, Cheney présida aux préparatifs de la première guerre du Golfe en 1991. Au cours des années passées à la Défense nationale, Cheney soumit un projet qui consistait à privatiser une partie importante des activités militaires, ce qui, on s'en aperçut plus tard, fit de lui un homme très riche. L'idée consistait à donner au secteur privé le soutien logistique des opérations militaires à l'étranger. Ces corvées, habituellement confiées à des réservistes, comprenaient, entre autres, la préparation des repas, le blanchissage, le ménage des sanitaires, bref, tout ce qui ne relevait pas directement des activités de combat. Cheney suggéra de confier ces travaux à une unique société du secteur privé.

Cela amena le Pentagone à se tourner vers Halliburton, un conglomérat basé à Houston au Texas. Ce conglomérat avait acquis une bonne réputation dans la construction de puits de pétrole et la fourniture de matériel de service. Sa filiale d'ingénierie Brown & Root avait construit une bonne partie de l'infrastructure militaire de l'armée lors de la guerre du Viet Nam. Halliburton reçut 3,9 millions de dollars du Pentagone pour effectuer une étude de faisabilité pour une éventuelle privatisation de cette infrastructure et une somme additionnelle de 5 millions de dollars pour faire une étude de suivi. Au mois d'août 1992, alors que Dick Cheney occupait toujours le poste de secrétaire de la Défense, le corps des ingénieurs de l'armée américaine choisit la compagnie Halliburton pour mettre en œuvre la tâche monumentale qu'elle avait elle-même définie et pour laquelle elle venait tout juste de recevoir environ 9 millions de dollars.

Trois mois plus tard, Bill Clinton était élu président, et Cheney ne tarda pas à revenir dans le secteur privé. Pendant les deux années qui suivirent, il passa le plus clair de son temps à faire des discours et à collecter de l'argent dans tout le pays avec l'arrière-pensée de se présenter comme candidat à la présidence. Parmi ses généreux donateurs, on retrouvait de grands dirigeants de Halliburton et de Bechtel. Plus tard, Cheney décida de ne pas se présenter. Puis, malgré son manque d'expérience dans l'industrie pétrolière et même dans la gestion commerciale, en 1995, il fut engagé comme P.D.G. de Halliburton, une entreprise faisant partie des 500 plus importantes sociétés selon le magazine *Fortune*. De toute évidence, ses relations avec le Pentagone compensaient largement ses apparentes lacunes en matière de management. Cheney demeura cinq ans à la tête de Halliburton, qui décrocha pour 2,3 milliards de dollars de contrats du Pentagone. Cette manne provenait entièrement du plan de privatisation que Cheney avait mis en place alors qu'il était secrétaire à la Défense. (Cette somme représentait en fait presque le double de la valeur des contrats gouvernementaux que Halliburton avait reçus pendant les cinq années précédentes.) De plus, la société encaissa 1,5 milliard de dollars de prêts fédéraux et de subventions d'assurances, comparativement à seulement 100 millions au cours des cinq années précédentes. Cheney avait ficelé la combine des privatisations des deux côtés, et Halliburton l'avait récompensé royalement.

Toutefois, les liens entre Cheney, Halliburton et les différentes administrations républicaines devaient encore se resserrer. Alors qu'il était encore P.D.G. de Halliburton, Cheney dirigeait le comité d'enquête vice-présidentiel de George W. Bush au printemps 2000. Sous l'intendance de Cheney, le comité soupesait les qualités et les défauts des candidats à la vice-présidence. Ses distingués membres finirent par se faire dire qu'ils avaient le candidat devant les yeux puisqu'il s'agissait de nul autre que de leur patron ! Sans aucun complexe, Cheney décida qu'il était le meilleur postulant pour ce poste.

Que peut-on en conclure ? Au moins une chose : Cheney ne semble pas hyper sensible à une apparence de conflits d'intérêts. Payer Halliburton pour mettre au point un projet que le conglomérat savait acquis d'avance et devenir plus tard son P.D.G. n'a jamais dérangé Cheney, pas plus qu'il n'a eu d'état d'âme lorsqu'il s'est nommé à un poste qu'il était officiellement chargé de doter. Pour toutes ces tractations, Cheney devrait assurément remporter la médaille d'or du culot politique.

Cependant, son penchant pour l'autopromotion soulève des questions qui vont au-delà de la personnalité de l'individu. Par exemple, quel rôle a-t-il joué dans la décision des États-Unis d'envahir l'Irak et quels intérêts défendait-il ? Cheney était l'un des partisans les plus enragés du renversement de Saddam Hussein. Il est donc raisonnable de se demander si, en incitant les politiciens à aller en guerre, il n'agissait pas, dans une certaine mesure, pour le compte d'une société privée qui, dans le cas d'un conflit, allait encaisser des milliards... Cheney aurait-il perçu là un conflit d'intérêts ?

Il est opportun de rappeler ici que l'administration Bush planifia l'affaire irakienne au tout début de son mandat. Après que l'ancien ministre des Finances, Paul O'Neill, eut fait cette révélation, l'administration essaya de minimiser son importance en insistant sur le fait qu'elle poursuivait la politique anti-Saddam qui existait déjà pendant les années Clinton. Mais les intentions de Washington avaient changé. La politique de Clinton avait été essentiellement de garder à vue Saddam au moyen de sanctions ; Bush tenait à renverser le leader irakien. Tout en laissant entendre qu'une telle décision datait de l'administration précédente, telle fut la politique promptement mise en vigueur à l'arrivée de l'équipe Bush. Comme je l'ai mentionné dans le précédent chapitre, la guerre contre l'Irak commença à s'élaborer lorsque Bush reçut des sommes énormes de sociétés œuvrant dans l'énergie pour financer sa campagne présidentielle. Cela indique aussi que l'idée d'envahir l'Irak peut avoir pris forme pendant que Cheney, qui travaillait avec l'équipe Bush pour rechercher un candidat (en fin de compte, autoproclamé), occupait toujours le poste de P.D.G. de Halliburton. Il est donc possible que, selon sa technique éprouvée du *self-service*, Cheney ait encouragé des plans pour faire une guerre qui ne manquerait pas de rapporter des milliards à une grande société à laquelle il n'était pas seulement intimement lié, mais *dont il dirigeait lui-même les destinées.*

(Bien sûr, même après qu'il a démissionné de son poste de P.D.G. en août 2000, Cheney avait toujours sa généreuse prime de séparation de Halliburton, ses options sur actions et recevait apparemment la reconnaissance émue de la société qui avait fait sa fortune.)

Après son entrée en poste, Cheney s'est publiquement distancé de toute implication avec Halliburton et répète à qui veut l'entendre qu'il n'a aucunement influencé les décisions du gouvernement pouvant favoriser son ancien employeur. Avec des milliards de dollars de contrats gouvernementaux en jeu, il est évidemment crucial pour lui de prouver qu'il a scrupuleusement évité tout conflit d'intérêts. Mais est-ce seulement crédible ? Dans son article du *New Yorker*, Jane Mayer signale un certain nombre d'affaires dirigées par des républicains liés à Cheney qui récoltèrent de profitables contrats en Irak. Elle cite un homme d'affaires non identifié dont l'entreprise bénéficia de cette manne : « Pour tout ce qui concerne l'Irak, l'homme à rencontrer est Cheney... »

Mais nous savons avec certitude que, durant l'automne 2002, KBR, une filiale de Halliburton, a vu ses services retenus par le ministère de la Défense nationale pour préparer, en cas de conflit en Irak, des plans d'intervention visant à éteindre les puits de pétrole incendiés.

En mars 2003, juste avant le début de l'invasion, le corps de génie de l'armée américaine annonça qu'il avait accordé sans soumission à KBR un contrat pouvant s'élever jusqu'à sept milliards de dollars pour éteindre éventuellement des puits en feu. Cette nouvelle fut communiquée si discrètement qu'elle aurait pu passer inaperçue sans la vigilance de Henry A. Waxman, un député démocrate. Il critiqua publiquement non seulement le montant excessif d'un tel contrat, mais aussi l'absence de concurrence et un conflit d'intérêts potentiel mettant en cause nul autre que Cheney. Après avoir vainement essayé de soutirer pendant des mois des informations du Pentagone, Waxman apprit que ces contrats allaient bien au-delà d'éteindre les puits en feu. En fait, ils couvraient intégralement la remise en route de l'industrie pétrolière irakienne. Plus récemment, des demandes de budgets en provenance de l'Autorité provisoire de la coalition, dirigée par les États-Unis, ont indiqué que KBR serait aussi payée pour construire une nouvelle raffinerie et forer de nouveaux puits. L'ancienne société de Cheney semble donc être favorablement positionnée pour développer les gisements pétroliers les plus prometteurs du globe.

Le vice-président continua évidemment à nier qu'il ait pu jouer un rôle dans cette affaire. Quant à la firme, elle soutient ces démentis et refuse de trop s'étendre sur les termes de ces contrats, préférant se borner à affirmer : « KBR est fière de contribuer à la reconstruction des infrastructures pétrolières irakiennes. »

Tant que KBR est fière de contribuer à des entreprises aussi mémorables, que peut-on dire de plus ?

* * *

Même si un cercle restreint d'intérêts commerciaux bénéficie grandement de l'aventure irakienne, l'invasion du pays causant des milliers de morts n'a rien fait pour rehausser l'image des États-Unis dans l'opinion publique, et une nouvelle vague d'antiaméricanisme déferle sur le Proche-Orient. Cependant, ce désir apparent de Washington de défendre les intérêts pétroliers privés au détriment d'intérêts publics plus larges ne constitue pas un phénomène vraiment nouveau.

Les relations de Washington avec les compagnies pétrolières sont, bien sûr, complexes et, en ce qui concerne le pétrole, il existe plusieurs facteurs déterminant les politiques de telle ou telle administration. Sur une question fondamentale comme le prix du brut, par exemple, il importe d'équilibrer des intérêts divergents. Les compagnies pétrolières tiennent généralement à garder les prix élevés. Ce sont des acteurs importants et des donateurs de premier plan lorsqu'il s'agit de garnir les caisses des partis politiques en campagne électorale. Mais les consommateurs veulent des prix peu élevés, et ces derniers, ne l'oublions pas, sont aussi des électeurs. Nous parlons là non seulement du grand public, mais aussi des complexes industriels, grands consommateurs de carburants (et également bailleurs de fonds des partis politiques). C'est ainsi que toute l'économie se trouve affectée de manière négative par les prix élevés du pétrole. Par conséquent, peu importe la générosité des compagnies pétrolières quant à leurs contributions politiques, il existe des limites à ce qu'une administration peut faire pour satisfaire ces entreprises.

Voilà pourquoi les conglomérats pétroliers ne parviennent pas toujours à s'immiscer dans les affaires de Washington. Pas toujours mais souvent – dans ce cas, les intérêts du public se trouvent généralement spoliés. Comme le disait le regretté John M. Blair, un économiste et historien spécialisé dans le pétrole : « [L]e rôle historique du gouvernement fédéral n'a pas été de contenir les compagnies pétrolières, mais de rendre plus efficace la manière dont elles exploitent ce qui relève de l'intérêt public[15]. » Plus les choses se déroulent loin de la scène américaine, plus il est facile pour les grandes compagnies pétrolières d'influencer les décisions de Washington. Ce qu'elles ont constamment fait au cours du dernier siècle – une histoire que nous examinerons plus en détail un peu plus loin. Quelques exemples

15. John R. Blair, *The Control of Oil*, Vintage Books, New York, 1978.

suffiront largement pour illustrer ce point et placer l'aventure irakienne dans un contexte historique plus large.

* * *

À la fin des années quarante, le roi d'Arabie saoudite, Ibn Séoud, n'avait guère idée des richesses sur lesquelles son royaume reposait... et pour de bonnes raisons. Il avait confié les droits d'exploitation du brut de son pays à Aramco, un consortium de sociétés américaines (Esso, Mobil, Texaco et SoCal), qui jouissait d'un taux bénéficiaire phénoménal sur ses investissements, c'est-à-dire 50 % ! Aramco tenait à faire le bonheur du roi et de son royaume et, par conséquent, construisait des hôpitaux, des écoles et établissait même une sorte de fonds de sécurité sociale pour le pays. Cependant, Aramco ne rendait aucun compte à l'Arabie saoudite de la gestion de son propre trésor. Aramco se chargeait de l'exploration, du développement, de la production et de la commercialisation du pétrole saoudien et, par conséquent, possédait toutes les données sur l'unique richesse du pays et sur la manière dont elle s'intégrait dans le paysage pétrolier international. Quant aux Saoudiens, ils étaient tenus dans l'ignorance.

Ce voile commença à se lever en 1948, la lumière venant de la lointaine Amérique latine. Au Venezuela, riche en brut, le gouvernement venait tout juste de gagner une importante victoire en forçant les compagnies pétrolières à lui verser 50 % des droits d'exploitation sur chaque baril de brut. Il s'agissait là d'une victoire majeure pour un pays producteur. Une fois cette sécurité acquise, afin de ne pas inciter les compagnies pétrolières à aller s'établir au Proche-Orient, les Vénézuéliens envoyèrent une délégation dans cette région du monde avec une pile de documents traduits en arabe expliquant comment les compagnies pétrolières réalisaient des profits scandaleux sur leur dos. On y apprenait, entre autres, comment les Vénézuéliens recevaient des redevances de 50 % au lieu des 12 % en Arabie saoudite. Les documents vénézuéliens montraient également comment Aramco encaissait trois fois plus de revenus pour le brut local que le gouvernement saoudien lui-même. Aramco payait également davantage d'impôts au gouvernement américain qu'il ne versait de redevances à l'Arabie saoudite.

Et si tout cela n'était pas suffisamment convaincant, un autre événement, qui survint à peu près au même moment, poussa l'Arabie saoudite à penser sérieusement à renégocier de meilleurs arrangements avec Aramco. Il existait une vaste région désertique entre l'Arabie saoudite et le Koweït, désignée officiellement comme une zone neutre. Elle était administrée conjointement par les deux pays. Cette région, occupée précédemment par des tribus bédouines, commença à prendre une grande importance à la fin des années quarante, lorsque des forages préliminaires laissèrent présager des perspectives avantageuses. Jusqu'alors, l'exploitation pétrolière et le développement du Proche-Orient étaient largement assurés par une poignée de multinationales pétrolières basées aux États-Unis, en Grande-Bretagne et dans d'autres pays européens. Mais l'étendue des richesses que l'on pouvait s'approprier dans le pétrole proche-oriental avait conduit à une multiplication de compagnies dites « indépendantes », c'est-à-dire de sociétés non affiliées aux *majors*, qui fonctionnaient selon les règles strictes d'un cartel. (Ce cartel était parfois connu sous l'appellation « les Sept Sœurs », sept compagnies pétrolières œuvrant aux États-Unis et en Europe. Nous aurons l'occasion d'en reparler.) Pendant que les Saoudiens commençaient à envisager le développement éventuel de la zone neutre, ils furent approchés par certaines de ces sociétés indépendantes et ils découvrirent rapidement que celles-ci étaient disposées à être autrement plus généreuses qu'Aramco.

Les Saoudiens accordèrent l'exploitation de la zone neutre à une indépendante qui offrait, en plus de construire des écoles, des habitations privées et des mosquées, des redevances de 55 %. Il devint clair, très vite, que cette petite société, la Pacific Western, pouvait se permettre de verser des redevances princières tout en réalisant un profit des plus intéressants. En fait, en huit ans, le propriétaire de Pacific Western, un excentrique du nom de Jean Paul Getty, devint, dit-on, l'homme le plus riche du monde. (Selon la légende, il installa un téléphone public dans sa résidence de 72 pièces au cas où ses riches invités auraient eu la malencontreuse idée de téléphoner à l'étranger.)

Dès 1950, les Saoudiens avaient fort bien compris qu'Aramco pouvait se montrer plus généreuse et tout de même engranger des bénéfices époustouflants. Après tout, le brut se vendait 1,75 $ le baril, et le gouvernement de l'Arabie saoudite ne percevait que 21 cents de redevances, laissant 1,54 $ pour Aramco. (Une fois les frais d'exploitation et les impôts américains prélevés, la société empochait 91 cents par baril.) Les Saoudiens réclamèrent à juste titre une plus grosse part du gâteau et reçurent même l'appui des patrons d'Aramco vivant sur place. À New York, les dirigeants responsables des filiales de la société se montrèrent moins empressés à accepter les prétentions des Saoudiens, préférant amadouer ces derniers en leur faisant de gros cadeaux (peut-être un nouveau centre commercial en plein désert ou des mosquées richement dorées ?), mais certainement pas une partie des bénéfices. De toute évidence, ils n'avaient aucune envie de renégocier une entente qui était certainement pour Aramco la plus lucrative de l'histoire commerciale du monde. D'autre part, en donnant satisfaction aux Saoudiens, ils craignaient d'encourager les autres gouvernements à revoir *leurs* propres ententes avec les compagnies pétrolières. Finalement, les filiales en conclurent que peu de clauses étaient à revoir dans leur entente avec l'Arabie saoudite.

À Washington, les experts du Département d'État réfléchirent aussi à la situation. De toute évidence, les Saoudiens ne se calmeraient pas aussi facilement. L'évidence qu'ils méritaient d'avoir une meilleure part du pactole était trop forte. Le problème consistait dès lors à accorder plus d'avantages aux Saoudiens sans enlever quoi que ce soit à Aramco. Ce casse-tête apparemment insoluble finit par se résoudre facilement. On put atteindre ces résultats en effectuant seulement quelques petits changements dans l'entente entre Aramco et l'Arabie saoudite. L'arrangement était simple : au lieu de verser aux Saoudiens des redevances de 12 % par baril, Aramco allait leur accorder 50 % – une augmentation notable. Cette augmentation intéressante n'était pas considérée comme une partie des redevances, mais comme un impôt versé au gouvernement saoudien. La différence était cruciale : un impôt versé à un gouvernement étranger pouvait être intégralement déduit de ceux que la société devait au gouvernement américain. Il s'agissait là d'une astuce fiscale particulièrement ingénieuse : qu'il s'agisse d'un impôt ou d'une redevance, cela revenait au même pour le gouvernement saoudien. Du point de vue d'Aramco, rien ne changeait dans les résultats financiers. La société versait davantage d'argent à l'Arabie saoudite, mais se soustrayait au fisc américain. Aramco s'en portait mieux, car elle donnait satisfaction à son principal client – un point particulièrement important pour le succès à long terme de la multinationale et de ses filiales new-yorkaises.

L'Arabie saoudite et Aramco profitèrent grandement de ces nouvelles dispositions. Le pays producteur empochait plus d'argent, et Aramco tirait financièrement son épingle du jeu en lui donnant satisfaction tout en ménageant l'avenir. Le seul perdant dans cette histoire fut le contribuable américain. Dès la première année, la trésorerie de l'Oncle Sam fut amputée de 50 millions de dollars et, au bout de quelque temps, cette somme s'éleva à 150 millions. Au cours des deux décennies suivantes, alors que les compagnies pétrolières des autres pays du Proche-Orient concluaient des ententes similaires avec eux, les pertes subies par le gouvernement américain devinrent faramineuses : elles atteignirent les milliards de dollars ! Pire, ce généreux subterfuge fiscal, au-delà de toute réserve, encouragea les compagnies pétrolières à en prendre avantage. Dès 1973, les cinq grandes compagnies pétrolières américaines empochaient les deux tiers de leurs profits à l'étranger sans rien verser au fisc de leur propre pays. Les Américains devaient donc payer davantage d'impôts (ou accepter des compressions budgétaires dans les services sociaux et une augmentation du déficit, déjà considérable, du gouvernement). Mais, étant donné que les vraies victimes de ces stratagèmes, les citoyens américains eux-mêmes, ne devaient en prendre connaissance que bien plus tard, tout cela ne posait guère de problème.

Peut-on prétendre que ce compromis a été conclu dans l'intérêt public ? Certains soutiennent que les Américains (et, bien sûr, d'autres Occidentaux) ont bénéficié de cet accord parce qu'il leur a assuré du carburant à bon compte. À première vue, ce raisonnement a l'air valable. Les Américains tenaient sans aucun doute à obtenir de l'essence bon marché, mais peut-on dire que leur accès au brut était menacé ? Peu importe si la concession se trouvait entre les mains d'Aramco ou de toute autre société ou cartel, les Américains étaient de toute façon assurés d'avoir accès à des carburants à prix raisonnable. (À ce point-ci, les Saoudiens ne contrôlaient absolument pas le prix du brut, qui était fixé par les grosses compagnies pétrolières.) En fait, si l'objectif premier avait été de fournir des hydrocarbures à bon compte au public, la meilleure tactique aurait consisté à introduire de la concurrence dans le marché pétrolier en laissant les compagnies pétrolières indépendantes profiter librement des gisements saoudiens. Les marchés auraient été inondés, ce qui aurait fait baisser les prix. Malheureusement, cela aurait affaibli le pouvoir monopolistique du cartel des grandes compagnies pétrolières composant Aramco. La plupart des gens, tout particulièrement les consommateurs, auraient considéré un tel état de choses comme très positif. Mais, on s'en doute, ce n'était pas précisément ce que les *majors* désiraient.

Il est intéressant de noter que la possibilité de permettre aux indépendantes de profiter du pétrole saoudien n'a jamais effleuré l'esprit des dirigeants américains. Les bénéfices possibles résultant d'une concurrence plus grande ne devaient leur sembler ni pertinents ni très importants. On peut expliquer en partie cette attitude par la présence, parmi les responsables du Département d'État ayant travaillé sur la nouvelle entente, de George McGhee, un ancien vice-président de Mobil. Ses antécédents expliquaient dans quelle perspective on recherchait des solutions. Clarifiant plus tard sa pensée devant un comité sénatorial, McGhee insista sur le fait qu'un accord était devenu nécessaire parce que « [l]a propriété de cette concession constituait un atout des plus importants pour notre pays ». Pourtant, la plupart des compagnies pétrolières indépendantes étaient aussi américaines. D'autre part, s'il était si important pour les États-Unis de garder Aramco en Arabie saoudite, pourquoi le Département d'État n'avait-il pas simplement invité le conglomérat à verser de plus généreuses redevances aux Saoudiens ?

Certaines personnes ont soutenu que ce détournement d'impôts dus au Trésor américain au profit de l'Arabie saoudite constituait une forme d'aide à un pays étranger. Lors de l'une des audiences, un sénateur demanda à McGhee si le stratagème n'avait pas été, au fond, « un moyen ingénieux de transférer, par décision de l'Exécutif, des millions des caisses du gouvernement américain à celles d'un gouvernement étranger sans avoir préalablement besoin d'un projet de loi du ministère des Finances ou d'une autorisation du congrès des États-Unis ». Anthony Sampson, auteur de *The Seven Sisters : The Great Oil Companies and the World they Shaped*[16] croit à cette hypothèse. Il soutient que cette ruse fiscale a permis à Washington d'envoyer de l'aide à un pays étranger sans avoir à demander l'avis du Congrès –, ce qui n'aurait pas été évident à un moment de l'histoire où Israël se démenait âprement pour survivre... Il serait toutefois erroné d'interpréter l'entente entre Aramco et l'Arabie saoudite comme une forme d'aide à l'étranger. Les responsables du Département d'État ont utilisé cette voie pour accorder plus d'argent aux Saoudiens uniquement pour s'assurer qu'Aramco ne perde pas sa concession. Ils savaient pertinemment que, si les Américains ne déliaient pas les cordons de leur bourse, les Saoudiens auraient approché les compagnies pétrolières indépendantes qui n'auraient pas hésité à accepter leurs conditions. Essentiellement, le nouveau compromis n'était rien qu'un tour de passe-passe commercial pour être certain que la très lucrative concession demeure entre les mains d'Aramco.

16. *Les Sept Sœurs : Les grandes pétrolières et le monde qu'elles ont façonné*. Traduction littérale. Cet ouvrage ne semble pas avoir été traduit en français. *(N.d.T.)*

Plutôt que d'être une aide à l'étranger plus ou moins travestie ou une manière de garantir aux Américains de l'essence à tarif raisonnable, ce règlement revenait à n'être rien de moins qu'une intervention de Washington pour empêcher l'Arabie saoudite de soutirer des conditions plus avantageuses des quatre plus importantes compagnies pétrolières américaines. Sans l'intervention du Département d'État, ces dernières auraient dû accorder une plus grande partie de leurs bénéfices aux Saoudiens, sous peine de perdre leur concession – une éventualité à laquelle elles ne tenaient aucunement à faire face. En fin de compte, ces entreprises – Exxon, Mobil, Texaco et SoCal – auraient eu simplement à payer davantage, ce qui, pour elles, n'aurait pas été catastrophique. Mais grâce au Département d'État (représenté par un ancien grand patron de Mobil), elles pouvaient s'en dispenser. Elles conservèrent cet arrangement trafiqué, et le fardeau revint aux contribuables qui devaient payer afin que les Saoudiens gardent le sourire. Au lieu d'être « une façon ingénieuse de transférer des millions » du Trésor public américain au Trésor saoudien, il s'agissait d'une combine pour faire passer des fonds publics dans les coffres des quatre supercompagnies pétrolières américaines. En somme, d'un cadeau du bon peuple américain aux géantes compagnies pétrolières des États-Unis, le tout manigancé par un gouvernement censé – du moins théoriquement – représenter ce même peuple.

* * *

Cet ingénieux transfert de fonds n'est pas sans ressemblance avec la manière dont Washington déplace aujourd'hui de l'argent en Irak. Unr fois de plus, les manœuvres douteuses abondent. À l'automne 2003, alors que l'administration Bush s'efforçait de faire accepter son budget de 87 milliards de dollars pour reconstruire l'Irak, les opposants à ce projet de loi faisaient valoir que tout cela représentait une aide à l'étranger bien trop généreuse. (En fait, environ 67 milliards furent consacrés à financer les troupes américaines, laissant juste 20 milliards pour la reconstruction de l'Irak.) « Chez nous, il est toujours difficile de faire accepter l'aide à l'étranger », explique Danielle

Pletka, une analyste d'expérience au service de l'American Enterprise Institute, un organisme ultraconservateur. C'est en ces termes qu'elle décrit les difficultés de l'administration Bush pour obtenir ces sommes, prétendument destinées à la reconstruction de l'Irak.

Vendre aux Américains le concept de l'aide à l'étranger peut s'avérer ardu ; on comprend leur résistance à aider l'étranger, car les citoyens aimeraient bien voir un peu de cet argent réinvesti dans leur propre pays, dont les infrastructures ont été vraiment négligées après des décennies de réductions d'impôts. Et puis il est difficile d'expliquer comment ce qui se passe en Irak pourrait passer pour de l'aide étrangère. Tout d'abord, les Américains sont surtout en train de reconstruire ce qu'ils ont détruit pendant plus de dix ans de sanctions, prises en sandwich entre deux guerres. De toute manière, la part du lion de ces subsides ira enrichir une poignée de multinationales américaines.

L'insistance des États-Unis à se fier à des sociétés américaines pour reconstruire l'Irak n'a aucun sens, si l'objectif est simplement une affaire de reconstruction, une activité que les Irakiens pourraient mener à terme à une fraction du coût des entreprises américaines. Il ne fait aucun doute que les États-Unis possèdent une technologie supérieure et davantage d'expertise pour effectuer les travaux, mais pourquoi ne pas confier ceux-ci aux Irakiens – pas seulement les tâches de manœuvres mais aussi des postes de cadres (et faire confiance à l'entreprise privée irakienne, si nécessaire) ? Ces gens ne seraient-ils pas en mesure d'accomplir de tels travaux ? Après tout, c'est leur pays. Pourquoi ne pas les laisser remettre en état leur réseau électrique, organiser leur propre sécurité, leur production pétrolière, les laisser travailler à leur rythme, même s'ils commettent des erreurs ? Nul doute qu'il y aurait moins de sabotage et de résistance.

Les mouvements de fonds en Irak ne sont pas très différents de ceux concernant le tour de passe-passe d'Aramco. À cette époque, l'« aide à l'étranger », apparemment destinée aux Saoudiens, aboutissait dans les coffres d'Aramco et de ses filiales. De nos jours, de vastes sommes extorquées aux contribuables et destinées à aider un pays étranger, c'est-à-dire l'Irak, aboutissent en fin de compte dans les coffres de puissantes multinationales comme Halliburton, Bechtel, General Electric, DynCorp, qui ont tous des liens intimes avec l'administration Bush.

Que voilà une bien étrange manière d'aider l'étranger...

* * *

Tout comme Aramco dans les années cinquante, Washington a souvent pris des mesures favorisant les grandes compagnies pétrolières, même au détriment de l'intérêt public. Un bon moyen de s'attirer les faveurs des masses consistait d'ailleurs à prétendre que les décisions fédérales visaient à protéger la « sécurité nationale ». Invoquer un motif aussi patriotique faisait merveille pour créer l'illusion qu'il n'existait pas vraiment de conflit d'intérêts, seulement un intérêt commun : celui de protéger sa patrie. Ce prétexte s'est révélé efficace, même quand la « sécurité nationale » n'avait qu'un rapport extrêmement lointain avec la question ou se révélait carrément hors propos.

C'est ainsi qu'en 1950 Washington invoqua des raisons de « sécurité nationale » pour justifier une démarche entreprise par l'Administration pour protéger les grandes compagnies pétrolières de la concurrence des indépendantes sur le marché intérieur. Ces sociétés de moindre taille avaient toujours été des épines dans le pied des grandes compagnies. Dans les années trente, la présence d'une multitude d'indépendantes produisant des flots de pétrole, surtout au Texas, risquait de faire chuter les prix du carburant, au grand dam des *majors*. Ces dernières s'arrangèrent alors pour limiter la concurrence en convainquant les gouvernements des États, notamment celui du Texas, d'imposer des restrictions sur les quantités de pétrole produites à l'intérieur de leurs frontières. Ce contingentement de la production avait permis de conserver des prix élevés aux carburants. Mais, à la fin des années cinquante, les grandes compagnies pétrolières durent faire face à un nouveau problème : les indépendantes importaient de vastes quantités de pétrole du Proche-Orient, ce qui faisait encore baisser les prix sur le marché américain. Extrêmement contrariées, une fois de plus, les grandes compagnies demandèrent à Washington d'imposer des restrictions sur les importations de pétrole étranger et, en mars 1959, on imposa des quotas sur les importations.

Ici, certains points méritent qu'on s'y arrête. Une fois de plus, nous retrouvons un membre clé de l'administration fédérale entretenant des liens un peu trop intimes avec les grandes compagnies pétrolières : Robert B. Anderson, le ministre des Finances à cette époque et l'un des hommes dévoués au comité ayant recommandé l'adoption d'un quota d'importation. Juste avant d'avoir accepté son poste, Anderson avait empoché un million de dollars dans une affaire de vente de concessions pétrolières et entretenu des contacts le reliant aux intérêts des Rockefeller. Ces ententes, dévoilées par Bernard Nossiter, du *Washington Post*, en juillet 1970, comprenaient un versement de 270 000 $ à Anderson pour la durée de son mandat, plus 450 000 $, l'intégralité du versement de cette somme dépendant des fluctuations des prix du pétrole. Parmi les conglomérats participants, on retrouvait la Standard Oil of Indiana ainsi qu'une entité portant le nom de International Basic Economy Corporation, une entreprise contrôlée par la famille Rockefeller.

Il est important de remarquer que cette restriction des importations avait pour objectif de faire augmenter le prix de l'essence aux États-Unis. Les avantages de cette manœuvre pour les grandes compagnies pétrolières étaient travestis par des prétentions fantaisistes voulant que ces restrictions aient été voulues à des fins de « sécurité nationale ». Au cours des audiences du Congrès et des débats concernant les quotas d'importation, l'idée de « sécurité nationale » domina constamment. Je dirais plus : il s'agissait d'un leitmotiv. Mais, comment le fait de réduire les importations augmentait-il la sécurité nationale ? À ce propos, les idées étaient partagées. Pour certains, réduire les importations revenait pour Washington à éviter une certaine dépendance vis-à-vis des pays producteurs. (Vrai : en limitant les importations, on se préparait donc à une telle éventualité.) Pour d'autres, les importations excessives de pétrole affaibliraient l'industrie pétrolière américaine – une industrie saine et prospère– qui s'effondrerait, causant d'irréparables dommages à l'économie globale des États-Unis !

Ces arguments farfelus tinrent la route et ne rencontrèrent que peu d'opposition. Les quotas d'importation furent en vigueur pendant quatorze ans. Les Américains payèrent donc leur pétrole plus cher que les consommateurs des autres pays, et ce au nom de la « sécurité nationale ». Toute cette absurdité a été joliment captée, des années plus tard, aux audiences législatives du Congrès pendant le témoignage d'un vice-président d'Exxon. John M. Blair, économiste en chef du sous-comité sénatorial sur les lois antitrust et les monopoles, fit le commentaire suivant au vice-président d'Exxon : « Quelques-uns d'entre nous ont un peu de difficulté à saisir comment la sécurité nationale des États-Unis est renforcée par une pratique discriminatoire des prix : les prix payés par les acheteurs américains ont tendance à grimper pendant que ceux payés par les compétiteurs japonais et européens sont constamment à la baisse. Pour certains d'entre nous, il semblerait que cela devrait *affaiblir* la sécurité nationale des États-Unis plutôt que la renforcer. »

Rétrospectivement, d'aucuns pourront, bien sûr, prétendre que le maintien de tarifs pétroliers élevés n'est pas en soi une mauvaise chose, puisqu'il incite les consommateurs à moins gaspiller. Mais, à l'époque, il n'était pas question d'économies d'essence. De plus, cette politique n'eut pas l'effet escompté. L'augmentation des prix ne découragea pas la consommation, car l'essence était encore relativement bon marché. L'imposition de quotas d'importation eut pour effet que les Américains se mirent à consommer du pétrole local plutôt qu'étranger, et ce, à un rythme bien plus accéléré qu'avant. Lorsque la crise de l'énergie survint en 1973 et que les automobilistes firent la file aux pompes à essence, Washington dut suspendre ses quotas d'importation de pétrole étranger par les moyens les plus rapides. Malheureusement, après avoir, pendant quatorze ans, compté presque exclusivement sur le pétrole de leur pays, les

Américains découvrirent que leurs réserves, considérables à une certaine époque, avaient diminué de manière draconienne.

Il est intéressant de s'attarder au rôle que les *majors* jouèrent dans la diminution des réserves de pétrole. Malgré la menace d'épuisement des stocks qui se manifestait déjà au milieu des années cinquante, les grandes compagnies pétrolières ne cessaient de nier une telle possibilité et insistaient sur le fait que le pétrole américain continuerait à être abondant dans l'avenir. « Si l'on n'avait pas émis des déclarations aussi lénifiantes, les politiques publiques auraient probablement été à l'opposé de ce qu'elles ont été de 1959 à 1973, a déclaré Blair. Au lieu d'accélérer l'épuisement de nos ressources en nous forçant à dépendre de la production intérieure, les pouvoirs publics auraient pu viser un objectif rationnel consistant à conserver nos réserves limitées en temps de paix et à utiliser du pétrole importé. »

En permettant l'épuisement des réserves américaines de pétrole, Washington a donc commis un énorme impair. Sans ce tarissement, les États-Unis seraient aujourd'hui beaucoup moins à la merci du pétrole étranger et beaucoup plus indépendants. L'insistance de Washington à compenser ses réserves en décroissance – en s'assurant un accès sans entraves au pétrole étranger – continue à avoir de nos jours des répercussions énormes dans le monde entier.

* * *

Le pétrole tient une place prépondérante dans tous les projets ayant comme objectif la domination de l'économie mondiale, d'où l'intérêt fort développé pour l'Irak des planificateurs du « nouveau siècle américain ». Cependant, ce pays ne représente qu'une partie du paysage pétrolier international. Une autre partie importante n'est nulle autre que l'OPEP, l'Organisation des pays exportateurs de pétrole, un organisme fort décrié regroupant des nations productrices qui ont augmenté les prix du pétrole de façon dramatique dans les années soixante-dix. En réalité, sur le marché pétrolier actuel, l'OPEP remplit plusieurs des fonctions qui, avant 1970, étaient assurées de façon beaucoup plus inflexible par le cartel des *majors*. Mais il existe une différence – du moins aux yeux de Washington – entre un cartel contrôlé par les compagnies pétrolières multinationales, ce qui, en soit, est considéré comme un moindre mal, et un cartel dirigé par des pays en voie de développement, que l'on considère comme une menace pour l'Occident.

Depuis l'émergence de l'OPEP en tant qu'acteur important sur la scène pétrolière mondiale, au milieu des années soixante-dix, Washington a toujours essayé de miner son efficacité et d'affaiblir son unité. Cette stratégie a connu un certain succès, grâce aux dissensions internes qui se manifestaient au sein même de l'organisation – le défi de maintenir une certaine unité dans un groupe de pays membres aux besoins, aux idéologies et aux tactiques très différents était de taille. Affaiblie dès le début des années quatre-vingt, l'OPEP cessa rapidement de représenter une force très redoutable. À la fin des années quatre-vingt-dix, on la disait même « sur son lit de mort », nous a confié Fadel Gheit, l'analyste de Wall Street. Avec la chute appréhendée de l'OPEP, un élément clé du monde pétrolier international semblait se désintégrer, comme l'avait souhaité les États-Unis.

Toutefois, au grand étonnement des observateurs et au grand dam de Washington, l'OPEP reprit vie et, depuis 2000, elle est devenue une force avec qui il faut compter pour fixer les prix mondiaux du pétrole.

Mais quel était donc le succès de cette renaissance ? « Hugo Chávez a sauvé l'OPEP », affirme Fadel Gheit.

Chapitre 4

RÉVOLUTION ET CRÈME GLACÉE À CARACAS

Alors que son cortège de voitures s'approchait de la frontière irakienne, Hugo Chávez savait que, dans ces étendues sablonneuses, il venait de traverser une ligne de démarcation lourde de sens sur le plan politique.

Nous étions en août 2000, et depuis son élection comme président du Venezuela 18 mois plus tôt, il se concentrait sur une tâche particulièrement cruciale pour le futur bien-être de son pays : insuffler une vie nouvelle à l'OPEP. Toutefois, il ne se faisait aucune illusion sur les difficultés de sa mission, dont le but était avant tout de redonner confiance aux leaders des 11 nations qui, pendant des années, s'étaient prises d'une manière ou d'une autre à la gorge. Et voilà que d'Iran il se proposait de passer en Irak, un passage frontalier inconcevable jusqu'à la fin des années quatre-vingt, à l'époque où ces deux pays producteurs se trouvaient pris dans une guerre particulièrement féroce.

Dans une tentative désespérée pour convaincre tous les membres de l'OPEP qu'ils avaient trop d'intérêts en commun pour laisser l'organisation s'étioler – alors que l'avenir de leurs pays respectifs dépendait de sa survie –, Chávez avait décidé de jouer le rôle de conciliateur, de médiateur, de guérisseur. Depuis des mois, il avait déjà plaidé cette cause par des lettres ou des appels téléphoniques. Mais, à ce stade-ci, il avait décidé d'aller en personne expliquer son engagement envers l'OPEP et d'établir des contacts personnels avec les différents chefs d'État. Les choses se compliquaient, car il ne connaissait ni la culture ni la langue arabes, et il devait transmettre son discours enflammé par l'entremise d'un interprète. Il tenait par-dessus tout à exhorter les leaders de l'OPEP à se rendre au sommet de Caracas, qui devait se tenir le mois suivant, et espérait que cet événement ouvrirait de nouvelles perspectives à l'organisation.

Faire parvenir un tel message en Irak posait problème. Non seulement était-il difficile de se rendre à Bagdad – les vols internationaux vers l'Irak étaient suspendus –, mais aussi se rendre sur place revenait à faire un magistral pied de nez à Washington. S'il y avait un sujet qui était clairement ressorti de la politique extérieure américaine des années quatre-vingt-dix, c'était bien le désir de la Maison-Blanche d'isoler le dictateur irakien. Elle avait d'ailleurs exercé des pressions sur l'ONU pour imposer des mesures coercitives contre l'Irak et avait réussi, entre autres, à faire interdire les vols internationaux à destination de ce pays. Il est certain que bien des gens étaient hostiles à l'Irak, surtout depuis l'invasion du Koweït par les forces de Saddam Hussein en 1990. Mais, par-dessus tout, c'était Washington qui avait organisé la mise au ban de l'Irak et avait insisté sur le maintien des sanctions les plus sévères ; les autres membres du Conseil de sécurité étaient prêts à les alléger afin de réduire la misère que cela occasionnait dans le pays. C'était aussi Washington qui avait incité les chefs d'État à ne pas se rendre en Irak et à ostraciser Saddam Hussein. Pour eux, ce dangereux dictateur avait été efficacement mis en cage, et voilà maintenant qu'un certain Chávez passait entre les barreaux de celle-ci et franchissait une frontière décrétée interdite par Washington.

À peine le chef du gouvernement vénézuélien était-il entré en Irak, à 180 km au nord-est de Bagdad, qu'un porte-parole de Washington exprima la désapprobation des États-Unis, qui trouvaient « particulièrement exaspérant » que Chávez, un leader élu démocratiquement, ose briser l'isolement dans lequel la communauté internationale maintenait le dictateur irakien. Une fois dans le pays, Chávez fut transporté à Bagdad par hélicoptère militaire, où il eut des pourparlers avec Saddam Hussein et fit le tour de la capitale dans sa voiture privée. Lors d'une conférence de presse qui eut lieu plus tard, Chávez balaya d'un revers de la main les objections américaines à sa visite. « Nous regrettons et dénonçons cette ingérence dans nos affaires internes. Nous ne l'acceptons pas et ne l'accepterons jamais », déclara-t-il.

Puis le Vénézuélien reprit sa mission pétrolière itinérante, qui incluait un autre paria des Américains, la Libye. Chávez savait fort bien qu'il se préparait à avoir de sérieux problèmes avec Washington, mais aussi que tout espoir d'éliminer la méfiance et les antagonismes qui avaient longtemps miné l'OPEP dépendait de ce genre de diplomatie personnelle. Et il était déterminé à surmonter tous les obstacles. L'avenir de son ambitieux programme de réformes pour le Venezuela dépendait de revenus pétroliers beaucoup plus substantiels que ceux qu'il percevait. Cela demandait une OPEP plus forte et plus solidaire.

La désintégration de l'OPEP, à la fin des années quatre-vingt-dix, avait permis aux prix du pétrole de plonger en bas de 10 $ le baril, ce qui privait le Venezuela et les autres membres de l'Organisation de revenus vitaux. Le problème était récurrent : alors que les membres tenaient à maintenir des prix élevés pour le pétrole, ils aspiraient aussi à s'approprier une plus grande part du marché. Le seul moyen de garder des prix élevés était en fait de réduire la production qui, pour chaque pays, devait respecter certains quotas. L'OPEP manquant de politiques ou de sanctions disciplinaires efficaces, les pays membres avaient tendance à tricher et à produire plus de pétrole que les quotas ne le leur permettaient. Cela avait pour résultat d'inonder les marchés et de faire baisser les prix.

Du point de vue des pays producteurs, de tels agissements allaient à l'encontre des résultats recherchés. La tentation de tricher était toutefois très forte, en partie parce que chaque pays s'attendait à ce que l'autre fasse la même chose. Et puis, nombre de pays de l'OPEP étaient pauvres et très peuplés, avec des besoins économiques considérables. Le pétrole représentait leur principale, sinon leur unique, source de revenus. Augmenter la production était un moyen rapide d'obtenir des revenus dont ils avaient désespérément besoin... jusqu'à ce que les autres pays de l'OPEP s'empressent de les imiter et que les prix se remettent à chuter.

De toute évidence, il convenait d'établir une sorte de discipline interne, comportement difficile dans toute organisation, mais tout particulièrement dans une association de nations souveraines avec tant de différences et de vieilles revendications. En plus des querelles intestines de l'OPEP, on constatait des différences idéologiques et culturelles considérables entre, par exemple, les États pro-américains et archiconservateurs comme l'Arabie saoudite, et des États radicaux, farouchement antiaméricains, comme la Libye. De plus, on relevait des variations conséquentes dans les besoins et les biens des différents pays de l'OPEP. Ainsi, le Koweït et les Émirats arabes unis sont relativement peu peuplés et possèdent d'énormes réserves, alors que des pays comme l'Indonésie et le Nigeria ont une forte population et des réserves relativement limitées. Ces différences ont mené à diverses stratégies pour maximaliser les revenus pétroliers, ce qui a nui à une cohésion interne efficace dans l'OPEP et fait du tripotage des quotas un problème permanent.

En fait, lorsqu'il s'agissait de tricher sur les quotas, le Venezuela s'était révélé l'un des pires pays délinquants, provoquant la colère de l'Arabie saoudite, le véritable maître de l'OPEP dans les années quatre-vingt et quatre-vingt-dix. Toutefois, Chávez était déterminé à changer le comportement fautif de son pays et, au cours de son périple d'août 2000, Riyad fut l'une de ses étapes principales. Malgré sa richesse apparente, l'Arabie saoudite avait beaucoup souffert de la chute des prix du pétrole. Les Saoudiens s'étaient habitués à un niveau de vie élevé, et les bas prix des années quatre-vingt-dix avaient laissé le royaume dans l'incapacité de financer convenablement les programmes publics auxquels la population avait droit, dont ceux de la santé. Le message de Chávez, qui prônait essentiellement un resserrement des liens parmi les membres de l'OPEP, eut de profondes répercussions chez les dirigeants du pays.

L'idée de Chávez était simple. Il suffisait à l'OPEP d'établir une « fourchette de prix » dans laquelle on ne tolérerait pas un prix du baril de pétrole inférieur à 22 $ et supérieur à 28 $. De manière à maintenir cette fourchette, les pays membres de l'Organisation devaient s'entendre pour diminuer la production dès que les prix du pétrole descendaient plus bas que 22 $ le baril et augmenter automatiquement leur production dès que les prix atteignaient les 28 $. Chaque pays devait accepter la fourchette des prix ainsi que les réductions et augmentations nécessaires pour les maintenir.

En augmentant substantiellement le prix du pétrole, qui était à un niveau plancher en 1999, l'idée vénézuélienne permettait aux membres de l'OPEP d'enregistrer des bénéfices énormes. Même si certains pays se voyaient obligés de réduire leur production, les prix de vente plus élevés compensaient très largement et, ainsi, ils ménageaient leurs réserves pour l'avenir. L'OPEP pouvait même soutenir que les nations consommatrices seraient ultérieurement bénéficiaires de ce système : les prix ne dépasseraient pas les 28 $, une assurance pour prévenir une flambée des prix susceptible de provoquer des récessions. Même si ces propositions paraissaient alléchantes sur papier – du moins pour les membres de l'OPEP –, la véritable question était de savoir si ces derniers étaient capables de surmonter leurs méfiances ancestrales. C'est ce qu'on allait savoir à la réunion au sommet que Chávez avait l'intention de réunir à Caracas.

Sa diplomatie de démarcheur avait fini par porter ses fruits. À la fin de l'année, chaque membre de l'OPEP avait décidé de se présenter à ce rendez-vous historique.

Il n'y avait pas eu de sommet des chefs d'État des pays de l'OPEP depuis 25 ans, mais, à la fin de septembre 2000, une telle réunion put avoir lieu à Caracas. Pour cause de maladie, le roi Fahd d'Arabie saoudite ne se présenta pas. Saddam Hussein non plus. Il se terrait dans son pays pour des raisons de sécurité. Toutefois, ces deux dirigeants envoyèrent des émissaires nantis des pleins pouvoirs et pouvant agir au nom de leurs chefs. Les négociations durèrent trois jours et furent parfois tendues, surtout la dernière journée, qui se révéla particulièrement pénible. Malgré tout cela, le sommet prit fin par l'entente que Chávez avait essentiellement souhaitée. Après être passé à deux doigts de la mort un an auparavant, l'OPEP redevenait un organisme bien vivant.

Chávez avait joué le rôle principal dans cette renaissance. Le leader nationaliste et radical du tiers-monde était en train de façonner le paysage pétrolier international. Toutefois, dans ce processus, Chávez devenait *persona non grata* à Washington.

* * *

Dans le palais présidentiel de Caracas, des fonctionnaires me conduisirent à travers plusieurs pièces ornées de dorure de style XVIIIe siècle, puis on me fit entrer par un escalier dérobé dans une salle de réunion, moderne mais ordinaire, où se tenait Chávez. Si ce lieu n'avait rien d'original, on ne peut en dire autant de son occupant.

Chavez est un personnage haut en couleur et fidèle à sa réputation. Il demeura très animé et ne perdit pas un seul instant le fil de la conversation durant les deux heures et demie que dura l'interview. Celui-ci couvrit une foule de sujets. C'est avec passion qu'il plaida l'unité du tiers-monde et qu'il exprima son respect pour le révolutionnaire latino-américain Simón Bolívar. Mais il était aussi prêt à s'étendre sur des questions plus précises comme celles concernant le pétrole, un sujet qu'il connaissait bien. Sachant que je m'y intéressais particulièrement, il avait préparé une pile de cartes et de graphiques se rapportant à cette industrie. Alors que l'interview se prolongeait, il calma d'un geste ses adjoints, soucieux de son emploi du temps, et leur demanda de nous apporter de la crème glacée au lieu de nous chronométrer. Peu après, ils revinrent avec des coupes de crème glacée au chocolat.

Depuis son élection, en 1998, et sa réélection, en 2000, Chávez a mis en œuvre une expérience radicale qui l'a rendu très populaire auprès des pauvres de son pays et qui irrite au plus haut point les nations riches. Même si ce pays se compose surtout de gens défavorisés, qui constituent environ 60 % (pour certains, 80 % de la population de 23 millions d'habitants), la riche élite vénézuélienne possède une influence démesurée en maintenant son emprise sur les médias et l'industrie. À l'intérieur comme à l'extérieur du territoire national, elle a donc le pouvoir de dominer l'opinion publique lorsqu'il s'agit de se prononcer sur les réformes proposées par Chávez.

Originaire d'un milieu modeste, Chávez n'est pas le genre de leader vénézuélien fortuné qui peut faire remonter sa généalogie aux colonialistes espagnols des siècles passés. Ses parents sont d'origine indienne et africaine – une particularité qui dérange les membres de l'élite ; ceux-ci n'hésitent d'ailleurs pas à qualifier leur président de « singe ». Plein d'entrain, énergique, Chávez peut s'adresser aux foules pendant des heures sans aucune note (mais jamais sans une copie de la constitution du pays, dans la poche avant de sa veste). Souvent, en de telles occasions, il ne dédaigne pas pousser la chansonnette. Lors d'un événement public célébrant la Journée internationale des femmes, le 8 mars 2004, en plein milieu de son allocution, le Président se mit à entonner un air populaire. La foule immense s'électrisa et lui demanda de chanter encore, ce qu'il fit de bonne grâce. Cela se solda par d'autres vivats, d'autres slogans, d'autres chansons. Assistant à cet événement, je ne pus m'empêcher d'être frappée par l'intensité des liens qui unissaient l'homme d'État à la foule, composée en majorité de personnes de condition très modeste. Pour laisser sournoisement entendre que le Président n'est pas digne de représenter le pays, les stations de télévision commerciales du Venezuela – toutes rageusement opposées à ses politiques – se chargent de passer des séquences montrant Chávez en train de chanter des chansons populaires au cours de ses réunions.

L'autre point qui agace les Vénézuéliens bien nantis est la rhétorique révolutionnaire de cet homme et son apparition comme leader d'un mouvement tiers-mondiste essayant de défier l'orthodoxie économique appelée parfois « le consensus de Washington ». Ce consensus préconise des politiques commerciales et de développement que Chávez, et bien d'autres, dénonce comme étant des freins pour le bien du tiers-monde et une perpétuation de la domination américaine. C'est ainsi qu'il n'hésite pas à vilipender la Zone de libre-échange des Amériques (ZLEA) – une sorte d'Accord de libre-échange nord-américain (ALENA), dont Washington se fait le champion dans tout l'Occident – et a proposé une contre-offre qui accorderait moins de pouvoirs aux grandes sociétés et davantage aux gouvernements souverains. (Chávez explique que les pouvoirs conférés aux grands conglomérats dans le cadre de la ZLEA constitueraient une violation flagrante de la constitution du Venezuela et qu'il serait impossible de ratifier une telle entente sans recourir à un référendum national.) Pour l'élite vénézuélienne, qui entretient depuis longtemps des liens étroits avec Washington et les cartels américains, ce genre de langage constitue rien d'autre qu'une abomination.

Chávez tient à réaligner plus étroitement le Venezuela sur les nations développées du Sud, particulièrement en Amérique latine, et aussi en Afrique et en Asie. « Il n'existe pas qu'une seule voie, explique-t-il, mais j'estime que la meilleure pour les pays du Sud consiste à travailler avec nos semblables. » Il parle de la possibilité d'établir une forte infrastructure dans l'hémisphère austral, avec une banque, une université, un secrétariat, une chaîne de télévision vraiment destinés au Sud. « Le Nord est en train de nous envahir », dit-il laissant entendre par là que les pays du Sud doivent véritablement lutter contre la domination du Nord de manière à créer « un modèle alternatif à la globalisation galopante ».

Ce genre de discours a permis à Chávez d'être considéré comme l'un des leaders les plus radicaux du G-19, une association de pays de l'hémisphère austral essayant de contrer la puissance des nations industrialisées du Nord. Cela l'a conduit également à développer des liens étroits avec le dictateur cubain Fidel Castro, qu'il considère comme « le leader du Sud possédant la plus vaste expérience ». Les rapports de Chávez avec Castro sont générateurs d'autres conflits avec Washington et les oligarques de son pays. Il faut dire qu'en échange de pétrole Castro envoie des médecins travailler au Venezuela.

Pour Chávez, la meilleure source d'inspiration révolutionnaire demeure toutefois Simón Bolívar, le leader anticolonialiste du XIXe siècle, qui combattit les Espagnols pour tenter de créer une Amérique latine postcoloniale unie. (Depuis l'accession au pouvoir de Chávez, les principales routes et constructions du pays ont été rebaptisées en l'honneur de Bolívar et le pays lui-même s'appelle dorénavant la République bolivarienne du Venezuela.) Chávez est d'avis que l'Amérique du Nord comme celle du Sud partagent un passé commun, celui d'avoir été sous la domination des puissances coloniales européennes. « Ce fut la tragédie numéro un, dit-il. Mais si le Nord a réussi à se débarrasser de son passé colonial, le Sud se trouve maintenant enlisé dans une nouvelle forme de domination : celle du Nord. C'est la tragédie numéro deux... Nous continuons à nous débattre au sein d'une tragédie. »

Au cours de ses efforts visant à encourager l'unité dans les pays de l'hémisphère sud – et à jouer un bon tour aux nations occidentales –, Chávez a utilisé l'OPEP comme un modèle, une sorte de phare entretenant l'espoir. « Avec l'OPEP, j'ai donné l'exemple », affirme-t-il en faisant remarquer comment l'unité avait permis aux nations membres de cette organisation de tenir tête aux pays industrialisés. L'idée de se servir de l'OPEP pour défier les puissances de l'hémisphère nord permet de mieux comprendre l'animosité de Washington envers l'organisation – une aversion qui, dans d'autres circonstances, semblerait déplacée. Après tout, l'objectif de l'OPEP est de maintenir le pétrole à des prix élevés. Logiquement, les grandes compagnies pétrolières et leurs supporters de la Maison-Blanche devraient être ravis que l'OPEP défende leurs intérêts sur la scène internationale. Or, c'est le contraire qui se produit, et la raison profonde de ce sentiment d'animosité est que Washington n'apprécie guère l'idée qu'un tel pouvoir soit aux mains d'une poignée de pays du tiers-monde. Dans l'optique des Américains, il est autrement préférable de concentrer ce pouvoir à Washington, intégralement sous la coupe des mégacompagnies pétrolières avec lesquelles l'administration Bush entretient des rapports si chaleureux. Aussi, Washington aimerait parfois rabaisser les prix du pétrole pour plaire à certains intérêts internes, mais, bien sûr, cette perspective ne fait pas l'affaire de l'OPEP. En fin de compte, plus Washington est en mesure d'affaiblir l'OPEP, plus les Américains auront de la souplesse pour fixer les prix pétroliers et, par conséquent, pour exercer un contrôle sur l'un des leviers les plus importants de l'économie mondiale. « Ronald Reagan avait menacé de mettre l'OPEP à genoux, explique Chávez, et les Américains ont tenté de la diaboliser en soulignant qu'elle était la cause des crises économiques [des années soixante-dix et du début des années quatre-vingt]. Bref, ils se sont évertués à démolir l'unité de l'Organisation. »

Il y a eu aussi d'autres tentatives pour organiser les nations du tiers-monde et les regrouper en associations – pour certains produits clés comme le café, le cacao et le cuivre –, mais de telles entreprises se sont toutes soldées par des échecs, ce qui laissa les multinationales occidentales dominer les marchés et les nations productrices avec pratiquement rien. Le pétrole s'est révélé la seule percée des nations du tiers-monde dans le marché des matières premières, leur seul « pied dans la porte », selon le mot de l'économiste Michael Tanzer, qui conseille les gouvernements des pays en voie de développement. « En soi, l'OPEP est un îlot de pouvoir relatif », soutient-il. En effet, cette organisation constitue un modèle d'inspiration : elle démontre comment l'unité et la mise en œuvre d'actions concertées peuvent, en dépit de tous les obstacles, engendrer des résultats pour tous les pays moins avancés. Il est évident que le pétrole représente un cas spécial à cause de son énorme valeur intrinsèque, mais, même là, l'OPEP doit surmonter d'énormes difficultés. Selon Chávez, ces difficultés ont été exagérées par Washington afin d'affaiblir l'unité de l'Organisation, dans un effort pour convaincre les membres de l'OPEP de s'en dissocier.

Chávez croit que, tout comme Ronald Reagan, les mandarins de l'administration Bush aimeraient voir l'OPEP mordre la poussière. « Ils voient cette association comme un obstacle pour imposer leurs politiques pétrolières dans le monde entier par le biais des multinationales. » Tanzer est d'accord avec l'évaluation de Chávez : « Washington résiste toujours à l'OPEP... le pouvoir politique de cette dernière lui fait peur. »

Chávez pense aussi que le rôle du Venezuela dans l'effort de réunification de l'OPEP a irrité Washington au plus haut point. « Notre gouvernement a démontré sa farouche indépendance et sa détermination à mettre au point ses propres politiques pétrolières, explique-t-il. Nous n'avons accepté aucune pression de quelque type que ce soit pour nous séparer de l'OPEP. Les États-Unis aimeraient bien manipuler l'Organisation. Ils savent le rôle qu'y a joué le Venezuela, et cela nous a transformés en cible... »

* * *

Le 11 avril 2002, une faction armée menée par le dirigeant de la Chambre de commerce du Venezuela, Pedro Carmona, prit d'assaut le palais présidentiel à Caracas et fit prisonnier Hugo Chávez. Ce dernier se souvient tristement que l'une des premières actions de Carmona ce soir-là fut, en plus de dissoudre la Cour suprême et le Parlement élu, de déclarer la nouvelle constitution nulle et non avenue. C'était cette même constitution que Chávez affectionnait tant et qui constituait le pivot des changements qu'il comptait apporter à la démocratie vénézuélienne. Dès le début, il était conscient qu'il devait obtenir un fort appui du public pour réaliser son ambitieux programme. Ainsi, peu après son élection, il tint un référendum pour savoir s'il fallait rédiger une nouvelle constitution. Il obtint l'appui de plus de 70 % du corps électoral. Une assemblée spéciale fut ensuite élue pour préparer un projet, et de nombreuses consultations eurent lieu dans un large public, y compris dans les couches les plus défavorisées, qui n'étaient généralement pas consultées pour ce genre de choses. Le résultat se solda par la mise au point d'un document radical qui, entre autres propositions, prévoyait une protection efficace des droits de la femme et des indigènes, et l'interdiction formelle de privatiser les ressources pétrolières du pays. Écrite dans un langage accessible à tous et non en langue de bois, la Constitution est diffusée par des colporteurs dans les rues de Caracas sous la forme d'un petit livre de poche.

Se rappelant le coup d'État, Chávez dit : « Pour la première fois, les Vénézuéliens étaient maîtres de leur pétrole, mais un tyran déclara la constitution invalide. »

Tout d'abord, le coup parut avoir réussi. Des gardes armés à la solde du nouveau régime s'étaient rendus maîtres d'institutions d'État, comme la télévision nationale. (Les cinq stations privées étaient évidemment solidaires des putschistes et annoncèrent triomphalement la démission de Chávez.) Mais dès l'annonce que ce dernier n'avait pas démissionné, mais qu'il était détenu prisonnier, la nouvelle se mit à circuler dans les quartiers défavorisés, et des centaines de milliers de manifestants descendirent dans la rue. Fort heureusement, la plupart des militaires demeurèrent loyaux envers Chávez. En quarante-huit heures, l'un des coups d'État les plus brefs de l'histoire latino-américaine avait pris fin. Le légitime président du Venezuela réintégra son palais où il fut accueilli comme un héros.

Chávez est convaincu que le pétrole est à la base du coup d'État avorté et qu'il avait l'appui de l'administration Bush. « Washington a applaudi lorsqu'on a annoncé ma démission. L'ambassadeur américain était venu ici [au palais présidentiel] et s'était dit en faveur d'une telle décision... », remarque Chávez.

L'ambassadeur en question, Mark Shapiro, rencontra en effet les conjurés au Palais et accepta sans discuter leur version des faits selon laquelle Hugo Chávez avait « démissionné » et qu'ils constituaient le gouvernement légitime. C'est seulement le jour d'après, quand les leaders latino-américains condamnèrent fermement le putsch, que le secrétaire d'État américain Colin Powell se prononça finalement contre.

Depuis lors, certaines preuves ont été mises au jour démontrant que les États-Unis ont fort bien pu être mêlés à cette affaire. Des éléments vénézuéliens anti-Chávez ont, en effet, reçu d'importantes sommes d'argent de Washington, et un attaché militaire de l'ambassade américaine à Caracas, le lieutenant-colonel James Rodger, se serait trouvé présent, à titre de conseiller, au cinquième étage de l'édifice du haut commandement militaire, où les factions militaires rebelles appartenant aux forces armées peaufinaient leur logistique. Il ne fait aucun doute que certaines figures de proue de cette intrigue semblaient entretenir de solides liens avec des personnes de haut niveau dans la capitale américaine. Ainsi, Gustavo Cisneros, un important brasseur d'affaires vénézuélien, serait un intime de George Bush père, et le grand pétrolier du gouvernement précédent celui de Chávez, un certain Luis Giusti, est actuellement conseiller à l'énergie à la Maison-Blanche.

Depuis le début, il est clair que l'approche nationaliste de Chávez pour tout ce qui touche le pétrole du Venezuela n'a guère contribué à améliorer les relations de ce dirigeant avec Washington ou les richissimes Vénézuéliens. En effet, certains doivent leur position privilégiée dans la hiérarchie de leur pays à leur contrôle sur l'industrie pétrolière. En réalité, la gestion pétrolière du pays est depuis longtemps en proie à une corruption profonde, et certaines familles sont devenues extrêmement riches au fil des ans en siphonnant des milliards de dollars de revenus pétroliers. Cette oligarchie pétrolière avait, de plus, l'habitude de faire la pluie et le beau temps.

Chávez a essayé d'éliminer ces abus en donnant la parole à des gens jusqu'alors sans voix : les défavorisés. Même s'il n'appartenait pas personnellement à cette classe de pauvres (ses parents enseignaient), les revenus de sa famille étaient suffisamment modestes pour qu'il soit forcé de s'engager dans l'armée pour s'instruire et avoir la possibilité de jouer au base-ball. Il s'accrocha à cette filière où il gagna du galon. Encore tout jeune, il s'intéressa à l'histoire révolutionnaire de l'Amérique latine et, en 1992, organisa un coup d'État militaire contre le gouvernement élu démocratiquement de Carlos

Andres Perez. Le coup avorta, et Chávez fut emprisonné. Au cours de ses trois années d'incarcération, son intérêt dans la politique radicale s'intensifia, mais sa stratégie se modifia. Après sa libération, il parcourut le pays et, dans l'espoir de se rallier les suffrages des pauvres, sut se gagner leur appui. Il obtint des résultats surprenants. Il s'attira de nombreux votes parmi les paysans et les habitants des quartiers insalubres qui l'élirent avec une vaste majorité en 1998. Dès lors, cet électorat fidèle constitue l'épine dorsale de son succès et de sa survie politique.

Depuis son avènement au pouvoir, il a beaucoup investi dans les programmes publics, y compris l'éducation (le précédent gouvernement avait réduit le temps de classe de moitié pour faire des économies, mais le nouveau président a remis l'école à plein temps) et a amélioré la santé publique (en faisant venir 1000 médecins cubains pour travailler dans les quartiers pauvres, généralement boudés par les praticiens vénézuéliens). Son gouvernement a également financé les stations de radio locales dans les *barrios* afin de s'assurer que les défavorisés qui soutiennent Chávez continuent à s'impliquer dans le processus démocratique. De concert avec la radio-télédiffusion d'État, ce média a l'avantage d'offrir aux gens un autre son de cloche que celui des puissantes chaînes de télévision privées qui ne se gênent pas pour diffuser des commentaires négatifs sur le président, ainsi qu'un flot d'émissions américaines sur les célébrités hollywoodiennes et la vie des gens riches et célèbres.

Jusqu'à maintenant, Chávez a résisté à la tentation de se servir de son pouvoir pour museler la vive opposition des bien nantis à laquelle il doit faire face. « Son gouvernement est certainement l'un des moins répressifs d'Amérique latine », dit Mark Weisbrot, codirecteur du Center for Economic and Policy Research, dont le siège social est à Washington. Même après le coup d'État d'avril 2002, Chávez a permis aux médias indépendants de poursuivre leurs activités, malgré la détermination de leurs propriétaires de tout mettre en œuvre pour saper l'appui populaire du président. Même les putschistes qui ont tenté de le renverser ont été libérés. À l'origine, le gouvernement avait l'intention de poursuivre les meneurs, mais un tribunal vénézuélien a rendu une ordonnance de non-lieu, et le gouvernement a respecté sa décision.

Il est évident que le président ne rallie pas tous les suffrages. Ses opposants avaient organisé une pétition comptant 3,4 millions de signatures pour le faire démissionner au cours de l'hiver 2004. (Un référendum avait été organisé en août de la même année.) Chávez provoque de fortes réactions des deux côtés. Dans un salon de thé à la mode de Caracas, voyant que j'étais étrangère, un monsieur très élégant m'a abordée et a commencé à se plaindre de la manière dont Chávez avait détruit le Venezuela en ruinant l'économie. En revanche, à mon retour à l'hôtel, un jeune chasseur arbora un grand sourire en entendant mentionner le nom du président. « *Eso es el hombre !* (« Ça, c'est un homme ! ») » a ajouté le groom.

Les fabuleuses ressources pétrolières du Venezuela ont fait de ce pays une cible de choix pour les intérêts américains. Il s'agit du cinquième pays exportateur de pétrole au monde et le troisième fournisseur de pétrole des Américains. Le président Chávez soutient que d'ici 2025 la partie de la production vénézuélienne consommée par les États-Unis passera de 14 à 20 %. De plus, le Venezuela possède de vastes réserves de pétrole lourd dans la vallée de l'Orénoque. Si la technologie parvient à tirer parti de ce brut, les réserves pétrolières totales du pays deviendraient supérieures à celles de l'Arabie saoudite. « Toutes ces réalités confèrent une importance énorme au Venezuela », souligne Chávez.

Chávez est convaincu que le coup d'État d'avril 2002 reflète l'intérêt de Washington de s'approprier le brut vénézuélien, tout comme il pense que l'invasion de l'Irak n'a d'autre objectif que de faire main basse sur les richesses pétrolières irakiennes. « Ils ont échoué ici et sont en train d'essuyer un échec en Irak », affirme le Président en parlant des Américains. Mais si ces derniers ont essayé une fois, vont-ils prendre d'autres risques ? L'un des signes potentiels peu rassurants fut le coup d'État qui eut lieu à Haïti en février 2004, à l'issue duquel

Jean-Bertrand Aristide, dont le gouvernement avait été élu démocratiquement, fut renversé. Les États-Unis furent fortement soupçonnés d'être impliqués dans ce coup d'État. Il s'agissait encore là d'un chef d'État haï par une certaine élite pro-occidentale dans son propre pays. Certes, l'administration Bush ne fit rien pour venir en aide à Aristide, se contentant de considérer cette démocratie qui essayait de survivre péniblement comme un simple échec. Quand les forces rebelles se refermèrent en tenailles sur le palais présidentiel haïtien, Aristide fut prestement évacué par les forces américaines. Washington prétend qu'Aristide a démissionné et a exhibé une lettre de démission pour le prouver. Aristide réplique que cette lettre lui a été extorquée de force et qu'il a été littéralement kidnappé. (On peut toutefois se poser une question : Pourquoi avait-il dû signer une lettre de démission en de telles circonstances si cette démission était vraiment volontaire ?)

Chávez pense qu'Aristide a bel et bien été kidnappé : « Ils l'ont enlevé et l'ont envoyé en Afrique... »

Beaucoup de gens pensent que le Venezuela sera la prochaine cible de Washington. Mais il s'agira là d'un test plus difficile, à cause des enjeux plus importants. De plus, Washington aurait mauvaise conscience de prétendre que le Venezuela est une démocratie en pleine déliquescence, quand c'est exactement le contraire.

D'un autre côté... le sous-sol de ce pays regorge de brut...

* * *

En Amérique latine, la pauvreté sévit à l'état endémique. Le fait qu'elle se manifeste à Caracas et qu'on puisse la constater en regardant les humbles demeures dans les collines surplombant la ville n'a, en soi, rien de très remarquable. Cependant, la plupart des pays latino-américains n'ont pas de pétrole ou, du moins, n'ont pas de réserves qui approchent celles du Venezuela. De plus, il ne faut pas oublier que ce pays produit du pétrole depuis plus d'un siècle, et que la Venezuelan National Oil Company ou PDVSA est la plus importante société d'Amérique latine.

De toute évidence, les revenus pétroliers n'ont jamais diminué depuis la fin du XIXe siècle, époque à laquelle la découverte de pétrole au Venezuela retint l'attention des grandes compagnies pétrolières américaines de l'heure. « Les Américains ont toujours fait affaire avec le Venezuela, surtout dans le pétrole », rappelle Frank Bracho, un ancien diplomate, auteur de *Petroleum and Globalization*. Dès 1903, un complot avorté, ourdi par une société américaine, la New York and Bermudez Company, déboucha sur des relations plutôt tendues entre Washington et Caracas et, peu après, à une suspension des relations diplomatiques entre les deux pays. Cette fois, un autre coup d'État, de nouveau financé par une pétrolière américaine et épaulé par la marine des États-Unis, réussit. Il amena au pouvoir le général Juan Vicente Gomez en 1908. La production pétrolière ne tarda pas à se mettre en route, et les concessions furent subdivisées et accordées à un petit groupe d'amis et de parents de Gomez qui revendaient leurs droits à des compagnies étrangères bénéficiant d'abattements fiscaux. C'est alors que des relations étroites entre les biens nantis du pays et les intérêts pétroliers étrangers prospérèrent, une collaboration qui devait si bien se renforcer au fil des décennies que les immenses ressources pétrolières du pays disparurent au profit d'intérêts particuliers vénézuéliens comme extérieurs. Le pétrole n'apportait pratiquement aucun avantage à des millions de malheureux, qu'ils soient citadins ou campagnards.

On assista à des tentatives pour modifier cet état de choses, particulièrement à la fin des années cinquante et soixante, lorsqu'un politicien vénézuélien assez visionnaire, Juan Pablo Pérez Alfonzo, apparut dans le décor et devint l'un des pères fondateurs de l'OPEP – une histoire dont nous aurons l'occasion de parler au chapitre 8. Pérez Alfonzo essaya également d'assurer le contrôle de l'État sur les ressources pétrolières du pays, mais avec un succès mitigé. Plus tard, au milieu des années soixante-dix, lorsque la plupart des pays producteurs nationalisèrent leur secteur pétrolier, le Venezuela les imita en s'appropriant les concessions exploitées par Exxon, Mobil et Shell. Le pétrole vénézuélien se trouvait dorénavant entre les mains d'une société d'État, la PDVSA.

Malgré cela, peu de choses changeaient. En fin de compte, la PDVSA était administrée par des cadres vénézuéliens ayant travaillé pour des sociétés américaines, des gens qui préféraient être aux ordres de ces cadres plutôt qu'à ceux du gouvernement vénézuélien. En réalité, les gestionnaires de la PDVSA avaient fait leurs études aux États-Unis, parlaient couramment l'anglais et étaient enclins à préférer le mode de vie du nord du continent. « Ils étaient pratiquement de culture américaine, explique Bracho. Les Américains adoraient travailler avec les gens de la PDVSA, car ils disaient toujours : "Ils nous ressemblent tant !" »

Il y eut une politique délibérée permettant à la PDVSA de conserver toute son autonomie. Cela eut pour conséquence, avec le temps, de transformer cette compagnie en une force en soi, « un État à l'intérieur d'un État », comme les Vénézuéliens se plaisent à la décrire. Plusieurs leaders politiques vénézuéliens tentèrent vainement de garder la société d'État dans le giron de ce dernier mais sans succès. La PDVSA avait mis en place une lourde bureaucratie qui fut rapidement reconnue pour son état de corruption avancée. Ses dirigeants se versaient des salaires faramineux et transféraient d'énormes sommes d'argent dans des sociétés qu'ils contrôlaient à l'extérieur du pays. Le ministre de l'Énergie du gouvernement Chávez, Rafael Ramirez, assure que des gestionnaires ont transféré quelque 10 milliards de dollars à l'extérieur du pays et que nombre d'entre eux vivent un exil doré en Floride, en compagnie de riches cubains anticastristes avec lesquels ils font cause commune.

Pendant ce temps, la bureaucratie de la PDVSA continuait à grandir, tandis que les cadres engageaient parents et amis qu'ils plaçaient dans des postes très bien rémunérés pour très peu de travail. Les histoires de gaspillage et de népotisme au sein de ce monstre pétrolier ne tardèrent pas à devenir légendaires dans tout le pays.

Tous les salaires étaient versés en dollars américains et comprenaient des avantages sociaux très généreux. Même les employés de base, engagés souvent grâce à leurs relations familiales, recevaient régulièrement des milliers de dollars en prime. La PDVSA devint un petit monde en soi, une dynastie qui se perpétuait et s'alimentait sur les ressources pétrolières d'un pays accablé par la pauvreté.

L'indépendance de cette société et de ceux qui la dirigeaient était symbolisée par la manière dont la PDVSA était logée dans des bureaux ultramodernes situés dans des tours, tandis que le ministère de l'Énergie pétrolière – théoriquement le patron – s'abritait dans un building minable et délabré. En réalité, l'entreprise ne répondait pas aux ordres du gouvernement. Un ancien président de la PDVSA, le brigadier général Guaicaipuro Lameda, rejetait l'idée que la compagnie pétrolière puisse avoir des comptes à rendre au gouvernement. Selon ses termes, la société « était bien administrée, fonctionnait admirablement depuis 27 ans et versait des dividendes à son actionnaire : l'État. On ne devait surtout pas la rabaisser à n'être qu'un appendice du ministère de l'Énergie pétrolière et à être sujette aux interventions présidentielles. » Chávez soutient que la société d'État ne fournissait aucune comptabilité crédible au gouvernement. « Ils nous volaient ouvertement, explique-t-il, et tenaient en plus une double comptabilité. En fin de compte, le Trésor public ne recevait pratiquement rien... »

En grande partie indépendante du gouvernement vénézuélien, la PDVSA ne se gênait pas, par contre, pour se rapprocher de plus en plus des intérêts pétroliers étrangers. Vers la fin des années quatre-vingt, Luis Giusti, alors président de la compagnie pétrolière, décide de rouvrir le Venezuela aux compagnies étrangères et de leur donner accès aux champs pétrolifères apparemment marginaux et pas précisément productifs. Toutefois, certains d'entre eux n'étaient pas si marginaux qu'on le prétendait. Exxon et BP revinrent avec des contrats extrêmement intéressants pour développer des gisements qui se révélèrent, en fin de compte, très productifs.

L'effet de ces ententes fut de hausser la production pétrolière vénézuélienne bien au-dessus des quotas fixés par l'OPEP, provoquant alors la colère de l'Arabie saoudite et affaiblissant l'unité du cartel. Selon le point de vue de Washington, un tel affaiblissement devait être encouragé. La direction de la PDVSA, plus proche de Washington et des multinationales que des pays du tiers-monde, approuvait cette philosophie. De plus en plus, elle attaquait l'OPEP lors de ses déclarations publiques, l'accusant d'être un obstacle au développement pétrolier du Venezuela et rejetant des quotas jugés restrictifs. Vers la fin des années quatre-vingt-dix, la PDVSA avait déjà permis à la production vénézuélienne de s'élever à 3,5 millions de barils par jour, c'est-à-dire très au-dessus des quotas de l'OPEP. On parlait même de hausser la production quotidienne à cinq millions de barils ! De tels accrochages contribuaient à faire de l'OPEP une organisation moribonde. Entre-temps, Giusti avait d'autres projets. « Il se préparait à privatiser la PDVSA », soutient Chávez.

L'arrivée au pouvoir du nouveau gouvernement mit des bâtons dans les roues à la PDVSA. La nouvelle constitution, qui prit effet en 1999, précisait que les réserves pétrolières du pays ne devaient jamais être privatisées. De plus, Chávez fit procéder à un contrôle des livres de la société et nomma trois de ses plus proches collaborateurs au conseil d'administration de celle-ci – ils ne tardèrent pas à se faire qualifier d'« incompétents » par la direction. Toutefois, grâce à de telles interventions, Chávez commença à ramener la société d'État sous le contrôle du gouvernement et de faire d'elle cet « appendice du ministère de l'Énergie pétrolière » que la direction redoutait tant. Le gouvernement rendit furieux les dirigeants locaux du pétrole en promulguant une loi controversée qui augmentait les redevances sur le brut traité par la PDVSA et les sociétés étrangères de 16,7 à 30 %. La loi exigeait aussi que la société nationalisée détienne des parts majoritaires dans tous ses projets communs avec les compagnies pétrolières étrangères.

Lorsque les putschistes accaparèrent temporairement le pouvoir en avril 2002, il était clair que l'un de leurs objectifs était de reprendre le plein contrôle de la PDVSA et de la politique pétrolière. Pendant leurs quarante-huit heures de pouvoir, il trouvèrent non seulement le moyen de déclarer la constitution nulle et non avenue, mais aussi de signaler leur intention d'annuler leurs livraisons de pétrole à Cuba et de reprendre leur propagande anti-OPEP. « L'une de leurs premières déclarations fut d'ailleurs d'annoncer que le Venezuela quitterait l'OPEP », me confia Chávez.

Le coup d'État avorta, mais la vive opposition au gouvernement qui se manifestait au sein de la PDVSA s'intensifia jusqu'à mener, plus tard dans l'année, à une véritable confrontation. En décembre, dans un geste de défi envers le gouvernement, la PDVSA cessa toutes ses exploitations pétrolières dans tout le pays. Même si les leaders du syndicat des travailleurs apportèrent un certain appui à cette fermeture temporaire, la « grève » fut en fait menée par les cadres supérieurs de la maison avec l'appui de milliers de cols blancs appartenant à l'énorme bureaucratie de l'entreprise. Les travailleurs des puits de pétrole se trouvaient coincés. « Ce fut une épreuve de force majeure, remarque Frank Bracho. Ceux qui étaient maîtres du pétrole étaient assurés de détenir le pouvoir politique. »

La communauté des affaires s'empressa d'offrir son plein appui à la direction de la PDVSA en déclarant une « grève générale » et en fermant les principaux magasins et bureaux afin de forcer Chávez à démissionner. La grève reçut également l'appui de certaines sociétés américaines travaillant au Venezuela, y compris McDonald's et Fedex. Ces multinationales fermèrent leurs établissements par solidarité avec les dirigeants de la PDVSA. Dans l'est de la ville, les beaux quartiers de Caracas furent pratiquement paralysés. Si l'on en croit Mark Weisbrot, du Center for Economic and Policy Research, qui se trouvait alors dans la capitale vénézuélienne, dans les secteurs ouest et du centre-ville, peu de gens appuyaient cette « grève générale ». Il rapporta que, « en dehors des quartiers élégants de l'est, les commerces demeur[ai]ent ouverts et les rues pleines de passants. Bref, la vie sembl[ait] se dérouler normalement. Il s'agi[ssai]t en fait d'une grève de personnes privilégiées à laquelle la majorité de la population se gard[a] de participer. » Les grandes chaînes d'alimentation ayant fermé, le gouvernement installa de vastes tentes où les cultivateurs pouvaient directement vendre leurs produits aux citadins.

Dans l'intervalle, les médias télévisuels américains, qui calquaient la plupart de leurs informations sur celles des stations privées du pays, brossèrent un portrait très favorable de cette grève. Lorsque le gouvernement vénézuélien envoya des militaires récupérer les navires citernes détournés par leurs capitaines qui, eux aussi, s'étaient mis en grève, les médias américains se mirent à accuser Chávez de recourir à des « pouvoirs dictatoriaux ». Weisbrot a fort bien compris l'ineptie d'une telle accusation : « [Qu]'arriverait-il si, aux États-Unis, des gens détournaient un pétrolier appartenant à ExxonMobil ? Ils se retrouveraient devant un tribunal et écoperaient d'une sérieuse peine de prison... » Weisbrot remarque également l'hypocrisie des grands médias américains qui ont manifestement fait preuve de sympathie envers les « grévistes » vénézuéliens, alors que des actions de ce genre ne seraient aucunement tolérées chez les travailleurs américains ordinaires : « [L]es employés d'une société d'État – principalement des cadres et des dirigeants – essayent de paralyser l'économie du [Venezuela], qui dépend énormément de ses exportations de pétrole, de façon à faire tomber le gouvernement. Aux États-Unis, même les employés du secteur privé n'ont pas le droit de se mettre en grève pour des raisons politiques et certainement pas pour forcer le gouvernement à démissionner. Aux États-Unis, les tribunaux émettraient des injonctions contre la grève, les avoirs des syndicats participants seraient saisis et leurs dirigeants, arrêtés. »

L'arrêt des exploitations pétrolières par les grévistes eut des implications potentiellement destructrices pour les ressources du pays. On ne peut couper brutalement le débit des puits sans que le matériel subisse des dommages techniques. L'ajustement du débit constitue en effet une opération délicate. Dans de nombreux cas, les cadres en grève avaient enlevé les disques durs des ordinateurs ainsi que des pièces d'équipement vitales contenant les données techniques nécessaires pour poursuivre les opérations en toute sécurité et pour maintenir dans le sol une pression égale permettant de prévenir les dommages à long terme. Le gouvernement évita la catastrophe de justesse en recourant aux services d'ouvriers pétroliers vénézuéliens à la retraite ainsi qu'à des spécialistes recrutés de toute urgence au Brésil et à Trinidad. Ensemble, ils parvinrent à rétablir la production.

Après deux mois d'un vigoureux bras de fer entre la direction de la PDVSA et le gouvernement Chávez, ce dernier eut le dessus. Sa victoire sur les cadres rebelles de la société fut complète. Quelque 18 000 employés qui s'étaient joints au mouvement de grève furent licenciés. Peu après, dans un geste symbolique, le ministère de l'Énergie pétrolière quitta ses tristes locaux et fut relogé dans l'une des tours massives qui servait de quartiers généraux aux hauts dirigeants de la PDVSA. Un autre grand édifice de la société fut transformé en une université populaire, et on utilisa les anciens véhicules de fonction de la PDVSA pour transporter chaque jour les élèves des quartiers défavorisés.

* * *

Au printemps de 2004, il y eut une autre pomme de discorde dans les relations de l'OPEP avec Washington. Ce désaccord portait sur l'occupation américaine qui se poursuivait en Irak. Pour la première fois, un membre de l'OPEP se trouvait directement sous la domination de Washington. On savait depuis longtemps que les États-Unis se servaient de leur influence sur l'Arabie saoudite pour manipuler l'Organisation, mais cela conféra au problème une nouvelle dimension. L'Irak, un atout majeur sur la scène pétrolière internationale, était physiquement occupé par les troupes américaines. Qualifiant cette occupation de violation des principes de l'OPEP sur la souveraineté des États, le Venezuela protesta vigoureusement contre la présence, parmi les membres de l'Organisation, d'un gouvernement provisoire irakien nommé par les États-Unis. Le ministre vénézuélien de l'Énergie, Rafael Ramirez, accusa le gouvernement provisoire d'être un potentiel « cheval de Troie », tentant de s'insinuer dans l'OPEP pour en saboter le fonctionnement.

Une autre source de tension entre l'OPEP et Washington fut la flambée soudaine des prix du pétrole en mars 2004. Avec les élections américaines à l'horizon, l'augmentation des prix de l'essence sur le marché intérieur souleva une question qui faisait déjà l'objet d'un contentieux. Toutefois, l'OPEP était à blâmer. Elle avait organisé la hausse des prix du brut au-dessus de 28 $ le baril, limite qu'elle s'était déjà imposée. Il s'agissait là d'une tentative délibérée de l'Organisation pour récupérer une partie de l'argent que ses membres avaient perdu au fil des ans à cause du déclin régulier de la valeur du dollar américain. Le pétrole de l'OPEP étant comptabilisé en dollars US, les nations membres avaient vu leur pouvoir d'achat décliner, alors que cette monnaie perdait de sa valeur. Pour compenser, l'OPEP décida donc de laisser le prix du brut passer au-dessus de 28 $ le baril, pour se stabiliser aux alentours de 30 $, ce qui fit augmenter sensiblement le prix de l'essence. (Au sein de l'organisation, certaines factions recommandaient même d'abandonner complètement le dollar américain au profit de l'euro – une décision qui aurait probablement rendu furieux les responsables de la Maison-Blanche.)

En mai 2004, les prix augmentèrent encore pour atteindre 40 $ le baril (et plus de 50 $ à l'automne), mais, selon l'analyste Fadel Gheit, ces augmentations fulgurantes n'avaient pas été orchestrées par l'OPEP. Cette fois-ci, la hausse était due à la détérioration de la situation au Proche-Orient et aux craintes de voir les approvisionnements de pétrole perturbés. Mais qu'importe la cause, puisque, de toute façon, ces augmentations ont engendré des bénéfices considérables pour le secteur pétrolier. « À 20 $ [le baril], les compagnies pétrolières roulent sur l'or, explique Gheit. À 40 $, elles engrangent des profits indécents... » Il ne manque pas de noter qu'Exxon a enregistré cinq milliards de dollars de bénéfices durant le premier trimestre de 2004 et s'apprêtait à encaisser de 6 à 7 milliards les trimestres suivants. Ainsi, malgré la déception qu'elles éprouvaient de ne pas avoir accès aux gisements irakiens, les compagnies pétrolières étaient ravies de ce qui arrivait au printemps de 2004. « Peu importe qu'elles aient accès au brut irakien aujourd'hui ou demain : de toute façon, il sera toujours là, dit Fadel Gheit. Leur déception se limite donc à arborer un grand sourire en examinant leurs états financiers... »

Entre-temps, certains écologistes estiment que, même si les prix élevés de l'essence profitent aux membres de l'OPEP et aux compagnies pétrolières, ils favorisent d'une certaine manière les économies d'énergie en réduisant la consommation de carburant qui ne semble pas diminuer en dépit de la menace que représente le réchauffement de la planète. Maintenir le pétrole à des prix élevés n'est toutefois pas une panacée, car cette pratique représente un lourd fardeau pour les pays en voie de développement et les consommateurs à faibles revenus dans les pays industrialisés. Pour le moment, toutefois, ces prix élevés semblent constituer le seul espoir de restreindre la consommation maladive du pétrole dans le monde.

De nombreuses solutions sont plus équitables et préférables à celle-là, mais rien n'indique que les gouvernements occidentaux aient le moindre intérêt à les mettre en œuvre.

Chapitre 5

LA LÉGENDE DU « VÉHICULE SPORT UTILITAIRE »

Svante August Arrhenius se retrouvait seul en cette veille de Noël particulièrement triste. Sa jolie femme l'avait quitté en emmenant avec elle leur unique enfant. Il fit donc ce que tout homme en détresse pouvait faire en un tel moment : il passa la nuit à résoudre des équations mathématiques. Arrhenius, un chimiste suédois du XIXe siècle, avait la réputation de posséder un caractère obsessionnel, même lorsqu'il était dans un état normal, et il pouvait souffrir d'attaques d'inspiration scientifique qui le gardaient éveillé des nuits entières. (Onze ans plus tôt, en 1883, il était resté une nuit complète à réfléchir sur la conductivité des solutions électrolytiques conductrices de charges électriques.) Pourtant, bien qu'elle corresponde tout à fait à son caractère, la décision d'Arrhenius de travailler sur ses calculs en cette veille de Noël de l'année 1894 n'en était pas moins bizarre, car, selon lui, il n'existait rien de plus ennuyeux que les calculs mathématiques. Il est encore plus bizarre de constater qu'un an plus tard il continuait encore à travailler pratiquement vingt-quatre heures sur vingt-quatre sur ces mêmes calculs, qui n'en finissaient pas de le mener plus loin et devenaient de plus en plus compliqués. Il en était arrivé à les considérer comme la partie « la plus ennuyeuse » de sa vie. Il avait d'ailleurs écrit à un de ses amis : « Il est incroyable qu'une matière aussi insignifiante m'ait pris toute une année. »

Quel était donc ce sujet insignifiant ? Il s'agissait de découvrir l'influence des gaz sur la température de la surface terrestre. Il est facile d'admettre que ce genre de question n'occupe pas d'habitude l'esprit de la plupart des personnes la veille de Noël. Arrhenius n'était pas particulièrement attiré par des questions concernant la surface de la terre ou le rôle des gaz sur l'atmosphère, mais plutôt par une énigme, une question scientifique qui n'avait pas encore trouvé de réponse. D'autres personnes avaient déjà réfléchi à la question – Comment la terre conservait-elle sa chaleur ? – et réussi à découvrir certains aspects importants de ce mystère. Cependant, au bout d'une année complète de calculs monotones, Arrhenius réussit à découvrir la clef principale de ce mystère. Tout à fait inconnu à cette époque, ce problème deviendrait par la suite le point de mire du monde entier, un sujet chargé de beaucoup d'inquiétudes pour l'avenir.

Il paraît évident que la Terre est une planète chaude parce que le soleil la réchauffe. Cependant, les hommes de science s'étaient rendu compte, et cela dès les années 1820, qu'il existait une autre explication à cette chaleur. Effectivement, les rayons du soleil atteignent la terre et la réchauffent, mais, comme Joseph Fourier, un savant français, l'avait découvert, ces chauds rayons du soleil rebondissent sur les océans et les continents. La chaleur s'échapperait dans l'univers et laisserait la terre dans un froid insupportable s'il n'existait pas quelque chose, une couche invisible de gaz – tout particulièrement le dioxyde de carbone ou gaz carbonique – qui fait partie de l'atmosphère terrestre. Ces gaz absorbent une grande partie de la chaleur réfléchie par la Terre et l'emprisonnent, tout comme cela se produit dans une serre, et ce procédé rend la vie possible sur terre, que ce soit pour les êtres humains ou pour les autres espèces vivantes.

Tout cela est tout à fait rassurant et nous suggère qu'il existe une puissance (Dieu, la Nature ou l'Être suprême, que l'esprit humain ne peut expliquer) qui a pensé à tout et a trouvé une solution viable, sans laquelle nous ne serions pas ici pour en parler. Cela serait si simple de ne plus y penser, de pouvoir se dire que le système fonctionne et qu'il existe un thermomètre géant qui s'occupe de tout pendant que nous vivons. Cependant, l'histoire se complique un peu. Se fondant sur les travaux de Fourier, d'autres hommes de science du XIXe siècle ont continué à faire des recherches sur la façon dont la Terre se réchauffe. John Tyndall, mathématicien et ingénieur irlandais, a découvert une façon de mesurer l'efficacité du dioxyde de carbone quand ce dernier absorbe et emprisonne la chaleur produite par les rayons du soleil. Dans un rapport publié en 1861, ses conclusions démontrent qu'une baisse des niveaux de gaz carbonique pourrait plonger la Terre dans une autre période de glaciation. Environ vingt ans plus tard, l'astronome américain Samuel P. Langley a émis la théorie que les sommets des montagnes ont une température plus basse parce que les couches de gaz y sont plus minces. Il en résulte qu'une quantité plus importante de chaleur produite par les rayons du soleil parvient à s'échapper vers l'espace. Ces observations et ces spéculations ont démontré la possibilité que la température terrestre puisse se modifier si la quantité de dioxyde de carbone dans l'atmosphère changeait, mais personne n'avait prévu les grands changements des niveaux de gaz carbonique dans l'atmosphère. Personne, enfin presque. Personne, sauf Arrhenius.

On supposait alors que les niveaux de dioxyde de carbone présents dans l'atmosphère étaient en grande partie déterminés par des processus naturels mettant en cause les plantes et les pierres. Il était connu que le fait de faire brûler du charbon provoquait l'émission de gaz carbonique. Cependant, personne n'avait pris conscience que les industries utilisant beaucoup de charbon pouvaient produire des quantités de dioxyde de carbone suffisantes pour provoquer un changement quelconque. Cependant, Arrhenius a été frappé par les quantités de charbon brûlé lors de la révolution industrielle et a pensé que l'impact pourrait être plus important que prévu. Ayant beaucoup voyagé en Europe septentrionale, il avait pu voir de près comment les usines transformaient le paysage et modifiaient l'atmosphère au-dessus des grandes villes. Ces transformations provoquaient des effets secondaires évidents, comme polluer l'air et rendre la respiration plus difficile. Arrhenius s'est ensuite demandé ce que pourraient être les effets obtenus sur le fragile système de réchauffement de la

Terre tel que Fourier l'avait décrit. C'est à ce problème qu'il s'était attelé en s'asseyant pour faire des calculs, lors de cette fatidique nuit de Noël.

Après s'être abruti, jusqu'à en perdre la raison, à résoudre des équations qui n'en finissaient plus, il devint la première personne à conclure que les êtres humains provoqueraient un changement climatique mondial à force de faire brûler des combustibles fossiles. Cette conclusion étonnante ferait en sorte que le monde entier allait devoir réviser sa conduite, ce qui provoquerait des batailles politiques très importantes entre les personnes en accord avec les changements, et un petit groupe qui les refuserait. Mais, à cette époque, dans les années 1890, les découvertes d'Arrhenius n'intéressaient personne, même pas la communauté scientifique et encore moins les gens qui n'y appartenaient pas. Sa découverte du rôle crucial des actions humaines sur les changements possibles sur la climat de la planète resta peu connue, même après qu'Arrhenius eut remporté le prix Nobel de chimie en 1903 (pour des travaux qui n'avaient aucune relation avec la température de la Terre). Arrhenius, lui-même, ne semblait nullement impressionné par la grande découverte scientifique qu'il venait de faire au sujet du climat – en grande partie parce que, malgré le temps qu'il avait investi à faire des calculs ennuyeux, il avait commis une grosse erreur.

Pas étonnant qu'il ait jugé sa découverte d'un intérêt minime : ses hypothèses l'avaient mené à conclure qu'il faudrait énormément de temps pour que la combustion des carburants fossiles fasse doubler le niveau de gaz carbonique. Il avait estimé que l'impact sur les conditions climatiques ne devrait se produire que vers les années 5000, ce qui paraissait être vraiment très éloigné et ne valait pas la peine d'y travailler. Cependant, il en était arrivé à cette conclusion des plus rassurantes en se basant sur le fait que le monde continuerait à consommer les combustibles fossiles (comme le charbon, le pétrole et le gaz) au même rythme qu'en 1890, et là réside sa grande erreur. Au cours des cent années suivantes, la production industrielle s'est multipliée plus de cinquante fois, et l'automobile, la grande consommatrice de pétrole, est devenue le premier moyen de transport au monde. Tout cela a rendu les calculs d'Arrhenius obsolètes. Étant donné la grande consommation des carburants tirés des fossiles au cours du siècle dernier, les calculs d'Arrhenius comportent une marge d'erreur de 2950 ans. Le moment crucial doit se produire n'importe quand au milieu de ce siècle, et peut être même avant.

Cela donne une tout autre vision des choses.

* * *

Au début des années quatre-vingt, la communauté scientifique s'est rendu compte de l'urgence de s'attaquer à un sérieux problème : la diminution de la couche d'ozone dans l'atmosphère terrestre, un autre problème ayant une relation directe avec les gaz libérés dans l'atmosphère et qui différait du réchauffement mondial. On a commencé à s'apercevoir de cette diminution au début des années soixante-dix, et des scientifiques ont découvert sa relation avec certains produits chimiques, comme les gaz utilisés dans les produits en aérosol ainsi que dans certains réfrigérants et liquides de refroidissement. Ils en sont arrivés à la conclusion que la diminution de la couche d'ozone pouvait devenir sérieuse et même dangereuse pour les êtres humains, car elle rend plus vulnérables aux rayons ultraviolets. Ces derniers sont en général bloqués par la couche d'ozone qui entoure la Terre. Il s'est développé un grand trou à l'intérieur de cette couche. Très rapidement, les scientifiques ont déterminé les mesures à prendre par les gouvernements pour arriver à « réparer » ce trou qui ne cesse d'augmenter.

Une personne s'est montrée capable de régler le problème de la diminution de la couche d'ozone, Robert Watson. Après avoir obtenu son doctorat de l'Université de Londres, en 1973, avec une thèse portant sur la chimie de l'atmosphère, Watson s'attendait à passer sa vie absorbé dans des études poussées sur les réactions du chlore, du brome ou du fluor. Cependant, l'année suivante, exactement au moment où il s'installait à l'Université de Californie dans le cadre d'un programme qui aurait dû occuper sa carrière au complet, deux scientifiques américains firent état de leurs recherches qui démontraient que la couche d'ozone recouvrant notre Terre était en train de diminuer très rapidement. Ce rapport indiquait que la détérioration de cette couche était causée par les produits chimiques dont Watson était un spécialiste. Il a donc commencé à travailler sur le problème de la diminution de la couche d'ozone, un projet financé par la NASA et par l'Agence spatiale des États-Unis. Il s'est subitement trouvé en train d'essayer d'appliquer ses connaissances scientifiques à l'amélioration de la vie sur terre. Ses jours de chercheur scientifique pur étaient terminés.

En s'attaquant à un problème aussi important, Watson démontrait qu'il possédait un sens politique aigu. Pendant que des dizaines de chercheurs collaboraient pour acquérir le plus de connaissances possible à propos de la diminution de la couche d'ozone, Watson a été le seul à comprendre, et ce dès le début, que le problème était crucial : les vrais obstacles étaient extérieurs au monde scientifique. Des industries très puissantes allaient sans nul doute faire de l'obstruction, car elles perdraient de l'argent lors des changements exigés, et neutraliser leur influence serait le problème majeur. Une méthode extrêmement crédible devait donc être utilisée pour évaluer les données, afin que les sociétés les plus importantes ne puissent les réfuter. Dans le but d'attirer l'attention du monde entier sur des données scientifiques, Watson a donc mis sur pied un programme plus ambitieux que tout ce qui avait été tenté jusqu'alors. Il s'agissait d'une sorte de procès international à très grande échelle où des chercheurs scientifiques du monde entier se spécialisant dans ce domaine précis seraient invités et consultés. C'est ainsi qu'on a demandé à des centaines de chercheurs d'examiner les données et de le faire rapidement et très rigoureusement.

Les résultats obtenus par cette méthode ont sans nul doute été surprenants. On assista à un engagement impressionnant, à une coopération et un accord général quant à la nature inquiétante du problème et à la façon d'y remédier. Les efforts que pouvaient entreprendre les grandes sociétés pour faire avorter le processus furent anéantis par l'effet choc des réponses fournies par les chercheurs. Les sociétés DuPont, General Electric et quelques autres géants industriels menèrent des campagnes suggérant que la diminution de la couche d'ozone ne posait pas vraiment de problème et trouvèrent même quelques scientifiques prêts à soutenir leur point de vue. Les campagnes menées par ces multinationales ne furent qu'un feu de paille devant les preuves accablantes présentées et par la liste toujours plus importante de chercheurs démontrant qu'elles avaient tort. Ces sociétés, si récalcitrantes au départ, finirent par s'incliner et par participer de façon active à la recherche d'une solution. À la fin des années quatre-vingt, un traité international – élaboré lors d'une réunion dans la métropole canadienne et connu sous le nom de Protocole de Montréal – fut finalement signé. En quelques années, 93 pays dont les États-Unis apposèrent leur signature sur ce protocole et s'engagèrent à éliminer les produits chimiques incriminés avant la fin de la décennie. Le monde allait devoir apprendre à vivre sans déodorants en aérosol. D'une manière ou d'une autre, nous pouvions nous en passer.

La première vraie tentative à l'échelle mondiale pour enrayer les méfaits causés à l'écosystème se révéla un franc succès. On était prêt à croire que le terme « globalisation » ne signifiait plus uniquement le fait de forcer les pays à ouvrir leur économie aux investisseurs étrangers ; il pouvait être aussi synonyme de coopération internationale dans le but de sauver la planète. Cela suffisait pour espérer que des factions qui, normalement, s'opposaient, puissent oublier leurs différends alors que quelque chose d'aussi grave que l'avenir de toute la Terre était en jeu.

Cette confiance avait été mal placée.

* * *

Svante August Arrhenius et d'autres savants comme lui avaient beaucoup réfléchi sur la façon dont les rayons du soleil sont captés pour le plus grand bénéfice de la Terre. Cependant, le monde n'avait guère réfléchi au problème du « réchauffement planétaire » avant qu'il ne soit mis au premier plan des préoccupations politiques au milieu des années quatre-vingt. En juin 1988 eut lieu, à Toronto, une conférence scientifique internationale qui aida certainement à attirer l'attention mondiale sur la menace que constituait le réchauffement de la planète. Cette conférence, ouverte par le premier ministre Brian Mulroney, s'est terminée sur un accord et une déclaration signée par tous. Cette dernière stipulait « que l'humanité tout entière menait une expérience involontaire, omniprésente, dont elle n'avait pas le contrôle et dont les conséquences étaient comparables à celles provoquées par une guerre nucléaire ». Les preuves démontrant que le phénomène était déjà en cours – fonte des icebergs, élévation du niveau de la mer, conditions météorologiques extrêmes et inexpliquées –, les Nations unies et l'Organisation météorologique mondiale ont agi rapidement et fondé un organisme indépendant, l'Intergouvernmental Panel on Climate Change (IPCC) ou Groupe d'experts intergouvernemental sur l'évolution du climat (GIEC), chargé de faire un compte rendu de la compréhension scientifique du problème. Robert Watson, qui venait tout juste de terminer un brillant rapport traitant de l'ozone, et désormais un des chercheurs d'expérience de la NASA, fut immédiatement approché pour devenir un des personnages les plus importants de ce nouvel organisme qui dépendait de l'ONU. Il devait en devenir le président sept ans plus tard.

La création rapide de l'IPCC ou GIEC démontre à quel point la communauté internationale désirait trouver des réponses et des solutions. Tout semblait donc bien se dérouler, comme dans le cas de la couche d'ozone : on avait découvert un problème grave, et les nations avaient vite réagi et s'étaient unies en mettant sur pied un organisme scientifique afin de découvrir la vraie nature du problème et la façon de l'aborder. Jusqu'à maintenant, tout allait pour le mieux.

Étant donné son expérience quand il avait abordé le problème de l'ozone, Watson comprit que la résistance qui se manifesterait en s'attaquant au problème du réchauffement de la planète viendrait des grandes industries. Il avait également pressenti que, cette fois-ci, la lutte serait beaucoup plus dure. S'attaquer aux marchés qui utilisaient les aérosols et les produits chimiques utilisés dans le secteur de la réfrigération était une chose. Bien que représentant d'appréciables profits pour les sociétés DuPont et General Electric, ces produits ne constituaient pas des éléments vitaux pour ces grands empires. C'était une autre chose que de s'attaquer aux marchés du pétrole, du gaz et du charbon. Watson s'est alors rendu compte qu'il allait s'aventurer sur un terrain miné au cœur même des intérêts financiers les plus importants, les plus puissants et les plus profitables au monde.

La réponse de Watson dans son rapport scientifique devrait être encore plus méthodique et détaillée que la dernière fois. Avec la grande influence du monde de la finance qui allait se dresser contre lui, il n'avait pas le droit à l'erreur. Il savait très bien que chaque faux pas, chaque erreur serait exploité sans pitié par le lobby du secteur des combustibles fossiles. Ainsi, Watson mit sur pied un système incroyablement rigoureux pour la préparation des rapports scientifiques et les examens que devraient effectuer ses confrères – système encore valide à l'heure actuelle. Chaque recherche scientifique approfondie, entreprise en consultation avec le monde industriel, se termine par un rapport. Une copie préliminaire est envoyée tout d'abord à quelques experts ; ensuite une deuxième copie est établie et envoyée à tous les spécialistes retenus dans le monde entier – soit environ 2500 personnes. Lorsque ces experts rédigent leur rapport, ils établissent une autre copie qui est renvoyée pour un nouvel examen.

« Il ne fait aucun doute qu'il s'agit du système de consultation d'experts le plus rigoureux jamais créé, a déclaré Watson lors d'une interview donnée à son bureau du World Bank Headquarters (quartier général des banques) à Washington. L'ampleur de cet exercice dépasse ce que peuvent offrir une revue scientifique ou un organisme. Je ne pense pas qu'il soit possible d'élaborer un processus avec plus de rigueur. »

Le premier rapport de l'IPCC, divulgué en 1990, consistait en une prise de position très importante sur le problème. En fait, le monde scientifique donnait un défi planétaire à relever. Il a très bien expliqué ce que représentait la réalité de l'« effet de serre », soulignant qu'après plus de dix mille ans sans changement notable de la température à la surface de la Terre, cette dernière s'était mise à se réchauffer de façon évidente depuis le début de la révolution industrielle. Lors d'une conférence de l'ONU à Rio en 1992, connue sous le nom de Sommet de la Terre, les chefs d'État de 154 pays – y compris le président des États-Unis, George Bush père, et le premier ministre canadien Brian Mulroney – ont répondu à l'appel et ont signé une convention qui les liait légalement et par laquelle ils s'engageaient à lutter contre le réchauffement de la planète.

Des pressions avaient été exercées pour faire aller les choses plus loin et pour que des nations s'engagent à diminuer les émissions des gaz à effet de serre. Cependant, dans le cadre du processus de l'IPCC, le groupe de soutien des industries des combustibles fossiles, dirigé par Exxon, a mené une lutte sans merci aux gouvernements et au public pour résister à des mesures aussi concrètes. Leur stratégie de base était de provoquer des doutes sur les rapports scientifiques et de suggérer l'existence de grandes incertitudes, alors que, pour les chercheurs, il n'y en avait aucune. Exxon était responsable en grande partie des doutes qui filtraient. Un certain nombre de groupes d'industriels avait mis sur pied des mouvements portant des noms pouvant paraître neutres ou encore faisaient semblant de supporter les causes environnementalistes : la Global Climate Coalition (GCC), l'International Petroleum Industry Environmental Conservation Association (IPIECA), le Global Climate Information Project (GCIP). C'était un secret de polichinelle : tous ces regroupements avaient été fondés par des multinationales, mais les rapports médiatiques citant les responsables de ces groupes oubliaient souvent de mentionner que la création de telles organisations était le fait d'industriels. Pourquoi le public, qui n'était pas au courant, aurait-il eu raison de remettre en question ce que ces personnes, présumées impartiales, proclamaient ? Pourquoi des citoyens ordinaires auraient-ils dû se méfier de déclarations mettant en doute l'aspect scientifique du réchauffement de la planète, alors que ces allégations provenaient de regroupements, apparemment neutres, qui ne voulaient que leur bien, tel le Global Climate Information Project ?

Le scepticisme de certains vrais scientifiques a été encore plus efficace pour faire passer les messages des industriels et, bien entendu, il y eut quelques scientifiques – peu, de façon surprenante, pas plus d'une douzaine sur des milliers dans le monde – qui firent preuve de scepticisme. Que peut-on dire au sujet de ces sceptiques ? Raisonnablement qu'ils étaient peu nombreux à faire partie de ce groupe non représentatif. Quelques-uns reçoivent des bourses de certaines industries ou travaillent pour des organisations fondées par leur bons amis industriels. D'autres sont indépendants. Quelques-uns sont de vrais experts dans leurs domaines respectifs, mais leurs champs d'activité ne concernent pas le réchauffement mondial. Voilà encore quelque chose que le grand public ignore.

Même s'il existe encore un certain doute scientifique légitime sur le sujet, Robert Watson se demande pourquoi nous devrions conclure qu'il est préférable de ne rien faire pour corriger le problème du réchauffement de la Terre. Le doute peut nous conduire, dit-il, vers deux directions : « Il est bien possible que nous surestimions ou que nous sous-estimions le problème. Ce n'est pas parce que l'on émet des doutes que l'on doit rester inactif. » Cela s'applique aussi, selon lui, à l'impact économique. Quand certains sceptiques suggèrent que s'attaquer au problème du réchauffement de la Terre coûterait beaucoup trop cher, Watson leur répond : « Les coûts économiques de l'*inaction* peuvent s'avérer prohibitifs. » Quant à ces coûts, de nombreux économistes déclarent que le fait de s'attaquer au problème du réchauffement de la Terre ne nuit pas vraiment à l'économie. Ainsi, Kenneth Arrow et Robert Solow, deux récipiendaires du prix Nobel, ont réuni plus de 2500 économistes ayant signé la déclaration suivante : « [Une] solide analyse économique démontre qu'il existe des options politiques permettant de ralentir les changements climatiques sans pour cela faire baisser le niveau de vie des Américains. Ces mesures peuvent, en fait, améliorer la productivité des États-Unis à longue échéance. »

Le succès des sceptiques au sujet des dangers du réchauffement de la planète a été obtenu, en grande partie, grâce à la généreuse couverture médiatique qu'ils ont reçue, couverture disproportionnée par rapport à l'importance du groupe. Les médias ont accordé à cette poignée de sceptiques –la plupart à la solde d'industries – pratiquement le même respect et le même espace que ceux accordés aux milliers de scientifiques dans le monde qui ont participé au système mis sur pied par Watson et mené sous l'égide de l'ONU. Comme si les médias ne faisaient que suivre une simple règle journalistique en transmettant les deux versions de l'histoire. Mais est-il opportun de présenter les deux positions comme si elles étaient aussi valables l'une que l'autre, alors que l'une était étayée par une réelle expertise scientifique ? De toute façon, le désir apparent des médias de couvrir équitablement les deux parties a été des plus sélectifs. Les médias ont l'habitude de faire abstraction de toutes sortes de points de vue sur de nombreux sujets. (À quand remonte la dernière fois où les médias accordèrent une tribune à un critique des accords de libre-échange ou à un activiste dénonçant le système fiscal ?) Pourtant, les médias l'ont accordée aux sceptiques remettant en question le problème du réchauffement de la planète – l'attention qu'ils ont reçue a énormément exagéré leur importance au sein de la communauté scientifique et a contribué à rendre confus, aux yeux du public, un problème que la science comprend parfaitement.

Bien sûr, il est possible que ce petit noyau de sceptiques ait découvert quelque chose d'important, qu'il soit le Galilée de notre époque – et que les seules organisations assez intrépides pour défendre les résultats des recherches de ces dissidents perspicaces proviennent des groupes de réflexions financés par les industries. (Les raisons pour lesquelles le reste de l'humanité semble résister à leurs idées ne sont pas tout à fait claires, mais il est possible que les résistants manifestent une certaine animosité contre l'humanité.)

Il existe une autre possibilité : l'industrie des combustibles fossiles, qui rapporte trois billions de dollars par année, a peut-être utilisé ses fabuleuses ressources financières pour créer l'illusion d'un doute, alors que le problème est tout à fait évident aux yeux des experts scientifiques qui l'ont étudié. En agissant ainsi, les grandes industries ont empoisonné le débat, mettant ainsi toute action collective – le seul genre d'action pouvant fonctionner dans un tel contexte – hors de portée du public.

On ne peut jamais être à cent pour cent certain du résultat si l'on doit faire un choix. Néanmoins, la seconde possibilité semble vraiment plus convaincante.

* * *

La campagne orchestrée par les industries des combustibles fossiles et par l'industrie automobile à la suite du Sommet de la Terre de Rio a été redoutable. Des dizaines de millions de dollars ont été employés pour discréditer le processus scientifique utilisé pour déterminer le réchauffement de la Terre. À l'automne 1997, une campagne publicitaire éclair, financée par des fonds provenant des industries américaines, a coûté à elle seule plus de 13 millions de dollars.

Cette croisade s'est avérée efficace. De nombreux députés et sénateurs, dont beaucoup recevaient des subsides de politiciens appartenant à l'industrie des combustibles fossiles, paraissaient être tout à fait heureux de se rallier à l'idée que les scientifiques se trompaient. En 1995, les séances du Congrès servirent de vitrine aux individus sceptiques quant au réchauffement de la Terre. Certains députés archi-conservateurs et agissant pour le compte des méga-entreprises réussirent à transformer la Chambre en salle d'interrogatoire pour tous ceux qui appuyaient d'une façon ou d'une autre le processus de l'IPCC et de l'ONU, ou qui travaillaient avec eux. On traîna ces gens dans la boue, on dénonça le processus comme étant une intrigue des libéraux et une tentative hostile de l'ONU pour imposer une sorte de gouvernement mondial aux États-Unis. Face à un long défilé de scientifiques des plus estimés, qui leur expliquaient l'étendue du problème du réchauffement de la Terre, ces députés répondaient hargneusement et rejetaient totalement ce qu'ils qualifiaient de « tactiques alarmistes ». Les grands experts de la NASA, cette agence spatiale que les Américains aiment tant, reçurent le même traitement de la part du Congrès et furent considérés encore moins crédibles que les autres. (Patrick Michaels, un scientifique des plus sceptiques, à la solde des industries pétrolières et charbonnières, a fait un discours devant le Congrès dans lequel il a insisté sur le consensus formé au sujet du problème du réchauffement de la Terre. Selon lui, il avait étouffé « la liberté de s'exprimer » des scientifiques – bien que les points de vue farfelus et soi-disant « étouffés » de ces sceptiques aient eu toute la couverture médiatique voulue et tout le temps nécessaire pour s'exprimer.) En mai 1996, convaincus d'avoir assez entendu de jérémiades concernant le réchauffement mondial, les membres du Comité scientifique de la Chambre des représentants sont passés à l'action de manière rageuse en votant une loi qui coupait clairement dans les subventions accordées aux programmes gouvernementaux de recherches concernant les changements climatiques ; ils sont même allés jusqu'à en éliminer complètement quelques-uns. Comme l'a expliqué Dana Rohrbacher, qui dirigeait le sous-comité chargé des audiences : « Je pense que l'argent que l'on investit dans les programmes de recherches s'occupant du réchauffement de la Terre est de l'argent mis directement à la poubelle. »

La résistance a été tout aussi sauvage au Sénat. En juillet 1997, la Chambre haute des États-Unis a voté unanimement une résolution (95 voix contre 0) exigeant que l'administration Clinton rejette tout accord international qui viserait l'émission des gaz à effet de serre, si cet accord ne s'étendait pas aussi aux pays du tiers-monde. Le manque de bonne volonté manifeste d'accorder à ces pays en voie de développement des mesures plus libérales concernant les émissions de gaz à effet de serre était étonnant. Après tout, comme Watson l'a fait remarquer : « Nous, les pays industrialisés, sommes les grands coupables et la source du problème... Nous nous sommes enrichis en faisant brûler du charbon bon marché. » (Qui plus est, il y avait eu un précédent lors de la première série de réductions, une mesure qui avait été vivement conseillée. En ce qui concernait le problème de la disparition de la couche d'ozone, le Protocole de Montréal avait permis aux pays du tiers-monde de ne pas se soumettre aux premières mesures de réduction, parce que, dans leur cas, elles ne contribuaient que de façon minoritaire au problème. Aux termes du Protocole de Montréal, les pays du tiers-monde ne devaient commencer à effectuer des réductions qu'à une date à déterminer dans l'avenir. Elizabeth May, la présidente-directrice générale du Sierra Club du Canada, s'est impliquée de façon très active dans la problématique de la disparition de l'ozone et dans celle du réchauffement de la planète. Pour elle, il n'y avait pas de raison de ne pas permettre aux pays en voie de développement de s'attaquer moins rapidement que nous au problème du réchauffement de la Terre, ce qu'ils réussissent graduellement à faire dans le cas de la disparition de la couche d'ozone.)

Pendant ce temps, à l'extérieur du monde très fermé du Congrès et de l'industrie des combustibles fossiles, les personnes qui faisaient campagne pour s'attaquer au réchauffement de la Terre se trouvaient de plus en plus isolées. L'administration Clinton démontrait un intérêt particulier pour le problème ; Watson travaillait alors pour l'IPCC, de l'intérieur de la Maison-Blanche. Un deuxième rapport, plus documenté que le précédent, publié par l'IPCC en 1995, offrait un meilleur portrait : le fragile écosystème mondial était menacé de bouleversements dramatiques à cause de l'accumulation du gaz carbonique dans l'atmosphère, et les coupables n'étaient nuls autres que les êtres humains. « Quand on examine les archives des conditions climatiques, on peut noter un scénario correspondant aux activités humaines. » Autrement dit, les agissements des hommes – comme le fait de brûler des combustibles fossiles – contribuaient à créer le phénomène. « Il n'existe aucune controverse aux yeux des scientifiques expérimentés sur ce qui est en train de se produire », a déclaré pour résumer James McCarthy, de l'Université Harvard, qui s'est énormément impliqué dans l'élaboration du deuxième rapport de l'IPCC et qui a révisé les travaux des plus grands spécialistes scientifiques en climatologie de 60 pays.

La toile de fond était d'une telle précision scientifique que les pays se sont réunis à Kyoto, au Japon, à la fin de 1997 pour continuer à mettre en œuvre le processus élaboré au Sommet de la Terre de Rio, cinq ans plus tôt. Bien que les débats se soient poursuivis jusqu'aux dernières heures, un traité en vue de réduire les émissions de gaz a finalement été conclu. Al Gore, le vice-président des États Unis, a joué un rôle crucial en essayant de niveler les différences existant entre les pays développés et les pays en voie de développement, afin de décider ceux qui porteraient le fardeau de réduire les émissions des gaz à effet de serre. Personne n'a été satisfait de l'accord final. Les mesures étaient insuffisantes, trop lentes, et leur répartition entre les pays insuffisamment équitables – cependant, à peu près tout le monde a été d'accord pour dire que le traité constituait une grande réussite.

À l'intérieur du Repaire de Dieu, les cadres supérieurs d'Exxon juraient de continuer le combat, mais il leur était difficile de ne pas être découragés par l'ampleur du changement négatif. Le monde entier semblait réagir avec une férocité surprenante. Cette éventualité ne figurait certainement pas dans le scénario original ! Sentant la force du public et l'engagement des gouvernements dans le monde, certaines des grandes sociétés qui avaient fait campagne contre l'accord de Kyoto ont commencé à chercher une façon de se dissocier. British Petroleum a annoncé que, le problème du changement climatique étant pris très au sérieux par la communauté tout entière, la société se retirait de la Coalition Global Climate anti-Kyoto. Les sociétés Royal Dutch/Shell, Texaco, Ford, DaimlerChrysler, General Motors, Dow, DuPont ainsi que d'autres anciens partenaires inconditionnels emboîtèrent le pas à BP. À la fin, Exxon s'est retrouvée pratiquement seule à s'accrocher à un bateau en train de couler et se débattait pour naviguer à contre-courant. Tout à coup, les ressources pourtant sans limites de l'industrie des combustibles fossiles semblaient ne plus être suffisantes pour stopper l'arrivée d'une idée dont l'heure était venue. La campagne contre l'accord de Kyoto semblait entrer dans les livres d'histoire tout comme l'avait fait celle des luddites pour arrêter la mécanisation des ateliers de textiles, et celle des grands fabricants de cigarettes pour discréditer les campagnes antitabac.

* * *

Comme le reste de la population, Arthur G. Randol III avait été surpris lorsque les élections présidentielles de 2000 s'étaient transformées en une guerre des nerfs qui dura trente-six jours. Cependant, ce magnat dut être absolument enchanté quand George W. Bush fut finalement proclamé vainqueur, car ce dernier, alors gouverneur du Texas, avait toujours pris parti pour les compagnies pétrolières contre les environnementalistes. En sa qualité de conseiller scientifique pour la société Exxon, Randol savait que la victoire de Bush pourrait aider la bataille de sa multinationale contre les accords de Kyoto et lui faciliterait son travail, mais il n'était pas en mesure de se rendre compte à quel point. Peu de temps après l'intronisation de l'administration Bush, Randol envoya une télécopie à des hauts placés à la Maison-Blanche pour leur suggérer de retirer Watson de son poste de dirigeant de l'IPCC et de le remplacer par quelqu'un de plus conciliant. Cette demande était effrontée, et il n'aurait certainement pas osé la faire à l'administration Clinton, qui avait toujours soutenu efficacement Watson.

Le fait que Bush avait gagné les élections avec moins d'un demimillion de votes de plus que son rival – n'oublions pas que tous les mystères des votes en Floride n'ont jamais été éclaircis – aurait pu faire de l'homme qui, pour ainsi dire, gouvernait le monde, quelqu'un d'un peu plus d'humble, avec une approche différente, tout particulièrement envers un sujet ayant autant d'implications, soit les accords de Kyoto. Cependant, l'arrogance de Bush a démontré de façon très nette que la préférence du public pour le programme d'Al Gore n'aurait guère plus de poids qu'un intéressant post-scriptum dans l'histoire des élections. En mars 2001, deux mois à peine après être entrée en fonction, l'administration Bush annonça son retrait des accords de Kyoto, tout en promettant que les États-Unis s'attaqueraient à leur manière au problème du réchauffement de la Terre. Le retrait de

Washington n'a pas tué les accords de Kyoto. Avec l'appui des pays, le traité peut encore fonctionner. Toutefois, le retrait des États-Unis, qui produisent à eux seuls plus de 25 % des gaz à effet de serre, a eu un effet dévastateur sur les possibilités de trouver une solution internationale sérieuse. « Un traité vraiment efficace concernant le climat ne peut pas fonctionner sans les États-Unis », a déclaré Robert Watson. Mais, Watson lui-même fut très vite expulsé. En avril 2002, la Maison-Blanche répondait à la requête de Randol : elle avait retiré son soutien à Watson. Sans le soutien de son propre gouvernement, les appuis de Watson diminuèrent, et il finit par perdre son poste de directeur de l'IPCC.

Entre-temps, en mai, le rapport du comité spécial sur l'énergie, que Cheney avait fait préparer, fut publié. Il expliquait bien clairement que l'Amérique tenait à son énergie issue des combustibles fossiles et qu'elle n'avait aucunement l'intention de changer d'attitude. Il exigeait que des sommes d'argent plus importantes soient versées aux industries des combustibles fossiles. Lors de son discours à Toronto au cours du même mois, Cheney a été presque sarcastique en parlant du concept de conservation de l'énergie. « La conservation de l'énergie peut être l'indication d'une qualité personnelle, a-t-il déclaré, mais elle ne constitue pas la base suffisante d'une politique énergétique globale et bien charpentée. »

Exxon, qui n'affrontait plus le monde entier à elle seule, avait trouvé un indéfectible copain. Le gouvernement le plus puissant de la Terre s'était allié à la plus riche société commerciale de la planète – et le monde ne paraissait donc plus invincible.

* * *

Au cours de l'automne 2002, les débats au sujet des accords de Kyoto avaient suscité un grand intérêt au Canada. De nombreux Canadiens ont été consternés devant l'attitude du gouvernement Bush et étaient tout à fait d'accord avec Ralph Goodale, le ministre des Ressources naturelles de cette époque. Il avait répondu à Dick Cheney en vantant les mérites du principe de la conservation comme caractéristiques d'« une société intelligente et progressiste ». Pendant ce temps, le gouvernement de l'Alberta et l'industrie pétrolière du Canada avaient orchestré une campagne féroce contre les accords de Kyoto. Ralph Klein, le premier ministre de l'Alberta, a dénoncé publiquement ces accords en soutenant qu'ils représentaient « la chose la plus folle et la plus désastreuse jamais conçue ». Les industries pétrolières et du gaz naturel, appartenant en grande partie à des sociétés étrangères, soutenaient sans arrêt que, si Ottawa ratifiait les accords, cela provoquerait un arrêt brusque des investissements étrangers dans les zones pétrolifères canadiennes.

Tout comme aux États-Unis, les personnes opposées aux accords de Kyoto au Canada avaient, en tout premier lieu, essayé de provoquer des doutes concernant les données scientifiques se rapportant au réchauffement de la planète. Cependant, au fur et à mesure que les arguments scientifiques se précisaient, cela devint de plus en plus difficile. (En juin 2001, trois mois après que Bush eut rejeté les accords de Kyoto, le plus important organisme scientifique des États-Unis s'est déclaré d'accord avec l'ensemble des données énoncées par l'IPCC. Un communiqué de l'Académie nationale des sciences annonçait ce qui suit : « Les conclusions de l'IPCC selon lesquelles une bonne partie du réchauffement de la Terre, tel qu'il a été constaté depuis les cinquante dernières années, est dû à l'augmentation des gaz à effet de serre, reflètent très exactement la pensée scientifique actuelle. » Étant donné la quasi-impossibilité de réfuter les arguments scientifiques, les opposants aux accords de Kyoto ont changé de tactique et ont prétendu que le combat contre le réchauffement de la planète dévasterait l'économie. Ils déclaraient que les Canadiens se trouveraient nettement désavantagés sur le plan économique s'ils décidaient de réduire les émissions de gaz à effet de serre, alors que leurs partenaires commerciaux les plus importants refusaient de souscrire aux mêmes obligations. On laissait même entendre que près de 450 000 Canadiens pourraient perdre leur emploi – un chiffre diffusé un peu partout et que l'on a même retrouvé sur le site Web du gouvernement de l'Alberta.

On aurait pu penser que ces chiffres auraient inquiété les Canadiens en âge de travailler. Toutefois, pendant que les industries pétrolières et gazières et le gouvernement de l'Alberta continuaient à brandir la menace de pertes d'emplois importantes, l'ensemble du mouvement syndical canadien ne se montrait pas convaincu par ces sinistres prédictions. En fait, il se montrait favorable aux accords de Kyoto. Même les syndicats des communications, de l'énergie et des ouvriers des pâtes à papier, qui représentaient plus de 35 000 travailleurs dans les secteurs pétrolier et gazier, appuyaient la lutte contre le réchauffement de la planète. Pourtant, ils risquaient vraisemblablement d'être les plus touchés par les réductions budgétaires des investissements dans le secteur pétrolier. Les 1200 délégués présents à la convention nationale des syndicats ont pris position en faveur des accords de Kyoto, avec une seule voix contre. On se trouvait devant une situation tout à fait curieuse : le monde des affaires était opposé à Kyoto et prétendait qu'une telle entente allait entraîner des pertes d'emplois, mais les travailleurs – les premiers intéressés – l'approuvaient.

Le chef syndical Fred Wilson expliqua que les syndicats ne croyaient pas aux prédictions de pertes d'emploi et soupçonnaient même qu'on leur débite des balivernes pour les effrayer. Wilson avait remarqué que le syndicat des travailleurs de l'énergie redoutait davantage les pertes d'emplois dues à d'autres facteurs – comme le dégraissage des effectifs des grandes sociétés et les fusions, qui avaient déjà éliminé 6000 emplois dans les raffineries de pétrole au cours des dix années précédentes. (Une blague circulait dans les milieux syndicaux, disant que, pour perdre 450 000 emplois, il faudrait éliminer tous les ouvriers travaillant dans le domaine de l'énergie, ainsi que plusieurs milliers de futurs travailleurs, sans compter des milliers d'autres déjà décédés et qui perdraient ainsi leur emploi de manière rétroactive.)

Le gouvernement du premier ministre Jean Chrétien, avec l'appui du Parlement qui soutenait les accords de Kyoto, a donc ratifié le traité en décembre 2002, ce qui a permis de le maintenir en vie.

Fait intéressant : dès qu'Ottawa a annoncé son appui à Kyoto, le tollé provenant de l'industrie pétrolière canadienne a en grande partie disparu, ajoutant foi aux arguments voulant que la campagne ait été, en fait, une tactique et un moyen de pression. En juin 2003, le *Globe and Mail* fit paraître dans sa section des affaires un article dont le titre était : « Klein change sa position au sujet des accords de Kyoto ; désormais il n'y voit aucun danger pour les sables bitumineux. » La menace principale pour le développement des sables bitumineux ne résidait plus dans les accords de Kyoto, mais dans un manque d'ouvriers. Citant Klein, l'article se lisait comme suit : « Je ne sais plus si [Kyoto] reste un facteur important étant donné que nous en sommes arrivés à un compromis. Cependant, la pénurie d'ouvriers a fait ralentir le développement de quelques projets – vous savez que nous devons faire face à une croissance phénoménale… » La peur de perdre 450 000 emplois s'était transformée en une crainte de manquer de personnel pour occuper les emplois existants. Ce qui avait été qualifié de « chose la plus épouvantable que l'on puisse concevoir » était soudainement devenu totalement inoffensif.

* * *

Je n'avais vraiment pas accordé assez d'attention aux publicités d'automobiles dans les années quatre-vingt-dix et je n'avais pas bien compris le concept du véhicule utilitaire sportif ou VUS. Je n'avais pas pris conscience, par exemple, qu'il représentait le symbole d'un style de vie prétendument aventureux, sportif et intrépide, et que les personnes qui les conduisaient étaient enclines à sortir des sentiers battus – de la même façon qu'elles ont tendance à ne pas s'intégrer à un groupe, à faire les choses à leur façon et à ne pas penser comme tout le monde. Pour vous montrer à quel point je n'étais pas dans le coup, je ne connaissais même pas la différence entre un VUS et une mini-fourgonnette. Tous les deux me paraissaient être des voitures surdimensionnées, encombrantes et volumineuses, certainement très pratiques pour aller dans les magasins de gros et rapporter chez soi plusieurs caisses de bouteilles de Coca-Cola et une provision d'un an de papier hygiénique.

J'avais tort, bien sûr. J'ai appris qu'il existait une énorme différence entre une mini-fourgonnette, conçue justement pour faire ce genre de courses, ainsi que pour transporter l'équipement de football des enfants, et un VUS, qui n'est pas seulement promesse d'aventures et d'actions téméraires, mais aussi un véhicule de prestige, la voiture de prédilection des acteurs d'Hollywood et des personnes aux ressources financières illimitées. C'est là où nous pouvons apprécier le rôle de la publicité pour rendre cette image au public, en faisant du VUS le véhicule symbole de ce qui est chic. On peut, peut-être, mesurer le degré de pure intelligence de cette campagne publicitaire en examinant la façon extraordinaire avec laquelle l'image du VUS s'est transformée depuis sa première apparition comme véhicule principalement utilisé par les maisons de pompes funèbres. Comme Keith Bradsher l'a fait remarquer dans son livre *High and Mighty*, la voiture précurseur du VUS, la Chevrolet Suburban remonte aux années trente et a réussi à survivre durant ses premières décennies d'existence, principalement parce que sa hauteur et sa largeur étaient parfaites pour permettre d'y charger et d'en décharger facilement des cercueils très massifs et très lourds. Cette particularité a été conservée jusqu'à aujourd'hui, mais on se garde bien d'en faire mention dans la publicité actuelle.

La campagne publicitaire s'est avérée tellement efficace que le public n'est absolument pas conscient du fait que les VUS sont en général peu maniables, que leur manœuvrabilité et que leur rayon de braquage sont pénibles – exactement à l'opposé des performances des voitures sport qui, jusque-là, avaient la faveur de ce même public. Une voiture de sport au profil élancé et aux roues adhérant à la route peut prendre des tournants à grande vitesse. Les VUS ont un châssis rigide et élevé. Ils ne peuvent négocier les tournants avec la même facilité, ce qui explique pourquoi les publicités les montrent le plus souvent immobiles au sommet d'une montagne ou en train de filer sur une route en ligne droite (rentrant directement à la maison avec le chargement de papier hygiénique) plutôt qu'en train de rouler sur des routes sinueuses aux bords des falaises comme dans les publicités pour les voitures de sport.

Il est bien possible que cet engouement actuel pour les VUS n'ait aucun rapport avec le côté sportif ou le prestige, mais beaucoup plus avec l'aspect sécuritaire, à une époque où règne la peur. Toujours de plus en plus gros malgré sa taille déjà imposante, le VUS offre à ses passagers une structure en acier imposante qui ressemble un peu à celle d'un blindé. Bradsher raconte que cela est voulu et que son aspect robuste et même menaçant a été dessiné par les fabricants d'autos pour une époque où l'hostilité et l'agressivité pathologique des conducteurs qui ne pensent d'abord qu'à eux ont remplacé le civisme sur la route. À une époque où règne la rage au volant et où existent des fléaux aussi imprévisibles que le syndrome respiratoire aigu sévère (SRAS) et l'anthrax postal, on ne peut jamais avoir suffisamment de blindage d'acier entre soi et le reste de la population qui partage notre route.

Et cela est bien vrai : les VUS *sont* une vraie menace pour les autres personnes sur la route. Il y a plus de trente ans, des chercheurs avaient déjà essayé d'attirer l'attention des constructeurs d'automobiles lorsqu'ils dessinaient des voitures avec les caractéristiques des VUS, soit un capot élevé et menaçant. Dans un accident entre un VUS et une voiture ordinaire, le VUS a deux fois plus de possibilités de tuer les occupants de l'autre voiture. Cela est dû au fait que le VUS est plus lourd (environ 450 kilos de plus), plus haut et plus rigide. Ces caractéristiques font des VUS « de véritables béliers lorsqu'ils télescopent les automobiles de taille raisonnable », relève un rapport récent établi par l'Union of Concerned Scientists. Quand un VUS percute une voiture par l'arrière, en général, il va frapper plus haut que le pare-chocs de cette dernière. La voiture (ainsi que ses passagers) est alors sans aucune défense. Lorsqu'un VUS frappe une voiture sur le côté, il peut aisément déformer le cadre de la portière et pénétrer dans l'habitacle. (Bien, bonjour, tout le monde !) On a pudiquement qualifié cette disparité de tailles d'« incompatibilité entre véhicules », mais on pourrait simplement parler d'« homicide automobile ». Quand un VUS renverse un innocent piéton, il est encore plus meurtrier, car il percute le corps du malheureux plus haut, plus près de ses organes vitaux qu'une voiture ordinaire. Et pourtant, cette hauteur, cette rigidité et le poids des VUS paraissent être les arguments de vente et non les signes que ces machines à tuer surdimensionnées sont vraiment meurtrières.

On pourrait croire que, même si l'idée de tuer d'autres personnes n'est pas dissuasive, la pensée de se tuer ou de tuer les personnes que l'on aime pourrait l'être. Apparemment, non. La vente des VUS a atteint des sommets bien que ces monstres soient dangereux pour leurs propriétaires ; en effet, ils ont tendance à se renverser à cause de leur hauteur trop accusée. Plus de 51 500 passagers de VUS (et de camionnettes) sont morts en faisant des tonneaux entre 1991 et 2001. Le nombre de personnes décédées dans des VUS en 2000 a été de 8 % supérieur au nombre d'individus qui ont perdu la vie dans des voitures ordinaires.

Cependant, en regard de la survie de notre planète, le problème le plus inquiétant concernant les VUS réside dans la quantité épouvantable de gaz à effet de serre qu'ils rejettent dans l'atmosphère. Un VUS produit environ plus de 40 % de gaz à effet de serre qu'une voiture ordinaire. Les ventes de ces véhicules montant en flèche – 70 fois plus au cours des deux dernières décennies –, leurs émissions des gaz sont responsables en grande partie du problème du réchauffement de la planète. À une époque où les menaces de réchauffement mondial sont aussi évidentes et inquiétantes pour l'humanité, le marketing désinvolte pour commercialiser les VUS en Amérique du Nord se moque totalement des revendications pour combattre le problème. Pendant que le bon sens appelle à fournir un effort tout particulier pour éliminer les véhicules émettant le plus de pollution, il se produit exactement l'inverse. Les gouvernements du Canada et des États-Unis ont contribué au problème provoqué par les VUS en décrétant des réglementations beaucoup plus souples que celles appliquées aux voitures ordinaires. (Les réglementations ont été établies aux États Unis, mais le Canada a, en réalité, adopté des normes équivalentes que les constructeurs d'autos ont accepté sur une base volontaire.) On peut donc attribuer de façon égale au favoritisme gouvernemental comme au matraquage publicitaire la croissance extraordinaire des ventes de VUS au cours des deux dernières décennies, laissant ainsi les acheteurs potentiels penser davantage aux aventures hors des sentiers battus qu'à la facilité de transporter des cercueils.

L'histoire du VUS est une sorte de microcosme de la folie humaine qui nous a conduits aux bords d'un changement climatique absolument désastreux. Il peut paraître injuste de s'en prendre ainsi aux VUS. Après tout, ils ne sont pas les seuls à émettre des gaz à effet de serre. Ils sont cependant une des sources de ce fléau, et celui-ci s'accroît progressivement. Les VUS ont accaparé, à l'heure actuelle, 24 % du marché des automobiles neuves, alors qu'ils ne représentaient que 2 % du marché en 1980. (Le secteur du transport en général est à lui seul responsable de 26 % des émissions de gaz à effet de serre aux États-Unis. Les centrales thermiques au charbon tout comme les transports sont les clés du problème du réchauffement de la planète.)

Je m'en prends en partie aux VUS parce que, d'une certaine manière, ils servent de métaphore pour montrer l'absurdité de la situation dans laquelle nous nous trouvons et l'inutilité de ces gros véhicules disgracieux. Il y a un autre aspect à cette histoire et il est typique de la saga du réchauffement de la planète : c'est la facilité avec laquelle le problème pourrait être réglé s'il existait une véritable volonté politique de le faire. Nous possédons la technologie pour accomplir de grands progrès permettant de réduire correctement les émissions de gaz à effet de serre des VUS (et autres véhicules, mais tout particulièrement les VUS) sur les routes américaines. Je ne parle pas ici des voitures futuristes de l'ère spatiale qui fonctionnent à l'hydrogène dans les scénarios de rêve de certains (on les verra peut-être sur les routes dans une ou deux décennies), mais de technologies déjà présentes dans les bureaux d'études des constructeurs d'automobiles, et qui ne sont pas utilisées. Voilà pourquoi les luddites du secteur automobile, par peur de mettre en danger leur situation dominante, ont refusé de nous amener là où tout être sain d'esprit peut constater ce qui se passe. Par conséquent, nous devons accepter des déclarations voulant que la technologie « ne peut » faire autrement. Ils espèrent ainsi que le public ne se rendra pas compte que la technologie, en fait, « ne veut pas ».

Le conte de fées des VUS commence en fait comme une réelle réussite. Lorsque les événements au Moyen-Orient ont conduit à une vraie flambée des prix du pétrole et à un bref embargo au milieu des années soixante-dix, le monde occidental a dû faire face à un problème de réduction de l'énergie et y a répondu, dans la majorité des cas, de façon intelligente. Les gouvernements des pays occidentaux, y compris ceux du Canada et des États-Unis, ont réagi à cette pénurie de façon logique et efficace : ils nous ont demandé de réduire notre consommation de produits pétroliers. Des initiatives au niveau national ont été lancées pour encourager la population à économiser l'énergie. Cela consistait, en grande partie, à aviser la population de ce qu'elle pouvait faire, que ce soit éteindre les lumières ou procéder à l'isolation de sa maison. Une autre partie de ces mesures impliquait des changements rendus obligatoires, comme de nouveaux règlements exigeant que les fabricants d'appareils électriques utilisent une technologie plus efficace pour économiser du courant (cela n'entraîna aucune augmentation des coûts de production). Le résultat obtenu à la suite de la volonté d'économiser l'énergie fut une baisse de 30 % de la consommation. Les consommateurs ont ainsi pu économiser des milliards de dollars par an en consommation énergétique, et personne n'a eu à en souffrir – à moins que l'on considère avoir abaissé son niveau de vie en possédant un réfrigérateur plus efficace qui économise l'énergie.

Une des nouvelles mesures les plus efficaces concernait le marché automobile. Consommant une grande quantité de produits pétroliers, les automobiles se trouvaient automatiquement concernées par le programme visant à réduire de façon efficace la consommation d'énergie. Ainsi, 1975, les États Unis firent adopter des normes connues sous le sigle CAFE (Corporate Average Fuel Economy –

Consommation moyenne en carburant de l'entreprise). Les constructeurs d'automobiles durent se plier à ces normes et s'assurer que les voitures sortant de leurs usines consommaient moins de carburant. Les constructeurs d'autos firent preuve d'une certaine résistance par rapport aux normes CAFE et firent des pronostics désastreux quant à l'impact de ces nouveaux règlements sur l'industrie automobile. Cependant, le Congrès tint bon, appuyé fortement par le public. En effet, tout le monde reconnaissait la situation énergétique difficile de la nation et considérait une telle action comme nécessaire. Il est surprenant de constater que personne n'avait vraiment prêté attention aux problèmes énergétiques jusqu'à ce moment-là. Le grand parc automobile de voitures américaines était hautement polluant, car les voitures consommaient 18 litres et plus aux 100 km. Avec un profond sentiment national qu'il fallait agir, on promulgua les normes CAFE et on exigea des constructeurs d'automobiles des voitures capables de ne consommer que 8,6 litres aux 100 km à partir de 1985 – c'est-à-dire deux fois mieux qu'avant.

En réponse à cette exigence, les constructeurs d'automobiles se montrèrent prompts à améliorer les performances énergétiques de leurs voitures. Chrysler fut particulièrement exemplaire. Dès 1985, les autos fabriquées chez Chrysler faisaient en moyenne 8,6 litres aux 100 km, comme l'avaient exigé les normes de la CAFE. La société Chrysler rapporte avoir investi cinq milliards de dollars pour pouvoir y répondre. Elle a également rapporté que *la société n'avait jamais encaissé autant de profits* ! Il était tout à fait certain que le but à atteindre était réalisable et que les bilans des sociétés impliquées ne devaient pas en souffrir. L'étape suivante – relever les normes de la CAFE – aurait dû être facile à atteindre, étant donné que Chrysler avait montré l'exemple. Mais entre-temps, la crise énergétique s'était calmée, et la volonté politique d'agir s'était également évanouie. Les sociétés General Motors et Ford avaient accompli des progrès significatifs pour atteindre un meilleur rendement énergétique, mais étaient encore loin d'atteindre les normes exigées par la CAFE. Elles auraient dû être condamnées à des amendes, mais ce ne fut pas le cas.

Elles prétextaient que le niveau des normes était trop élevé et elles réussirent à convaincre le Congrès de réduire les normes à neuf litres aux 100 km. Parmi les sociétés les plus irritées par cette marche arrière, il est tout à fait compréhensible de trouver Chrysler. Ses critiques au sujet des positions des autres industriels de l'automobile démontraient à quel point il était facile de se soumettre aux nouvelles normes. Le président de Chrysler, Harold R. Sperlich, déclara à un sous-comité de la Chambre en septembre 1985 : « Le fait que nous ayons réussi à nous plier aux exigences de la CAFE démontre qu'il est techniquement possible d'atteindre les 8,6 litres aux 100 km ; les autres constructeurs auraient dû se plier à la loi comme nous l'avons fait. » Lee Iacocca, le président-directeur général de Chrysler, est allé encore plus loin dans une entrevue accordée au *Chicago Tribune*, ridiculisant les déclarations des deux autres grands constructeurs. Ceux-ci avaient prétendu que, s'ils avaient été obligés de payer les amendes imposées par la CAFE, ils se seraient trouvés dans l'obligation de fermer deux usines et de licencier des ouvriers. « General Motors allait-elle devoir fermer une usine parce qu'au lieu d'encaisser un bénéfice de 5000 dollars par voiture, il ne serait que de 4500 dollars si elle payait l'amende ? C'est fou, totalement fou », déclara Iacocca. (L'autre option possible aurait été que les deux constructeurs d'automobiles en question se plient aux règlements de la CAFE.) Un précédent fut donc créé lorsque le Congrès décida d'abaisser les normes : il avait capitulé sous la pression exercée par les deux constructeurs. Iacocca, qui voyait très loin, ne put s'empêcher de commenter cette décision : « Nous allons bientôt pouvoir dresser une pierre tombale sur laquelle sera écrit : "Ci-gît la politique énergétique des États-Unis". »

En fait, il n'y a eu aucun réel progrès depuis cette époque, en dépit de la prise de conscience cruciale, les années qui suivirent, d'un danger sérieux de changements météorologiques, la cause principale du problème étant les voitures. En 1990 – au moment même où le monde décidait de se réunir au Sommet de la Terre pour s'occuper du problème du réchauffement de la planète –, le Sénat des États-Unis, en réponse à la pression exercée par l'industrie automobile, rejeta une loi qui devait graduellement augmenter de 40 % les normes de la CAFE. Six ans plus tard, alors que le monde entier s'inquiétait des dangers d'un réchauffement mondial, la Chambre des représentants montra sa détermination à ne pas aller plus loin en insérant une clause supplémentaire à la loi pour geler les normes de la CAFE à leur niveau existant. Afin d'empêcher l'administration Clinton de continuer à œuvrer dans ce domaine, cette clause interdisait au ministère des Transports du gouvernement fédéral d'étudier la faisabilité d'appliquer des normes plus élevées et même d'en envisager la nécessité ! On avait balayé d'un revers de la main la possibilité d'instituer des normes plus élevées, et le Congrès voulait s'assurer que personne n'irait jusqu'à penser pouvoir les remettre au programme des discussions. Et, en 2003, après que l'administration Bush eut tourné le dos aux accords de Kyoto, le Congrès a une fois de plus repoussé les demandes de la CAFE de relever les normes, ajoutant ainsi de nouveaux obstacles aux futures tentatives de s'orienter dans cette direction.

Le Canada avait agi de façon tout aussi négligente. Étant donné que le marché automobile canadien faisait partie du marché automobile nord-américain et que les trois grands constructeurs fabriquaient des autos des deux côtés de la frontière, Ottawa avait approuvé les normes de la CAFE et accepté que l'industrie automobile canadienne les applique de façon volontaire. Au début, tout a bien fonctionné puisque les mêmes normes en économie énergétique devaient se retrouver sur toutes les voitures vendues au Canada, tout comme elles l'étaient pour celles vendues aux États-Unis. Cependant, une fois que les États-Unis eurent abandonné leur objectif, qui était d'atteindre des normes plus élevées en 1985, le Canada prit le même chemin et suivit cette triste évolution. Il est certain qu'Ottawa aurait pu imposer ses propres normes, plus sévères. En fait, en 1981, le gouvernement de Pierre Trudeau vota la *Loi sur les normes de consommation de carburant des véhicules automobiles*, qui donnait à Ottawa le pouvoir de se distinguer. Le gouvernement Trudeau, qui subissait la pression des constructeurs d'automobiles, n'a jamais pu appliquer la loi.

Il n'est pas trop tard pour qu'Ottawa se décide à agir. En fait, une action menée sur ce front tomberait à pic, maintenant que le Canada s'est engagé à respecter les objectifs des accords de Kyoto, visant à réduire les gaz à effet de serre. (Il est difficile d'imaginer comment le Canada pourra y parvenir sans diminuer la consommation de carburant de 25 % et sans promulguer une loi qui fixerait des normes énergétiques plus sévères que le CAFE.) Les constructeurs d'automobiles s'opposeront sans aucun doute à une action indépendante du gouvernement canadien. Cependant, comme l'a fait remarquer Elizabeth May, le Canada pourrait s'allier avec la Californie ainsi qu'avec d'autres États américains qui tentent de combler l'inaction du gouvernement fédéral dans ce domaine en imposant des lois réclamant une plus grande économie de carburant. (Les constructeurs automobiles sont allés devant les tribunaux pour faire annuler les normes imposées en Californie.)

L'échec des progrès concernant les économies de carburant des voitures au cours des deux dernières décennies serait tout à fait compréhensible si la technologie ne permettait pas de procéder à des améliorations en matière d'économie de carburant. Mais ce n'est pas le cas. David Friedman, un ingénieur en mécanique et spécialiste en technologie des transports travaillant pour l'Union of Concerned Scientists (Union des scientifiques inquiets) à Washington, fait remarquer : « Les constructeurs d'automobiles ont réussi à mettre au point cette technologie. » Et ils l'utilisent, mais à d'autres fins.

Une plus grande efficacité énergétique signifie tout simplement que le besoin en carburant est moindre pour faire fonctionner une voiture. On peut rendre les moteurs plus efficaces, par exemple en les redessinant afin d'éliminer le plus de friction possible entre leurs composantes et en facilitant l'arrivée d'air permettant au carburant de mieux brûler. En procédant à ce type d'amélioration, les voitures peuvent circuler à la même vitesse tout en consommant moins de carburant. L'amélioration du rendement des moteurs ne doit pas seulement viser l'économie d'essence. Elle peut servir à d'autre fins comme arriver à faire rouler un véhicule de taille plus importante à la même vitesse (ou même plus vite). Et c'est en grande partie ce qui s'est produit. En l'absence des normes plus sévères que voulait imposer la CAFE, les constructeurs n'ont pas eu à faire de recherches en vue de réduire la consommation de carburant. *Tout en obtenant un meilleur rendement de leurs moteurs*, ils ont utilisé ce rendement à d'autres fins. Tout d'abord, ils ont réussi à l'utiliser pour faire rouler des voitures toujours plus imposantes. Résultat, ils ont construit des véhicules plus gros et plus lourds qui possèdent la même propulsion que les véhicules plus légers. Il est difficile d'y voir autre chose qu'un gaspillage stupide des gains obtenus par la technologie. « Si nous continuons à ce rythme, a remarqué Friedman, nous verrons bientôt des dix-huit roues qui accéléreront comme des voitures de course. »

* * *

L'échec de toute action plus sévère pour lutter contre les voitures gaspilleuses d'énergie est vraiment affligeant. L'un des aspects les plus sordides de l'histoire est le cas particulier des VUS. Ceux-ci sont exemptés des règles de la CAFE s'appliquant aux autres véhicules. Ils possèdent leur propres normes, bien moins rigoureuses que pour le reste des voitures. Ils ont la permission de rejeter dans l'atmosphère 40 % de plus de gaz à effet de serre par véhicule. Cela a créé une dynamique mortelle. Les VUS sont rapidement devenus, tout à fait inutilement, un des facteurs clés du réchauffement de la planète étant donné les dépenses en carburant qu'ils occasionnent. Et le chiffre de leurs ventes a atteint des sommets incroyables.

La décision initiale d'exempter les VUS des normes imposées aux voitures automobiles par la CAFE avait tout d'abord paru inoffensive. Les VUS n'existaient pour ainsi dire pas au milieu des années soixante-dix ; ils n'occupaient que 2 % du marché. En fait, la décision de créer une catégorie à part au sein des normes du CAFE n'avait pas vraiment de relation avec l'existence des VUS. On avait conçu des normes plus basses pour les véhicules utilitaires légers, c'est-à-dire les camionnettes découvertes et les fourgonnettes. Il y avait là une certaine logique. Ces véhicules transportent souvent des charges assez lourdes et doivent donc être plus massifs et robustes. Cela implique que leurs moteurs demandent plus d'énergie (donc plus de carburant) pour les propulser sur la route. Ainsi, on a soutenu qu'il serait injuste de les faire rouler en utilisant les mêmes normes que celles utilisées pour les voitures ordinaires, qui ne transportent que des personnes, et sont donc moins lourdes.

Le problème a été soulevé quand le Congrès s'est laissé influencer lors de la classification de certains véhicules destinés au transport des passagers (véhicules qui furent appelés VUS un peu plus tard) – comme la Ford Bronco, la Chevrolet Blazer et la Jeep Wagoneer –, car ils entrèrent dans la classification des véhicules utilitaires légers. Ces engins étaient, en fait, des voitures surdimensionnées et non des véhicules destinés au travail. Ils transportaient des passagers, certainement pas de l'équipement lourd. Il n'y avait donc aucune raison de les faire bénéficier des normes offertes aux camionnettes, sinon de rendre la tâche plus facile aux constructeurs. (Les standards de la CAFE sont normalisés à l'intérieur du parc automobile d'un constructeur. Le reste du parc automobile devait donc être encore plus efficace au point du vue économie de carburant afin de compenser les dépenses occasionnées par les VUS.)

Lorsque le Congrès a permis aux VUS de ne pas avoir les mêmes normes énergétiques en carburant, il leur a aussi permis de conserver leur taille et leur poids, même si ces derniers s'avéraient totalement inutiles, pendant que la taille et le poids des voitures ordinaires avaient tendance à diminuer constamment pour pouvoir satisfaire aux normes imposées par la CAFE. Cela a créé un déséquilibre de taille entre les deux catégories de véhicule, qui devait devenir un problème de sécurité important. On a même encouragé la construction de VUS plus gros et plus lourds. En effet, s'ils dépassaient un certain poids, ils entraient dans la catégorie des petits camions (ils devenaient des véhicules utilitaires) et donc dans la catégorie des engins non affectés par les normes de la CAFE ! Donc, si on pouvait gonfler leur poids pour qu'ils atteignent trois tonnes (une taille assez surprenante), ils pouvaient consommer autant de carburant qu'ils voulaient. Personne ne pouvait empêcher d'avoir des performances en carburant totalement nulles. Certains VUS faisaient 25 litres aux 100 km. Imaginez la liberté !

Maintenant, une question se pose : Pourquoi les automobilistes veulent-ils des véhicules aussi énormes ? Il est compréhensible que les familles nombreuses aient besoin de voitures plus grandes. Cependant, ces familles sont de plus en plus rares, et ne sont pas les seules à rechercher les VUS. Aucun doute que l'attrait tout spécial pour les VUS est loin d'être étranger au concept que, plus c'est gros, meilleur c'est – une idée que notre culture a développée. Pourquoi ne voudrions-nous pas toujours davantage si nous pouvons l'obtenir ? Ne voulons-nous pas souvent une maison encore plus grande ou une ration de *pop-corn* encore plus grosse lorsque nous allons au cinéma ? (Les portions de *pop-corn* ont doublé au cours des deux dernières décennies.) Les propriétaires de VUS pesant plus de trois tonnes et qui dépassent en taille tous les autres véhicules sur la route se sentent probablement invincibles, ont l'impression de maîtriser la route et, par conséquent leur vie – sans mentionner la vie de ceux qui conduisent des véhicules moins haut perchés et qui, d'une façon ou une autre, continuent à exister, livrés aux caprices du conducteur de VUS.

Lorsqu'on a permis aux VUS de devenir de plus en plus imposants, la différence de taille entre eux et les voitures ordinaires s'est accrue et, comme nous avons pu le remarquer, ce facteur augmente les risques pour les passagers de véhicules plus petits. Cela devrait donc, je le suppose, être une raison supplémentaire (en dehors de celle de la consommation excessive de carburant) pour supprimer les normes plus douces accordées aux VUS. Cependant, le Congrès des États-Unis a fait tout le contraire. Il a créé de nouvelles mesures dérogatoires qui favorisent ces engins dangereux et destructeurs de l'environnement, plutôt que d'éliminer les mesures préférentielles déjà existantes. La raison principale et première du favoritisme dont bénéficient les VUS semble remonter, de façon étrange, à une querelle économique qui date de plus de quarante ans. Il s'agit d'une parenthèse (cette histoire implique des poulets !), mais je pense que cela vaut la peine de s'y arrêter quelques instants pour illustrer l'arbitraire du sujet qui nous préoccupe.

Au début des années soixante, Washington s'est fâché lorsque les pays européens ont imposés des taxes élevées sur l'importation des poulets congelés en provenance des États-Unis. Le gouvernement de Washington a porté plainte auprès du Tribunal de commerce international de Genève, qui a statué en faveur des États-Unis. Il a permis à Washington d'user de représailles en fixant des taxes d'importation (d'une valeur équivalente aux pertes des fermiers américains causées par la taxe des pays européens sur les poulets). Par conséquent, Washington a rétorqué en imposant des droits de douane très élevés sur quelques produits bien ciblés, y compris les cognacs les plus chers (pour pénaliser les Français) et les utilitaires légers (pour punir les Allemands de l'Ouest et tout particulièrement la marque Volkswagen, qui vendait un peu trop bien ses populaires fourgonnettes et utilitaires légers aux États-Unis). Selon les lois du commerce international, ces droits de douane ont également dû s'appliquer à la marchandise des autres pays. Cette dispute s'est réglée avec le temps, et les pénalités ont été enlevées sur le cognac. Cependant, les droits de douane de 25 % sur les petits utilitaires ont été maintenus, et Volkswagen n'a pas été le seul constructeur à payer les pots cassés.

Ironiquement, cette histoire a eu un impact plus important sur les constructeurs japonais. Dans les décennies qui ont suivi l'introduction de ces droits de douane, les constructeurs nippons sont devenus très concurrentiels en commercialisant des voitures performantes, et ils se sont vite emparés d'une partie du marché automobile des États-Unis. La peur que cette invasion a engendrée auprès des constructeurs américains a été enregistrée lors d'une conversation de Iacocca avec le président Nixon en 1971, au cours de laquelle il déclara : « L'industrie automobile américaine est en train de péricliter comme cela ne s'est jamais produit jusqu'à ce jour. Les Japonais vont nous dévorer vivants... » Les Japonais n'ont toutefois pas réussi à pénétrer une mince fraction du marché automobile américain, celui des petits utilitaires, frappés par une taxe d'importation de 25 %. Alors que les Japonais s'emparaient d'une partie importante du marché des trois grands constructeurs américains pendant les années soixante-dix et quatre-vingt, ils réussissaient à peine à écorner celui des utilitaires légers qui appartenait en bloc aux constructeurs de Detroit.

Pas surprenant que Detroit ait concentré tous ses efforts dans le développement et la promotion du marché des utilitaires légers – un marché bien loin de la concurrence des pays étrangers. Protégés par des taxes à l'importation empêchant l'entrée des utilitaires européens ou nippons, les constructeurs américains se trouvaient être seuls sur un terrain de jeux ! Contrairement aux autres secteurs qui permettaient aux concurrents étrangers de prendre de plus en plus de place, les industriels de Detroit pouvaient faire ce qu'ils voulaient. Le marché du véhicule utilitaire léger devint leur couverture de sécurité, leur atelier de prédilection. Les Japonais pouvaient les concurrencer sur le marché de la voiture ordinaire grâce à une technologie astucieuse, mais les Américains pouvaient croître et prospérer dans le domaine du véhicule utilitaire léger, car ils n'avaient pas à affronter les rigueurs de l'économie mondiale.

Tout cela n'aurait guère eu de conséquences si le marché du véhicule utilitaire léger s'était contenté de fabriquer de petits camions et des fourgonnettes intéressant principalement les cultivateurs et les entrepreneurs. Mais avec la décision de classer les VUS comme petits camions, les possibilités de croissance de ce marché sont devenues gigantesques. Si l'on pouvait encourager suffisamment de consommateurs à abandonner le marché de la voiture ordinaire pour les VUS, le marché du petit camion augmenterait rapidement pour mobiliser assez vite une bonne proportion du secteur de l'automobile, ce qui aiderait les trois grands à garder une position prépondérante.

Mais comment parvenir à de tels résultats ? Pouvait-on persuader les consommateurs de considérer les VUS non pas comme des véhicules frustes en habits de travail, mais plutôt comme une version chic, décontractée et même sexy de la voiture ordinaire ? Les trois grands constructeurs ont donc commencé à investir d'énormes sommes d'argent pour arriver à un changement de look, et les VUS sont devenus un des produits phares de la publicité en Amérique du Nord. On les a montrés au sommet des montagnes, au milieu d'immenses domaines, sur des autoroutes dominant de leur hauteur les petites voitures. On représenta leur châssis encombrant comme quelque chose de macho, intimidant les automobiles de moindre taille sans aucune protection lorsqu'elles tentaient de revendiquer leur place. Une des publicités montrant un gros VUS et une petite auto sur la même section d'autoroute affichait fièrement cette légende : « CÉDEZ LE PASSAGE ! » À la grande époque où il était acteur de cinéma, Arnold Schwarzenegger avait été engagé par General Motors pour conduire dans Times Square la version civile du Humvee militaire, le Hummer. Plus de neuf milliards de dollars ont été dépensés en publicité pour les VUS entre 1990 et 2001, dont plus de 1,51 milliard en 2000. (Signalons qu'on a dépensé 90 milliards de dollars en publicité aux États-Unis au cours de la même année.) Toute cette publicité avait pour but de promouvoir l'idée que les VUS étaient des véhicules super sympas et non difficiles à manœuvrer, et ne servant pas qu'au transport de cercueils ou de grandes quantités de papier hygiénique. En prétendant que les VUS représentent ce qu'il y a de plus chic – de toute évidence, il a suffi d'investir suffisamment d'argent pour rendre possible cette idée farfelue –, les constructeurs d'automobiles de Detroit ont été capables de créer une aura autour des VUS et de faire en sorte qu'ils deviennent les véhicules les plus convoités des automobilistes, quels que soient leurs revenus.

Les constructeurs d'automobiles n'ont vraiment pas eu de problèmes pour obtenir un traitement de faveur de la part du gouvernement. Lorsqu'ils l'ont demandé pour les VUS, les trois grands constructeurs ont essentiellement exigé du Congrès qu'il donne un coup de main aux industries locales (et aux ouvriers), qui éprouvaient des difficultés à conserver leur prédominance traditionnelle sur le marché automobile nord-américain à cause de la compétition féroce des constructeurs japonais. Bien que les vertus de la libre compétition et du libre-échange aient été proclamées à cor et à cri à l'occasion d'émouvantes allocutions, les législateurs se sont alors montrés bien contents d'utiliser un chemin détourné pour favoriser l'industrie automobile américaine. Ainsi, quand de nouvelles réglementations devaient entrer en vigueur, on les appliquait en tout premier lieu au marché de l'automobile classique, où la concurrence internationale existe réellement, et seulement plus tard sous une forme édulcorée, au marché des camionnettes et des utilitaires légers, dominé par Detroit. (À la fin des années quatre-vingt, les Japonais étaient devenus tellement concurrentiels qu'ils ont commencé à livrer des VUS en Amérique du Nord et ils réussirent à être compétitifs – même après avoir acquitté une taxe d'importation de 25 %.)

Cependant, le marché de la camionnette et de l'utilitaire léger a continué d'appartenir aux constructeurs américains qui ont ainsi pu bénéficier de nombreuses exemptions. Cela a débuté en 1973, lorsque la U.S. Environmental Protection Agency (EPA) a donné la permission au constructeur American Motors de faire entrer la Jeep dans la catégorie des camionnettes, ce qui lui a permis de déroger aux règlements concernant la pollution de l'air du Clean Air Act. Deux ans plus tard, comme nous l'avons vu, le Congrès leur a fait grâce des nouveaux règlements que la CAFE avait fait voter pour forcer les voitures à être plus économes en carburant. Les VUS eurent même droit à des réglementations beaucoup plus libérales, au même titre que les véhicules utilitaires légers (ou encore en l'absence de réglementation dans le marché des « grosses » camionnettes). En 1978, le Congrès a fait passer une nouvelle loi pour les véhicules consommant beaucoup d'essence. Connue comme étant un impôt sur les voitures un peu trop gourmandes, cette mesure (qui existe encore à l'heure actuelle) faisait augmenter d'au moins 7500 $ le prix de certaines voitures sport aux moteurs très puissants. Ces voitures « gonflées » consomment, en fait, un peu moins d'essence que les VUS, mais, de façon étonnante, étant donné leur statut de véhicules utilitaires, les VUS sont exemptés de la taxe infligée aux « gros cubes ».

En 1984, les VUS ont été privilégiés une fois de plus, lorsque le Congrès a renforcé les lois concernant les abattements d'impôt dont pouvaient bénéficier les travailleurs indépendants et les hommes d'affaires qui utilisaient leurs véhicules pour travailler. Selon la nouvelle législation, les déductions que l'on pouvait demander lors de l'achat d'un véhicule ne pouvaient pas dépasser 17 500 $ et elles devaient être étalées sur une période de temps plus longue. Bien entendu, cette nouvelle législation ne s'appliquait pas aux VUS. Les acheteurs pouvaient déduire au complet le prix d'achat (jusqu'à 38 200 $) de leurs revenus, et plus de la moitié dès la première année. Ces dispositions fiscales incitaient donc les travailleurs autonomes (pour optimaliser leurs déductions) à passer de la voiture ordinaire au modèle de VUS le plus cher possible, modèle bien évidemment glouton. Et comme si cela n'était pas assez incitatif, en 1990, les VUS ont aussi été exemptés de la taxe de 10 % sur les marchandises de luxe de 30 000 $ et plus que le Congrès avait imposée.

Lorsque cette taxe était entrée en vigueur, les voitures représentaient 95 % du marché. Six ans plus tard, les voitures de luxe ayant été écrasées par cette taxe, on a vu entrer triomphalement en scène toute une nouvelle gamme de VUS énormes, luxueux et onéreux – car ils étaient exemptés de cette taxe et donnaient droit à d'intéressants abattements fiscaux – qui ont accaparé la moitié de ce marché.

* * *

À la réception, tout un étalage d'articles et de matériel fait la promotion de la conservation énergétique, et une foule de conseils intelligents : ne pas chauffer les pièces non utilisées, isoler correctement ses fenêtres, etc. Il est facile d'oublier que, dans ce bureau à Washington, travaille un groupe de personnes qui aurait le plus à perdre si la population suivait de tels conseils.

Il s'agit du bureau de l'American Petroleum Institute (API ou Institut américain du pétrole), un groupe de lobbyistes de l'industrie du pétrole. Les sociétés qui en font partie gagnent évidemment beaucoup d'argent grâce à notre attachement obsessionnel au pétrole. Logiquement, leur promotion devrait nous pousser à chauffer encore plus et à éviter le fléau de l'isolation hivernale, etc. Cependant, ce secteur de l'industrie a été l'objet de nombreuses critiques au cours des années et a dû apprendre à afficher un profil social responsable à l'égard des questions énergétiques. Ainsi, la conservation de l'énergie est à l'honneur dans le hall de réception de l'API, bien qu'elle s'ingénie à saper toute approche importante du corps législatif envers la conservation de l'énergie, le seul organisme capable d'arriver à quelque résultat.

Les trois membres de la direction de l'API que j'ai rencontrés contesteraient certainement ma description de leurs activités et préféreraient qu'on les perçoive comme étant un groupe essayant d'apporter des réflexions et des idées calmes et sensées au débat sur le réchauffement de la planète. Ils prennent soin de passer pour des personnes raisonnables, qui exigent simplement plus de certitudes du monde scientifique et qui se demandent si ce sujet aussi complexe n'a pas été trop simplifié. « Je constate que la science n'a pas été utilisée de manière productive, a déclaré Robert Greco, le directeur des programmes sur le climat mondial chez API. La science fait des progrès lorsque quelqu'un émet une hypothèse, que cette hypothèse est réfutée et qu'ensuite il la révise. Cependant, il me semble qu'il n'y a rien eu de semblable lors du débat scientifique sur le climat... »

Et pourtant ce type d'approche – dans laquelle une hypothèse scientifique est avancée, critiquée et révisée – paraît être exactement celle de l'IPCC, quand il était géré par les Nations unies et qu'il impliquait des milliers de personnalités scientifiques autour du globe. Les directeur de l'API se sont plaints que l'IPCC avait fini par adopter un seul point de vue. (Que pouvait-il faire d'autre, toutes les preuves démontrant clairement que les hommes causent le réchauffement de la planète ?) Ils se sont également plaints du fait que le débat se soit polarisé. Cela est absolument vrai, bien que cette soi-disant « polarisation » ait semblé se constituer d'un côté, de l'entière communauté scientifique, et de l'autre, d'une poignée de sceptiques et des gens de l'industrie pétrochimique. Greco a essayé de présenter l'API comme la voix de la modération essayant de rapprocher les deux points de vue opposés. « La vérité se trouve certainement à mi-chemin », a-t-il déclaré. Cependant cela doit-il vraiment être ainsi ? La vérité se trouve-t-elle obligatoirement quelque part à mi-chemin ? Lorsque nous devons choisir entre la théorie qui dit que la Terre est plate et une autre qui affirme qu'elle est ronde, devons-nous penser que la vérité se trouve à mi-chemin et conclure que la terre est cylindrique ?

Étant donné la lutte pénible à laquelle l'API doit faire face, ses membres se sont ingéniés à créer des ingérences, à pousser le public à mettre en doute les affirmations des scientifiques, à créer de l'incertitude là où cela n'était pas nécessaire – en tout dernier lieu, à mettre du sable dans les rouages du projet complexe et important qui devait aboutir à une solution mondiale pour le problème du changement climatique. Une partie de la stratégie utilisée consistait à faire sortir le problème du cadre étroit du débat scientifique où tous les éléments sont quantifiés et mesurés, et où il est plus difficile de déformer la réalité. À la place, le débat avait été amené sur le terrain beaucoup plus nébuleux de l'économie, où certaines affirmations non étayées par des preuves irréfutables pouvaient souvent passer pour des commentaires sérieux. (Par exemple : « Le secteur privé est toujours plus efficace que le secteur public » ou encore : « Si l'on donne plus d'argent aux riches, c'est l'économie tout entière qui en bénéficiera », etc.) L'API a contre-attaqué en utilisant de tels arguments, suggérant qu'il était impossible de vraiment résoudre le problème du réchauffement de la Terre sans s'infliger d'énormes problèmes économiques. Russel Jones, le directeur de la recherche d'API (et également économiste), a déclaré qu'il était impossible de réduire de façon importante les émissions de gaz à effet de serre sans causer de préjudices énormes à l'économie. « Nous ne pouvons y arriver avec la technologie que nous possédons à l'heure actuelle et continuer à avoir la même masse salariale. » Les limites imposées par la technologie actuelle semblent un obstacle impossible à surmonter aux yeux des personnes de l'Institut américain du pétrole.

Ce type de sentiment pessimiste n'a pas cours à l'autre bout de la ville, dans les bureaux de l'Union of Concerned Scientists (UCS), qui possède une expertise considérable en ce qui concerne la technologie actuelle. En fait, il règne une grande confiance dans ce qui peut être accompli – *tout en utilisant la technologie actuelle.* Les ingénieurs qui travaillent pour cette organisation à but non lucratif ont déjà mis au point leur propre véhicule utilitaire qu'ils ont surnommé le UCS Guardian. Il a la même taille et développe la même puissance qu'un VUS typique, mais son efficacité sur le plan de la consommation d'essence est 30 % plus efficace que les autres. Et comme ce groupe de recherche l'a fait remarquer : « Toutes les technologies et les conceptions technologiques utilisées pour le Guardian sont déjà disponibles aux États-Unis et peuvent être appliquées dans la production à grande échelle des véhicules. » Le moteur du Guardian, par exemple, est un V6 de 3,6 litres développant 225 chevaux et comportant quatre soupapes par cylindre. Il est à double arbre à cames en tête avec distribution à programme variable. Sa conception permet une diminution des frictions, l'huile du moteur est très fluide, et le châssis plus aérodynamique est conçu en un acier plus résistant, permettant d'alléger la structure. « Il ne s'agit pas ici de science aérospatiale, a précisé David Friedman, un des ingénieurs qui a travaillé sur cet utilitaire. En fait, c'est un ensemble de différentes caractéristiques de nombreuses voitures qui roulent à l'heure actuelle, mais qui ne sont pas encore utilisées sur les VUS. »

Toutes ces améliorations ajouteraient 600 $ au prix d'un VUS – un coût supplémentaire minime pour les acheteurs qui ne semblent pas être particulièrement découragés par des prix très élevés de ces engins et qui, bien souvent, de toute façon, peuvent déduire au complet le coût du véhicule de leurs frais d'exploitation. De plus, si l'on ajoute à l'équation les économies de carburant anticipées, un véhicule peu gourmand en carburant finit par faire épargner beaucoup d'argent à son propriétaire à longue échéance. (Les chercheurs n'ont pas pu s'empêcher d'ajouter quelques éléments supplémentaires pour améliorer la sécurité de leur véhicule utilitaire, comme un toit plus résistant ayant pour but de mieux protéger les têtes des passagers en cas de tonneau, le tout pour un supplément de 50 $.) En d'autres mots, il est possible d'obtenir toutes les caractéristiques d'un VUS (gros, encombrant et imposant) sans qu'il consomme 40 % plus d'essence qu'une voiture ordinaire. Et cela ne signifie pas que les gens doivent rester à la maison ou même changer leurs habitudes de conduite.

Bien entendu, il ne s'agit pas d'une solution miracle au problème du changement climatique, mais d'un petit pas dans la bonne direction. En fin de compte, nous devrons abandonner une fois pour toutes les moteurs à combustion interne pour adopter les nouvelles technologies à l'étude et apprendre à davantage utiliser les transports en commun. Cependant, pendant que nous traitons encore du fâcheux état de nos voitures actuelles, reconnaissons que les choses pourraient être beaucoup mieux qu'elles ne le sont, sans que le public ait à en souffrir.

Inévitablement, la simplicité absolue de cette solution peut provoquer du scepticisme ou même des soupçons dans la population. Friedman a commenté la situation en ces termes. « Les gens disent : "Si c'était si simple, quelqu'un le ferait." Les bureaux de l'API, les directeurs disent : " Si cela entraîne de telles économies, pourquoi les constructeurs n'agissent-ils pas ? " »

C'est alors qu'un des directeurs de l'API répond : « Parce que ce sont des personnes bornées et foncièrement méchantes ! »

Là-dessus, les directeurs de l'API éclatent de rire. C'est le moment qu'ils ont attendu pour se détendre. Je me sens un peu idiote, si ce n'est sur la défensive au milieu de leur hilarité générale. La liste de mes questions n'avait comme objectif que de leur faire confirmer qu'il existait des solutions, mais que l'on ne les mettait pas en pratique. En traitant les constructeurs de « gros méchants », les directeurs de l'API répliquaient, attaquaient, me suggérant de façon dérisoire que j'avais bien deviné : il y avait là une conspiration. Seule la présence de personnes vraiment malintentionnées chez les constructeurs automobiles expliquait pourquoi ces derniers offraient tant de résistance pour appliquer des solutions aussi évidentes.

Je ne suis pas sûre de ce que je dois répondre.

Une pensée me traverse l'esprit : Est-il possible que l'industrie automobile soit dirigée par des gens aussi malveillants ? Les « méchants » existent, certes. D'autre part, je doute que le secteur automobile soit aux mains de tels individus. Je soupçonne plutôt qu'il s'agit de cadres supérieurs agréables et charmants qui se montreraient tout ce qu'il y a de plus sociables s'ils vous invitaient à dîner. Cependant, ils font partie d'une industrie qui a adopté une position obstructionniste à l'égard des solutions sensées que l'on peut suggérer pour atténuer le problème du réchauffement de la planète– en grande partie, je soupçonne que ces solutions risquent d'affecter les profits de leurs entreprises et qu'ils estiment que leur responsabilité est d'assurer ces bénéfices. Ainsi, dans la pure abstraction, un directeur d'usine d'automobiles a le droit de penser qu'*en tant que citoyen* il doit lutter contre le réchauffement de la Terre, mais il sait aussi qu'en *tant que patron d'entreprise* il doit protéger les intérêts de celle-ci. En tant que citoyen, il n'est qu'une personne parmi des milliards d'autres sur la Terre à partager cette responsabilité. Comme directeur d'entreprise, la responsabilité lui échoit, ainsi qu'à plusieurs autres tels que lui. De plus, il sait que sa tête serait mise en jeu si les profits de l'entreprise venaient à baisser, tandis que cette même tête ne serait qu'une parmi des milliards d'autres à tomber si la température de la Terre venait à augmenter de façon dramatique (ce qui ne se produira probablement pas durant sa vie, de toute façon). Et bien que les conséquences négatives du réchauffement de la planète soient beaucoup plus importantes pour les êtres humains que les profits de son patron, les conséquences négatives si son entreprise perdait de l'argent seraient désastreuses pour sa vie personnelle.

Sa propension à opter pour les bénéfices de son employeur se trouve renforcée par toutes sortes d'arguments rassurants : la science n'est pas exacte, l'impact des mesures écologiques sur l'économie serait désastreux, les consommateurs ne sont aucunement intéressés par les problèmes d'économie de carburant. Après tout, son travail consiste à donner aux consommateurs ce qu'ils demandent (c'est exactement la définition du capitalisme et de la libre entreprise). De plus, une fois l'idée répandue que les dirigeants des industries automobile et pétrolière sont de gros méchants, il devient compréhensible qu'ils aient tendance à être sur la défensive, à se regrouper pour former un front commun, à résister à toute manœuvre de force et à garder la tête haute face aux critiques et aux affronts personnels. D'où la jovialité des directeurs de l'API lorsqu'ils peuvent répondre à une journaliste pleine de bons sentiments et qui discute de la nécessité de sauver la croûte terrestre de l'élévation de la température. (Facile pour elle, car sa carrière ne dépend pas de ceux qui possèdent plein d'actions dans les compagnies pétrolières.)

Voilà pourquoi ils résistent. Ils contestent les règlements favorisant une meilleure utilisation des carburants et insistent en disant qu'il est possible d'accomplir davantage de choses en se fiant à la coopération volontaire des gens plutôt qu'en imposant des réglementations. Il est intéressant de noter que l'industrie automobile a aussi fait preuve de résistance en matière de clignotants, de ceintures de sécurité et de coussins gonflables. Elle a réussi à obtenir l'exemption pour les VUS des règlements exigeant des appuie-tête pour empêcher les traumatismes cervicaux et les poutrelles d'acier dans les portes, qui aident à minimiser les blessures lors de collisions latérales (sans doute une nouvelle victoire pour les VUS). Ces mesures sont devenues « ordinaires » sur toutes les voitures dès que la loi a obligé les constructeurs à en tenir compte. Une fois ces mesures obligatoires, il a été très facile de les appliquer sans qu'aucune des prévisions catastrophiques se produisent. En 1966, Henry Ford II avait soutenu que les règlements de sécurité proposés par le gouvernement fédéral, incluant le port obligatoire de la ceinture de sécurité, allaient automatiquement entraîner la fermeture de ses usines. Comme nous le savons, le constructeur existe encore et s'en porte même très bien...

Selon Elizabeth May, qui a pu observer plusieurs fois le processus, le même scénario se répète lorsqu'il s'agit de faire passer de nouveaux règlements visant à améliorer la sécurité. Elle soutient qu'il existe des entreprises dont le comportement est constant en de telles circonstances et qui font tout pour combattre les nouveaux règlements. En premier, elles réfutent les arguments scientifiques, puis elles nient être à la source du problème, pour ensuite soutenir que les dommages économiques des changements à effectuer seraient catastrophiques. « Dès que ces entreprises se rendent compte que les démarches du gouvernement sont sérieuses, elles acceptent les nouvelles réglementations et, souvent, leurs profits s'en trouvent améliorés, explique-t-elle en soupirant. C'est tout à fait prévisible. »

Une chose est claire : l'approche volontaire ne fonctionne pas avec le problème de l'économie de carburant. Les constructeurs automobiles se concentrent trop pour faire de leurs véhicules des engins toujours plus gros, plus hauts et plus puissants pour un marché qui semble faire une fixation sur l'aspect massif et une illusoire sécurité. Et plus certains VUS deviennent imposants, plus d'autres suivent l'exemple pour ne pas être en reste – laissant les personnes qui circulent dans de simples autos devenir de plus en plus vulnérables. Cette dynamique fait que l'on construit toujours de plus en plus gros. Friedman compare cela au concept MAD (« fou »), acronyme de Mutually Assured Destruction – Destruction mutuelle assurée – qui sévissait au temps de la guerre froide. En d'autres termes, c'est seulement quand chaque belligérant sera armé jusqu'aux dents avec les mêmes armes que le risque de guerre nucléaire sera au plus bas, parce qu'aucune des deux parties en présence ne pourrait décider de causer, à coup sûr, sa propre destruction. Étant donné que ce genre de mentalité domine sur les autoroutes d'Amérique du Nord, la seule façon d'être responsable et de protéger sa famille des monstrueux et menaçants VUS que l'on voit apparaître dans le rétroviseur est de s'armer d'un véhicule encore plus gros. Et qu'arrive-t-il aux personnes qui ne peuvent se payer un véhicule pesant trois tonnes pour se défendre sur l'autoroute ? Eh bien, nous sommes dans un monde libre, n'est-ce pas ? Elles ont toujours la possibilité de rester chez elles...

La façon logique de rompre ce modèle serait que les gouvernements appliquent des règlements plus sévères aux VUS, ce qui complèterait les réussites obtenues dans ce domaine dans les années soixante-dix. Si les réglementations concernant les économies de carburant étaient plus sévères – appliquées aux voitures comme aux « petits camions » –, les constructeurs automobiles seraient obligés d'orienter leurs nouvelles technologies pour produire des moteurs donnant de meilleurs rendements en carburant plutôt que des véhicules toujours plus énormes aux performances plus poussées. Et, selon l'Union of Concerned Scientists, l'impact sur la consommation serait spectaculaire. Les chercheurs ont comparé cette obligation avec l'approche volontaire basée sur les engagements pris publiquement par les constructeurs automobiles. Les économies en carburant seraient minimes, même si l'on tient pour acquis le maintien de ces engagements. En 2020, le parc de voitures des États-Unis consommera presque 12 millions de barils de pétrole par jour, contre *un peu plus* de 12 millions à l'heure actuelle (d'après les projections que nous pouvons faire en 2004, si la tendance se maintient). Une économie d'à peine 4 % ! La consommation quotidienne de pétrole chuterait de 7,5 millions de barils si un scénario plus réaliste nous permettait d'imposer des réglementations plus strictes pour les voitures comme pour les petits camions – ce qui représenterait une économie de 40 %, soit 10 fois les économies projetées sur une base volontaire. « L'action la plus importante que nous puissions entreprendre pour faire diminuer notre dépendance au pétrole est de nous conformer aux standards de la CAFE », déclare l'UCS.

Bien sûr, nous allons devoir oublier le rêve de posséder un dix-huit roues qui accélère comme une voiture de course.

* * *

Henry Ford, un garçon de ferme de Dearborn, au Michigan, était un mécanicien autodidacte de génie particulièrement doué pour construire des voitures. Cependant, ce qui a fait de lui une personnalité dominante des débuts de l'ère automobile, lorsque des dizaines de petites usines commençaient à construire des autos, fut son invention de la chaîne de montage. Au moment où les autres entreprises augmentaient le prix de leurs voitures au fur et à mesure que la technologie procédait à des améliorations de leurs modèles, Ford a fait preuve de suffisamment de clairvoyance et d'intelligence pour abaisser les prix de ses véhicules au fil des ans. Un Modèle T de Ford coûtait 950 $ en 1909, ce qui représentait une somme d'argent appréciable. En 1925, alors que le Modèle T avait été énormément amélioré, son prix avait baissé pour atteindre 240 $. De telles économies ne sont pas passées inaperçues aux yeux des consommateurs. Dès 1918, presque la moitié des voitures vendues dans le monde étaient des Modèles T. Les salaires relativement élevés des ouvriers qui travaillaient sur les chaînes de montage de Ford indiquaient l'existence d'un marché florissant pour les milliers de voitures sortant de chez Ford.

Si ce concept de voitures à prix abordable destinées au grand public a retenu très tôt l'attention des gens, la prolifération des VUS, qui affichent des prix sans cesse plus exorbitants, semble avoir capturé l'esprit de nos concitoyens. Cependant, il existe une autre façon de voir les choses. L'augmentation du nombre de VUS peut être considérée comme le rejet de l'héritage de Henry Ford. Une des raisons pour lesquelles les VUS ont causé autant de bonheur chez les constructeurs automobiles de Detroit – en dehors du fait que les législateurs leur ont consenti des exonérations spéciales – est qu'ils coûtent beaucoup moins cher à produire que les voitures, *principalement parce qu'ils sont moins bien construits.* Alors que Ford produisait des véhicules toujours plus sophistiqués sur le plan technique à un prix toujours inférieur, les VUS d'aujourd'hui sont en fait des véhicules à la technologie plus primitive – et à des prix de plus en plus hauts. Pour les constructeurs, voilà certes une bonne occasion à ne pas rater.

Dès les années soixante-dix, les voitures ont bénéficié d'une construction qui, technologiquement parlant, était plus raffinée, leur dessous de caisse et le reste de leur structure ne faisant qu'un. Un des nombreux bénéfices de cette amélioration est de ménager des « zones de déformation » qui absorbent l'impact des chocs et offrent une sécurité accrue pour les passagers et les autres personnes sur la route. Les VUS, au contraire, utilisent une technologie vieille de plus de cent ans où l'on visse une carrosserie sur un châssis séparé. Ce type de construction confère plus de capacité tractrice à l'ensemble, ce qui est utile quand on doit traîner de lourdes charges, mais elle a le désavantage de peser lourd (par conséquent, d'avoir un mauvais rendement énergétique) et d'être très rigide (donc moins apte à absorber les chocs, ce qui diminue l'élément sécurité pour les occupants comme pour les autres usagers de la route).

Cependant, ce type de conception primitive coûte moins cher à produire et permet aux constructeurs de réaliser des économies beaucoup plus importantes sur les VUS que sur les autos ordinaires. L'usine Ford, qui produit des camions au Michigan, construit des VUS 24 heures sur 24, et est devenue, en 1990, l'usine faisant le plus de profits au monde. Bien que Ford possède plus de 50 chaînes de montage dans nombre de pays, les VUS sortant de l'usine du Michigan sont responsables d'un tiers de tous les profits enregistrés par Ford en 1998. Il est facile de comprendre pourquoi. Chaque Lincoln Navigator vendue 45 000 $ rapporte un bénéfice net de 15 000 $. Cette tendance se poursuit. En 2003, George Peterson, le président d'AutoPacific Inc., un consultant automobile qui travaille en Californie, a estimé qu'un VUS de 50 000 $ rapporte un bénéfice net de 20 000 $ à son constructeur – environ 10 fois celui du prosaïque véhicule utilitaire qu'est la fourgonnette familiale. « Dès qu'un nouveau modèle sort et qu'il est un peu plus gros ou un peu plus chargé de gadgets, les constructeurs s'attendent à faire des fortunes », a noté Keith Bradsher[17].

---

17. Journaliste et chef de bureau au *New York Times* depuis 1989 et auteur d'un livre décapant : *High and Mighty – The Dangerous Rise of the SUV* (en anglais seulement). *(N.d.T.)*

Le retard de technologie des VUS peut aider à expliquer pourquoi les constructeurs japonais, bien qu'ils produisent leurs VUS dans des usines installées aux États-Unis, n'ont pas réussi à dominer cette partie du marché. Peut-être que la compétence des Japonais dans le développement des technologies de pointe leur est néfaste. Après tout, les VUS n'exigent pas de techniques avancées. C'est exactement le contraire. Ils se contentent de préserver une technologie dépassée qui ne doit surtout pas s'adapter aux progrès effectués pour répondre à la grande crise environnementale de notre époque. C'est la voiture de rêve du luddite – il s'accroche à une technologie dépassée au milieu du désastre qui menace. Est-il possible que seul un constructeur américain puisse fabriquer quelque chose d'une taille aussi stupidement énorme, ne possédant aucun attrait, brinquebalant comme une carriole et ne se préoccupe absolument pas des intérêts du public ?

* * *

L'ascension spectaculaire du VUS peut être envisagée comme une suite de développements capricieux. Si le contentieux à propos des poulets américains n'avait pas existé dans les années soixante avec, comme résultat, la taxe d'importation sur les petits utilitaires, le marché protégé des petits camions – qui n'avait pas à s'inquiéter des inventions de ses concurrents japonais – n'aurait probablement jamais existé. Sans l'existence de ce marché protégé, les constructeurs américains n'auraient sans doute jamais ressenti l'envie de construire et de promouvoir ces véhicules encombrants en leur accordant le statut d'utilitaires « sport », et les législateurs américains auraient sans doute été moins enclins à leur accorder un traitement aussi favorable. Donc, d'une certaine façon, toute cette histoire peut être mise sur le compte d'une erreur devenue incontrôlable, et non sur celui de personnes prétendument stupides et méchantes.

Qu'il s'agisse ou non d'une erreur, on ne se trompe guère en affirmant qu'en 2003 la situation *n'était plus* contrôlable. À cause des VUS, les économies en carburant réalisées en Amérique du Nord – qui s'étaient améliorées pendant deux décennies – étaient retombées à un niveau qui n'avait jamais été aussi bas en plus de vingt ans. Par ailleurs, tout cela se produisait malgré les preuves accablantes montrant que les changements climatiques étaient réels et urgents, et que les émissions de gaz à effet de serre produits par les VUS constituaient un aspect grandissant du problème.

Une des raisons pour lesquelles il avait été difficile de prendre des mesures envers les VUS provenait du fait que l'industrie automobile en Amérique du Nord et sa main d'œuvre dépendaient d'eux pour les bénéfices qu'ils engendraient. Il est difficile d'imaginer comment les recommandations de l'Union of Advanced Scientists – d'alléger les VUS et de les rendre plus économes en carburant tout en conservant leur taille et leur style – puissent détruire l'attrait de ces véhicules ou même ébranler la domination de Detroit sur ce marché. Mais sans action des législateurs gouvernementaux, il n'y a pas de véritable motivation pour pousser les constructeurs à effectuer ces changements. Étant donné l'engouement actuel pour les véhicules plus lourds, un VUS plus léger serait considéré comme une voiture pour mauviettes, pour des gens qui, probablement, auraient l'impression d'être nus comme un ver parce qu'ils ne sont entourés que par deux tonnes et demie d'acier, alors que les autres conducteurs de VUS sont barricadés derrière trois tonnes et plus de métal. Ce n'est qu'en imposant des normes d'économie de carburant plus strictes que l'on pourra stopper la folie de vouloir posséder des véhicules toujours plus massifs.

Il est triste de constater que l'administration Bush et le Congrès n'ont fait qu'exacerber la situation des VUS, qui est déjà hors de contrôle, au lieu de prendre des mesures qui y mettraient bon ordre. Au cours du printemps de 2003, une nouvelle et généreuse mesure fiscale a été insérée dans le plan de réduction des impôts de 350 milliards de dollars – une disposition particulièrement généreuse en faveur des VUS. Cette mesure était en fait un *remake* de celle de 1984, en vertu de laquelle un travailleur autonome avait la possibilité de déduire de ses impôts le prix d'achat d'un VUS. Cependant, alors que la mesure initiale imposait un plafond maximum de 38 500 dollars, ce maximum était rehaussé à 100 000 $! C'est ainsi que les contribuables ordinaires subventionnent ceux qui achètent des VUS – à condition que ces véhicules pèsent trois tonnes ou plus. « Un coup fumant ! annonçait sans complexe la publicité d'un concessionnaire automobile dans le *Dallas Morning News*. Ce week-end, nous allons vous montrer comment profiter de cette échappatoire fiscale. Il vous permettra de vous échapper au volant d'un VUS flambant neuf ! » Donc, à partir de ce moment-là, les avocats, médecins, dentistes, comptables, agents immobiliers et autres travailleurs autonomes ont eu la permission de déduire le coût total d'un VUS hyper luxueux, parce que ce type de véhicule était un « véhicule de travail », tout comme un camion de cultivateur. Il pouvait être de quelque utilité pour transporter – qui sait ? – du matériel lourd, comme des pinces de dentiste, des clubs de golf ou, tout simplement, des sacs pleins d'argent à la banque.

Encore mieux, en juillet 2001, dominé par le Parti républicain, le Sénat américain, a repoussé les nouvelles tentatives de la CAFE pour renforcer les normes existantes. À la place, ses membres ont voté avec une écrasante majorité en faveur d'une mesure (amendement Bond-Levin à la *Loi sénatoriale sur l'énergie*) bloquant toute tentative ultérieure de resserrer les normes d'économie énergétique. L'amendement rendait obligatoire, pour les organismes régulateurs, de considérer les impacts que des règlements plus durs auraient sur la « compétitivité entre les fabricants ». Il semble donc que les frayeurs des constructeurs automobiles de Detroit sont de ne plus pouvoir être compétitifs du point de vue de l'économie mondiale, et que cela représente une bonne raison pour tuer dans l'œuf tout règlement plus strict. Or, ces frayeurs, nous le savons, n'ont pas de limites.

L'atelier protégé continue donc d'exister.

Chapitre 6

LE GRAND ANACONDA

Au cours des années 1870, en Pennsylvanie, à Titusville, alors en pleine expansion à cause du pétrole, la population ricanait souvent en voyant Samuel Van Syckel. À l'hôtel du village, où il prenait ses repas en compagnie d'autres entrepreneurs aventuriers qui avaient afflué après la découverte de pétrole dans la région en 1859, Van Syckel avait l'habitude d'être la risée de tous à cause de ses idées de grandeur. Pour ne plus avoir à subir les railleries de ses semblables, il finissait par entrer et sortir de l'hôtel par la porte de derrière et par manger seul dans son coin.

Le pétrole était devenu quelque chose de très recherché au début des années 1860. Bien que la voiture fût à ce moment-là un concept bien lointain, le pétrole fit une entrée retentissante sur tous les marchés mondiaux parce qu'il pouvait être raffiné et transformé en pétrole lampant. On pouvait alors l'utiliser pour l'éclairage, car il fournissait une lumière plus brillante et plus économique que celle des lampes à « huile de charbon » ou à huile de baleine, à une époque où les baleines se faisaient de plus en plus rares. Extraire et raffiner le pétrole pour obtenir du kérosène était une chose, le commercialiser était plus compliqué.

Le problème le plus urgent était le transport du pétrole de tous les petits puits qui parsemaient la vallée autour de Titusville vers le petit cours d'eau qui se jetait dans la rivière Allegheny. Il pouvait être transporté sur cette voie fluviale jusqu'à la ligne de chemin de fer menant à Pittsburgh. La distance entre les puits et le cours d'eau n'était pas énorme (en général moins de 16 kilomètres). Le trajet était néanmoins difficile. Il fallait mettre le pétrole dans des tonneaux, puis les charger sur des chariots tirés par des chevaux qui devaient passer à travers champs et forêts en empruntant des chemins étroits et à peine carrossables. D'interminables convois de dizaines de chariots se traînaient le long de ces sentiers. Il leur arrivait souvent d'être arrêtés pendant des heures parce qu'un chariot s'était enlisé. De jeunes hommes ou des garçons faisaient en général le transport à l'aide de voitures de ferme. Ils avaient repéré la chance qui leur était offerte et demandaient des sommes astronomiques pour ce charroi. C'est ainsi qu'ils furent, sans doute, les premières personnes – certainement pas les dernières – à réaliser des bénéfices substantiels en essayant d'avoir une certaine mainmise sur le transport du pétrole.

Le pipeline a été la solution pour mettre un terme à la tyrannie des voituriers qui transportaient le pétrole (*teamsters* ou rouliers selon l'appellation locale). Il y eut plusieurs tentatives plus ou moins heureuses étant donné les problèmes causés par les fuites, les éclatements de tuyaux ainsi que par les difficultés dues à la gravité. Cependant, le rêve du pipeline resta entier grâce à Samuel Van Syckel qui montra comment on pouvait remédier aux divers problèmes. Il plaça quelques pompes à des emplacements stratégiques et un tuyau étroit juste en dessous du sol au puits de Pithole. Ce tuyau conduisait tout droit (à six kilomètres de là) jusqu'à la ferme des Miller. Cela fonctionna. Huit barils de pétrole à l'heure pouvaient circuler à l'intérieur du pipeline de Van Syckel. Les rouliers perdirent soudainement leur mainmise sur la situation. Même s'ils réagirent rapidement en essayant de se livrer à des actes de vandalisme, ils comprirent rapidement que leurs beaux jours étaient comptés. À partir de ce moment-là, plus un seul prospecteur de pétrole n'osa se moquer de Van Syckel qui ne mangeait plus tout seul dans son coin. Il venait de révolutionner l'industrie pétrolière.

Van Syckel a continué d'être un personnage important pendant les débuts de la commercialisation du pétrole, gagnant et perdant de l'argent suivant les fluctuations du marché. Il ne cessait toutefois d'avoir des idées novatrices. En 1876, il breveta une invention qui permettait le raffinement du pétrole en continu, ce qui augmentait l'efficacité des opérations de raffinage de l'époque. Grâce à l'aide financière d'un investisseur et associé, il venait à peine de commencer la construction d'une petite raffinerie lorsqu'il fut approché par le représentant de la société Acme Oil, une grande entreprise de raffinage. Ce personnage lui fit immédiatement une offre : l'entreprise verserait à Van Syckel un salaire confortable tout au long de son existence s'il abandonnait son projet de construction de raffinerie et s'il laissait Acme Oil s'en occuper. Il s'agissait d'une offre valable à maints égards, cependant Van Syckel aimait sa vie d'inventeur et d'entrepreneur, et n'éprouvait aucun désir de travailler pour quelqu'un d'autre. Sans hésiter un seul instant, il répondit fermement non au représentant d'Acme Oil et considéra le chapitre comme clos.

Cependant, il ne l'était pas. Aucunement découragé, le représentant d'Acme Oil déclara à Van Syckel qu'il était inutile de construire sa raffinerie et que, s'il le faisait, il ne pourrait réaliser de profits. Le représentant expliqua froidement à Van Syckel que les coûts de transport par train seraient si élevés que son pétrole ne pourrait pas se vendre à des prix compétitifs. En effet, Acme Oil avait conclu des ententes spéciales avec les compagnies de chemin de fer. Van Syckel avait entendu des rumeurs sur ces ententes secrètes entre les compagnies ferroviaires et les grandes sociétés pétrolières. Toute personne qui travaillait dans le pétrole connaissait très bien l'existence de ce genre de choses. Cependant, il fut décontenancé par la froideur et l'effronterie du représentant pour lui exposer les faits. Ce fut le début de relations longues et tortueuses entre Van Syckel et la société Oil Trust, un ensemble d'intérêts contrôlés par John D. Rockefeller, un homme qui prouverait qu'on ne pouvait le contourner aussi facilement que les rouliers de Titusville.

Deux jours plus tard, Van Syckel se trouvait dans un grand immeuble de New York attendant d'être reçu par un des directeurs de la Oil Trust. Peut-être est-ce à cause du cadre luxueux (Van Syckel était installé dans un excellent hôtel de New York aux frais de la société) ou parce qu'il prit conscience qu'il n'avait pas les reins assez solides pour agir seul, mais Van Syckel écouta attentivement la proposition de ses concurrents. Elle était généreuse. Il devait recevoir 10 000 $ sur-le-champ et ensuite un salaire mensuel de 125 $ (ce qui lui permettrait de vivre confortablement), pendant que l'entreprise construirait sa raffinerie et testerait le procédé de distillation continue qu'il avait fait breveter. Si jamais les mérites de ce procédé s'avéraient fondés, il encaisserait 10 000 $ supplémentaires – une importante somme d'argent – pour sa raffinerie et le titre de propriété de son brevet. Cela n'était pas exactement ce dont il avait rêvé, mais la transaction n'était pas mauvaise. Assis dans un fauteuil confortable, dans un élégant bureau, il savourait à l'avance le bon dîner qu'il allait manger, à son retour à l'hôtel. Il se sentait bien, et même presque satisfait de la tournure des événements.

« Mettons cette entente par écrit... », dit-il.

Le directeur d'Oil Trust lui expliqua alors que l'on devait préparer les papiers et qu'ils seraient prêts pour la signature le lundi suivant à Titusville. Le gentleman, au lieu d'un accord écrit, lui offrit une poignée de main et déclara à Van Syckel qu'il avait sa parole d'honneur.

Le lundi suivant, une personnalité officielle de l'entreprise, à Titusville, lui annonça que les papiers n'étaient pas tout à fait prêts, mais qu'ils le seraient, sans doute, dans le courant de l'après-midi.

Les retards se multiplièrent. La seule chose qui ne prit pas de retard fut la mainmise du conglomérat Rockefeller sur son entreprise et la démolition de la petite raffinerie que Van Syckel avait commencé à construire.

L'inventeur ne reçut jamais son dû du groupe Rockefeller et la compagnie ne construisit jamais sa raffinerie. En fait, elle bloqua tous les efforts de Van Syckel pour trouver d'autres personnes susceptibles de l'aider à reconstruire sa raffinerie, en proférant les mêmes menaces ignobles qu'elle avait utilisées pour l'intimider et le décourager de dénicher des investisseurs potentiels. Finalement, il put mettre en pratique et avec succès certaines de ses inventions dans d'autres raffineries. Cependant, Oil Trust finit également par les racheter, elles aussi. Après douze ans de frustrations, d'humiliations et de difficultés financières toujours croissantes, Van Syckel traîna Oil Trust devant les tribunaux de la Cour suprême de l'État de New York.

Le reste de l'histoire est facile à deviner : des avocats réputés de l'Oil Trust réduisirent en miettes les revendications de Van Syckel, lui portant un coup terrible supplémentaire tout en lui prouvant avec insolence que les intérêts de la haute finance pouvaient facilement écraser un simple citoyen désireux de défendre ses droits. Cependant, le procès prit des allures inattendues. Chose intéressante, le bataillon d'avocats grassement rémunérés de Oil Trust se garda de rejeter les allégations de Van Syckel et, au nom de son client, confessa qu'elles étaient vraies. Toute l'histoire, telle que je l'ai racontée, ne fut pas contestée par Oil Trust, y compris la partie où le représentant avait fait des promesses verbales précises à Van Syckel, l'amenant à conclure qu'il allait recevoir des compensations financières substantielles. Les avocats furent d'accord pour dire que tout cela était authentique, mais insistèrent pour souligner que, sans écrit, le contrat tacite ne liait donc pas l'entreprise et que celle-ci n'avait pas à payer de dommages et intérêts. À la suite d'une kyrielle d'arguments qui semblaient soutenir le bien-fondé des revendications de Van Syckel, ils affirmèrent qu'il s'agissait là de l'illustration tragique des difficultés ordinaires auxquelles devaient faire face les inventeurs bourrés de talent essayant de mettre au point leurs brevets.

« M. Van Syckel, dirent les avocats d'Oil Trust à la Cour, est l'exemple, dans neuf cas sur dix, de ce que signifie obtenir un brevet et le développer. Il a démontré qu'il était un homme à l'esprit inventif et a obtenu quelques excellents brevets dont nous ne nierons point les mérites. Et quel est le résultat ? Il se trouve aujourd'hui dans un grand état de pauvreté, le cœur brisé, l'intellect affaibli et, à l'heure actuelle, dans l'obligation de se démener devant un tribunal pour tenter de survivre. »

Après avoir écouté le résumé de la situation de la bouche des avocats d'Oil Trust, de nombreuses personnes en conclurent qu'ils ne faisaient que mettre l'accent sur la conduite injuste de leur client. Le jury en vint d'ailleurs à cette conclusion et se montra en faveur de Van Syckel, accepta les preuves qu'il présentait et décida que Oil Trust avait vraiment conclu un contrat et ne l'avait pas respecté.

Cela n'empêcha pas le plaignant de se faire écraser. Le bon droit triomphait, sauf pour une chose : dans un jugement incompréhensible, le juge déclara qu'il voulait épargner au jury « de folles spéculations et l'obligation pour lui de se livrer à un travail de devinettes » pour fixer le montant des dommages et intérêts. Il ordonna ensuite aux jurés de fixer les dommages à *six cents*, ce qui laissait Van Syckel dans un dénuement total, complètement démoli. Ce procès est l'exemple classique de la façon dont les intérêts de la haute finance réussissent à balayer les revendications d'un simple citoyen qui veut faire valoir ses droits.

* * *

L'histoire de Van Syckel représente aussi l'exemple classique de la façon de fonctionner de la Oil Trust, qui recourait à la séduction, aux menaces, à la coercition, aux transactions truquées, aux mensonges, à la duperie et, en dernier recours, à d'immenses ressources économiques pour anéantir ses opposants.

L'histoire de l'ascension de la société Standard Oil, l'ancêtre de la Exxon Corporation, a déjà été racontée de nombreuses fois. Certes, les détails furent connus dès la fin du XIXe et au début du XXe siècle, étant donné la grande quantité de démêlés juridiques en cause. On cite également de nombreux récits relatant les tromperies machinées par Rockefeller, comme le livre cinglant écrit par Henry Demarest Lloyd en 1894, *Wealth against Commonwealth*, ainsi qu'un grand succès de librairie, un livre exhaustif et fourmillant de détails, *The History of the*

Standard Oil Company d'Ida Tarbell en 1906. Je n'exagère rien en affirmant que la Oil Trust de Rockefeller constituait un problème important dans le paysage politique du début du XXe siècle et que de nombreuses personnes le considéraient comme l'exemple de tout ce qui avait mal tourné en Amérique, lorsque les grandes corporations avaient remplacé la démocratie idéaliste dont les pères fondateurs de la nation avaient rêvé.

L'attitude du public envers les Rockefeller semble s'être améliorée au cours des ans, car ce nom est maintenant principalement associé à des œuvres philanthropiques. Les meilleures versions de la saga Rockefeller n'ont plus rien à voir avec les descriptions implacables d'Ida Tarbell ou de Henry Demarest Lloyd, mais plutôt avec des versions plus lénifiantes, comme celle du livre de Daniel Yergin, qui lui a valu le prix Pulitzer : *The Prize : The Epic Quest for Oil, Money and Power*[18]. Yergin trace un portrait plutôt flatteur de Rockefeller. Selon cet auteur, Rockefeller était un homme d'affaires qui ne connaissait pas la pitié, mais un gestionnaire dont les manières brutales avaient été rendues obligatoires pour faire démarrer rapidement l'industrie pétrolière. Yergin écrit notamment ceci :

> Rockefeller était en quelque sorte l'incarnation de son époque. Standard Oil était un concurrent sans pitié qui pouvait tout écraser pour arriver à ses fins, et c'est ainsi qu'il est devenu le plus riche. Cependant, alors que de nombreux autres requins de la finance ont fait fortune en spéculant, en opérant des manœuvres boursières douteuses, et carrément, en fraudant et en escroquant leurs actionnaires, Rockefeller a bâti sa fortune en s'emparant d'une industrie jeune, extravagante, imprévisible et incertaine et en la transformant avec acharnement pour qu'elle devienne, suivant sa propre logique, une affaire d'avant-garde très bien orchestrée qui réponde au désir fondamental de *pouvoir s'éclairer dans le monde entier* [les italiques sont de moi].

---

18. Daniel Yergin. *Les Hommes du pétrole*, Paris, Stock, 1991-1992, 2 volumes.

Bravo ! Voilà tout un portrait en peu de mots. Il commence en décrivant un Rockefeller dénué de toute pitié et, enfin, le montre apportant la lumière à un monde plongé dans les ténèbres. Comparé aux requins de la finance, censés avoir commis de très mauvaises actions comme frauder, spéculer et trahir leurs actionnaires, Rockefeller, au contraire, était un citoyen honorable dont le seul crime est d'avoir joué rudement avec une « industrie jeune, extravagante, imprévisible et incertaine » – en d'autres mots avec une industrie qui avait montré son besoin d'être disciplinée. Complaisant, Yergin affirme que Rockefeller n'avait pas été un si mauvais bougre après tout. Il est bien possible qu'il ait fait preuve de dureté et d'un manque de sentiments, mais, en fin de compte, il a fait le nécessaire pour apporter la lumière aux coins les plus éloignés de la planète.

Yergin n'a jamais expliqué pourquoi le fait d'escroquer ses actionnaires devait être considéré comme une action pire que celle de trahir Van Syckel et de nombreux autres comme lui. Une chose ressort de l'histoire de l'ascension de la Standard Oil : la façon avec laquelle Rockefeller n'a jamais hésité à mentir, tromper, rejeter tout code de *fair-play* ou toutes convenances – sans oublier tout respect des lois – pour parvenir à éliminer sauvagement la concurrence. Yergin ne cherche pas non plus à savoir si « l'industrie jeune, extravagante, imprévisible et incertaine » n'aurait pas pu se débrouiller tout aussi bien sans qu'un des acteurs écrase tous les autres en utilisant le pouvoir coercitif d'un monopole. Que se serait-il donc passé si, au lieu de cela, l'industrie pétrolière avait résolu ses problèmes en utilisant des procédés manifestant un minimum de respect des concurrents, selon lesquels (du moins théoriquement) le succès d'une entreprise dépendrait d'une façon de fonctionner plus efficace et plus innovatrice que celles utilisées par ses rivaux ? Rockefeller n'aurait peut-être pas réussi à imposer sa suprématie s'il avait agi avec honnêteté, sans avoir jamais recours à d'ignobles procédés. De plus, rien ne nous empêche de penser qu'une industrie concurrentielle comportant un certain nombre de concurrents aurait été tout aussi efficace pour apporter l'éclairage au monde entier. En fait, il est fort probable que le monde aurait été tout aussi bien éclairé – et à meilleur compte –, une différence des plus bénéfiques pour tous, et sur plusieurs générations.

On ne peut remettre en question le fait que Rockefeller a été un *self-made-man* en qui se concrétisaient les qualités légendaires des authentiques entrepreneurs. Fils d'un marchand de bois qui avait déménagé avec sa famille dans l'Ohio et s'était décerné le titre de « docteur » pour vendre ses médicaments maison, il était né en 1839 et avait grandi dans l'État de New York rural. Après quelques années d'études traditionnelles, bourré d'ambitions et voulant aller loin dans la vie, encore adolescent, le jeune Rockefeller partit de son côté. Il travaillait pour un comptable et habitait dans une pension de famille de Cleveland. À l'âge de 19 ans, alors qu'il avait déjà pris l'habitude de se débrouiller, il s'associa avec une de ses connaissances et mit sur pied une entreprise de transport de marchandises où sa frugalité, son sens aigu des chiffres et sa détermination pour obtenir le meilleur de chaque transaction devinrent très vite évidents. L'entreprise prospéra, tout particulièrement après le début de la guerre de Sécession. L'armée yankee était devenue un de ses principaux clients, car son besoin en marchandises était illimité. Dès 1862, seulement trois ans après que l'on eut découvert du pétrole à Titusville, Rockefeller et son associé furent approchés pour investir dans une raffinerie de pétrole de Cleveland. Ils comprirent tout de suite qu'il ne fallait pas rater cette occasion en or.

Cet investissement démontrait que l'intervention de Rockefeller était opportune et qu'il prenait des décisions judicieuses. Cleveland, qui possédait d'excellentes liaisons par rail et par eau, se trouvait dans une excellente position pour livrer le pétrole raffiné vers les États de l'Ouest, qui connaissaient une expansion rapide. Les raffineries de Cleveland rivalisèrent très vite avec celles de la Pennsylvanie. Rockefeller s'investit dans cette nouvelle industrie qui croissait rapidement et s'associa à l'une des plus importantes raffineries de Cleveland. En 1870, il avait racheté les parts de son premier associé, démarré une deuxième raffinerie, ouvert un bureau de vente de pétrole à New

York et rassemblé ses diverses activités en une seule entreprise sous le nom de Standard Oil Company.

Tous les rapports font état de l'exceptionnel sens des affaires de Rockefeller, de sa compréhension de l'industrie, de son talent pour éliminer les pertes et l'inefficacité, de ses implacables marchandages. Cependant, dès le début, les rapports indiquent que la vraie stratégie de Rockefeller était l'élimination de ses concurrents. Ses dons pour les affaires lui permirent de se tailler une bonne part du marché, mais ils n'auraient pas été suffisants pour atteindre le genre de domination qu'il recherchait. Dès 1870, le domaine du pétrole avait attiré trop de personnes. Rockefeller et son associé n'étaient plus les seuls à avoir repéré les possibilités de gains qui existaient en vendant une substance fournissant quelque chose d'aussi primordial que la lumière. Le résultat de toute cette concurrence fut la baisse catastrophique des prix comme celle des profits, car de plus en plus de prospecteurs et d'entrepreneurs se mirent sur les rangs et inondèrent le marché de leur pétrole. En 1865, Rockefeller recevait 58 cents pour chaque gallon[19] de pétrole vendu ; cinq ans plus tard, le prix était tombé à 26 cents. La concurrence, qui faisait baisser les prix du produit, portait de sérieux préjudices à la marge de profit de Rockefeller. Il décida donc de l'éliminer.

Il semble être parvenu à une première domination du marché en concluant des ententes secrètes avec les compagnies de chemin de fer. Dès la fin des années 1860, un de ses principaux concurrents découvrit que la réussite de Rockefeller était en relation avec l'obtention de tarifs ferroviaires considérablement inférieurs, car il recevait des rabais importants sur les tarifs officiels affichés. Lorsqu'un de ses concurrents demandait le même type de rabais, sa requête était inévitablement rejetée sous prétexte que, même très important, le volume de ses chargements était moindre que celui de Rockefeller. Cela pouvait paraître raisonnable à l'époque. Les voies de chemin de fer étaient les grandes routes de l'époque et, selon une croyance

19. Un gallon américain équivaut à 3,78 litres.

populaire, les compagnies ferroviaires avaient la responsabilité de fonctionner sans faire de discrimination. Qu'elles aient eu ou non l'obligation légale de le faire allait devenir le sujet de disputes juridiques et politiques importantes au cours des années qui allaient suivre.

En 1871, les tentatives en vue d'employer le chemin de fer pour gagner le contrôle de l'industrie pétrolière allaient devenir de plus en plus effrontées et importantes. Quelques-uns des plus grands raffineurs et transporteurs réussirent à négocier une « coalition » avec les compagnies ferroviaires les plus importantes et créèrent une filiale qui se nommait la South Improvement Company, dans laquelle ils s'associèrent pour se partager le marché entre eux, ce qui était discriminatoire envers les autres concurrents et faussait les prix. Rockefeller était évidemment l'associé principal de la South Improvement Company.

Selon les arrangements les plus abjects de cette machination, les raffineurs qui en faisaient partie ne percevaient pas seulement des rabais importants des compagnies de chemin de fer, mais, en plus, *recevaient des bonis supplémentaires provenant de fonds ramassés auprès de leurs concurrents par ces mêmes compagnies.* Ainsi, le taux officiel pour transporter un baril de pétrole de Cleveland à New York était de 2 $. Tous les membres de la South Improvement Company acquittaient ce tarif et, ensuite, recevaient un rabais de 50 cents le baril, ce qui ramenait le prix à 1,50 $. Un concurrent payait, lui aussi 2 $ le baril, mais 50 cents de cette somme étaient versés à la South Improvement Company. Cette dernière recevait donc non seulement un rabais chaque fois que ses membres faisaient transporter un baril de pétrole, mais aussi chaque fois que leurs concurrents faisaient de même. Il est inutile d'ajouter qu'en de telles circonstances un concurrent n'avait aucune chance de survivre à la compétition.

Le but anticoncurrentiel de ce projet était certain. Les contrats qui établissaient les arrangements expliquaient bien clairement que chaque compagnie de chemin de fer devait coopérer « autant que faire se peut tout en demeurant dans la légalité pour maintenir la South Improvement Company *en dehors des atteintes de la concurrence* et d'élever ou d'abaisser ses tarifs bruts de transport aussi longtemps et de la façon qui peut se révéler nécessaire pour *dominer la concurrence* » (les italiques sont de moi). Les compagnies de chemin de fer durent donc fournir à la South Improvement Company des rapports détaillés de tous les transports de pétrole faits pour les concurrents, ce qui permettait à la société de connaître exactement les faits et gestes de ceux-ci. (Les compagnies de chemin de fer bénéficiaient de cette combine, car ces arrangements leur procuraient la certitude de faire des affaires avec les raffineurs et transporteurs de pétrole les plus importants et leur conféraient un grand avantage sur les compagnies concurrentes.)

Rockefeller s'attela à la tâche d'éliminer la concurrence de façon systématique. Une fois instaurée l'escroquerie de la South Improvement Company en 1872, il rendit visite personnellement aux 26 raffineries de Cleveland qui n'étaient pas affiliées à la South Improvement Company et leur expliqua le mode de fonctionnement du nouveau système. L'ancien, selon lequel Standard Oil ne faisait que recevoir des rabais, les avait suffisamment démoralisés au cours des dernières années. Maintenant, il y avait ceci.

Rockefeller n'y alla pas par quatre chemins avec les raffineurs de Cleveland. Il leur fit comprendre qu'il allait anéantir leurs possibilités d'exploitation s'ils persistaient à demeurer indépendants. « Vous comprenez, cet arrangement ne peut faire autrement que fonctionner. Il signifie que nous obtiendrons le contrôle absolu de l'industrie pétrolière. Quiconque ne se range pas de notre côté n'a aucune chance », expliqua-t-il avec le plus grand calme à ses concurrents.

Après avoir bien fait comprendre l'inutilité de s'opposer à lui, Rockefeller poursuivit en offrant un prix de consolation à ses victimes. « Nous allons tous vous donner la chance de pouvoir participer. Vous devrez ouvrir vos raffineries à nos évaluateurs. Je vous donnerai, au choix, soit des actions de la Standard Oil, soit de l'argent comptant, pour la valeur que nous déciderons d'attribuer à vos raffineries. Je vous conseille de prendre les actions. Vous y gagnerez. »

De nombreux raffineurs de Cleveland étaient d'excellents hommes d'affaires qui possédaient des ressources et des relations. Ce n'étaient pas d'infortunés inventeurs tirant le diable par la queue comme Van Syckel. L'un d'entre eux se nommait Robert Hanna. Il était l'oncle du futur Mark Hanna qui devait s'illustrer comme magnat de la finance et éminence grise politique. Robert Hanna et ses associés allèrent voir le président de la South Improvement Company et un des principaux investisseurs de la société Lakeshore Railroad, Peter H. Watson. Après avoir rendu visite à Watson, ils s'aperçurent que la machination de Rockefeller avait véritablement l'appui des compagnies de chemin de fer, ce qui rendait inutile toute résistance. C'est avec regret qu'ils cédèrent leur raffinerie qu'ils avaient payée 75 000 $ et pour laquelle ils reçurent 45 000 $ de la Standard Oil.

En trois mois, 21 des 26 raffineries prospères de Cleveland avaient disparu. Elles avaient été absorbées d'une façon ou d'une autre dans ce qui était en train de devenir l'empire Standard Oil.

* * *

Pendant ce temps-là, à Titusville, rumeurs et potins avaient filtré et rapportaient les mystérieux événements de Cleveland. Les habitants de Titusville et des autres agglomérations du nord-ouest de la Pennsylvanie considéraient qu'ils étaient engagés dans une lutte sans espoir avec la ville de Cleveland, qui menaçait de devenir le plus grand centre de l'industrie pétrolière de la région, évinçant ainsi la Pennsylvanie. Ainsi, lorsqu'on apprit la fermeture de nombreuses raffineries de Cleveland, la nouvelle fut plutôt bien accueillie. Par contre, la population de Titusville comprenait suffisamment bien la dynamique de l'industrie pétrolière pour se rendre compte que ces fermetures cachaient quelque chose de vicieux. Ces soupçons s'intensifièrent lorsque des rapports leur parvinrent, faisant état d'une nouvelle entité qui se nommait la South Improvement Company et qui était supposée être liée à la Standard Oil Company. Il y eut également des rumeurs d'augmentation prochaine des tarifs du fret ferroviaire.

Tout cela semblait de mauvais augure, mais n'était pas particulièrement surprenant ou exceptionnellement déprimant. Les milliers de personnes qui avaient accouru vers cette région pétrolière de Pennsylvanie étaient des durs à cuire habitués aux hauts et aux bas d'une nouvelle industrie qui pouvait être tout aussi excitante qu'exaspérante. Le pétrole pouvait très bien jaillir à l'improviste, tout comme on pouvait se retrouver devant un trou à sec. Il est certain que de nombreux paramètres restaient hors de tout contrôle. La chance faisait la loi, car il était impossible alors de savoir s'il existait une riche nappe de pétrole sous le lopin de terre que l'on avait loué. C'étaient toutefois les compagnies de chemin de fer qui provoquaient le plus de colère. Non seulement se retrouvait-on à leur merci, mais, par surcroît, on devenait victime de leur conduite malhonnête. Il n'était pas rare d'entendre des personnes de cette région les défier en affirmant qu'elles allaient construire leur propre réseau ferroviaire.

Les excès des maîtres du rail avaient forgé dans la région une camaraderie et un esprit rebelle qui s'étaient répandus dans les communautés vivant du pétrole. En plein arrière-pays et en dépit de difficultés insurmontables, les habitants étaient arrivés là sans un sou en poche et avaient réussi à construire de petites villes prospères pour lesquelles ils ressentaient un légitime orgueil. Titusville, qui n'était qu'un bourg sur un chemin de bûcherons en 1859, s'était transformé en une ville de 10 000 personnes, possédant des magasins, des églises, des écoles (qui menaient leurs élèves au seuil de l'université), deux journaux et même, contre toute probabilité, un opéra où divas et ténors de l'époque pouvaient se produire.

Dans tout le nord-est des États-Unis et même au Canada, il existait des dizaines de villes qui prospéraient grâce au pétrole comme Titusville. On en avait découvert au sud-ouest d'Oil Springs, en 1857 (deux ans avant Titusville), et à Petrolia en 1861. Petrolia est rapidement devenue une ville prospère comparable à toute autre ville de

Pennsylvanie. Le revenu y était le plus élevé du Canada. Elle tirait orgueil de ses immeubles imposants et on y admirait quelques maisons de style victorien particulièrement jolies. Tandis que les habitants de Titusville manifestaient souvent le désir de construire leur propre ligne de chemin de fer, ceux de Petrolia passèrent aux actes – une aventure qui s'avéra rentable dès la première année.

Le boom du pétrole apporta autre chose que des opéras ou des demeures patriciennes. En Pennsylvanie, il attira également de lamentables personnages qui ne cherchaient que la bagarre, alléchés par l'atmosphère crasseuse de ces premières *boom towns*. Y vivaient aussi des revendeurs de whisky et des femmes de petite vertu. On voyait fréquemment des bateaux à fond plat traînant de petites péniches sur la rivière Allegheny, où certains donnaient libre cours à leurs instincts, puis ces établissements flottants appareillaient pour la ville suivante dès le matin. La ville de Pithole, en Pennsylvanie, avait la réputation de posséder environ 50 de ces endroits où tout était « libre et facile » et offrant « les pires repaires du vice qui puissent exister sur terre ». Cependant, ce genre de licence était de plus en plus condamné. Les fêtards qui ressentaient le besoin de fréquenter tripots et saloons durent rapidement aller les chercher uniquement à Petroleum Center, une ville respectable par ailleurs, mais où des citoyens tolérants avaient compris qu'une rue devait être réservée à ce genre d'activités.

D'une certaine façon, on pourrait dire que la région pétrolière de la Pennsylvanie représentait un échantillonnage de l'Amérique du XIXe siècle. Les petites villes industrielles étaient imprégnées de valeurs comme l'économie, la bienséance et l'autonomie, et possédaient aussi un profond sens communautaire. La démocratie y était également à l'honneur. Les deux journaux de Titusville étaient parmi les plus combatifs du pays et luttaient avec fougue contre tout ce qui pouvait menacer les intérêts de la région (les compagnies de chemin de fer étant souvent leurs cibles favorites). Le *Oil City Derrick* utilisait un style particulièrement caustique, sophistiqué et anticonformiste, truffant à l'occasion ses phrases de locutions latines pour convaincre ses lecteurs : « *Sic semper tyrannis, sic transit gloria South Improvement Company* », pouvait-on lire dans le *Derrick*. Il existait également au sein de ces communautés un fort sens de l'équité et de la justice politique qui allait au-delà de la simple défense des puits de pétrole locaux. Des foules enthousiastes allaient à l'opéra écouter les discours d'avocats des droits civils comme l'évêque Matthew Simpson, qui avait prononcé un éloge funèbre à l'occasion de la mort du président Lincoln, et Wendell Phillips, un activiste du mouvement antiesclavagiste et l'un des premiers défenseurs des droits des femmes et du suffrage universel.

Puis, le 26 février 1872, les journaux locaux rapportèrent que la menace de l'augmentation du tarif du fret ferroviaire avait été mise à exécution. Les communautés en ébullition du nord-ouest de la Pennsylvanie se préparèrent à lutter. La hausse fut énorme : plus du double du tarif en vigueur ! Elle menaçait de réduire à néant la rentabilité de l'industrie locale. Une chose enflamma davantage les esprits : les journaux expliquaient que quiconque s'affilierait à la South Improvement Company ne subirait pas d'augmentation. Les pires craintes s'étaient donc concrétisées. La mystérieuse nouvelle société faisait donc preuve de discrimination contre tous ses concurrents, et il était évident qu'elle désirait les éliminer, tout comme elle avait éliminé ceux de Cleveland.

Le jour suivant, environ trois mille personnes envahirent l'opéra de Titusville pour protester contre cette traîtrise. La foule était si nombreuse qu'elle débordait dans la rue adjacente. Elle brandissait des pancartes portant des slogans dénonçant les « conspirateurs ». Elle criait, fulminait et jurait de prendre les mesures nécessaires pour se défendre. Trois jours plus tard, une autre foule imposante et en colère se dirigea vers Oil City, à 30 kilomètres plus loin le long de la rivière. Durant les semaines qui suivirent, l'industrie pétrolière locale mit pratiquement fin à ses activités, car les populations des villes concernées par la hausse des tarifs se réunissaient, une ville après l'autre, pour dénoncer ce qu'elles surnommaient « le Grand Anaconda » et exigeaient que « les ennemis de la libre entreprise soient frappés d'ostracisme par tous les honnêtes gens ».

Elles mirent très rapidement au point une stratégie pour se défendre. Les producteurs s'unirent pour former la Petroleum Producers' Union, sous la direction du capitaine William Hasson, un personnage très respecté, ayant de fortes racines dans la région. Les grandes raffineries de New York et de Pittsburgh désirant toujours acheter leur pétrole, les producteurs annoncèrent qu'ils allaient refuser de le vendre à toute personne ou société entretenant des relations avec la South Improvement Company ou de le faire transporter par les compagnies de chemin de fer faisant partie de la conspiration. Les producteurs commencèrent une enquête pour savoir exactement qui se cachait derrière la mystérieuse South Improvement Company, et les noms des personnes ayant trempé dans le complot se retrouvèrent sur la liste noire qui paraissait quotidiennement au sommet de la page éditoriale du *Oil City Derrick*. L'enquête révéla rapidement la combine des réductions scandaleuses des tarifs de fret obtenues par Rockefeller pour ses raffineries de Cleveland.

Les producteurs découvrirent que leur cause recevait un très fort appui de communautés extérieures à leur région. Ils envoyèrent donc un comité au ministère de la Justice de l'État pour exiger la révocation de la charte de la South Improvement Company – ce qui fut rapidement fait. Un autre comité fut dépêché à Washington où il reçut un accueil triomphal. Le congrès se montra favorable à une enquête et le président Ulysses S. Grant lui-même rencontra les membres du comité pendant plus d'une heure. Lors de cette rencontre, le président Grant déclara à des producteurs enchantés que leur gouvernement national allait prendre des mesures pour protéger le public contre de tels monopoles.

La résistance avait donc démontré son étonnante efficacité. À la fin du mois de mars, à peine un mois après que l'annonce de l'augmentation des tarifs de fret se fut abattue sur la Pennsylvanie, les compagnies de chemin de fer annoncèrent qu'elles se retiraient de la combine. Et, à Washington, les détails de cette vile arnaque faisaient la une de tous les journaux du pays, suscitant de nombreux éditoriaux indignés, au moment où les personnalités de la South Improvement

Company se trouvaient sur la sellette du Congrès lors d'audiences publiques. Le comité du Congrès fit montre de diligence pour juger l'affaire étant donné la pression de plus en plus grande exercée sur lui. En effet, la South Improvement Company – qui à ce moment-là ne possédait plus de charte légale – était décrite comme « la conspiration la plus gigantesque et la plus audacieuse » qui ait existé dans un pays libre. Le Grand Anaconda était terrassé, et la South Improvement Company muselée. Rockefeller avait été tourné en ridicule et récoltait l'hostilité des gens d'affaires et du grand public.

Cependant, malgré toutes les actions publiques menées contre sa personne et l'opprobre dont il était l'objet, Rockefeller réussit à sortir de la « guerre du pétrole de 1872 » encore plus riche et puissant qu'il ne l'avait jamais été. Il possédait, à ce moment-là, presque toutes les raffineries de Cleveland. Rien n'avait pu être tenté pour renverser cet état de fait. Il ne se trouvait nullement décontenancé par le public qui avait provoqué le démantèlement de la South Improvement Company. Il continuait à mener ses affaires tranquillement, comme si de rien n'était. Très peu de temps après, il récidiva et réussit à négocier de nouveaux tarifs préférentiels avec les compagnies de chemin de fer.

Un an plus tard, en mai 1873, Rockefeller en personne réapparut dans les rues de Titusville. Il faisait pratiquement du porte-à-porte en compagnie de quelques associés pour promouvoir ouvertement les plans d'une nouvelle combine de son cru. Il prétextait que la fin de la concurrence serait dans l'intérêt de tous. Les populations aigries de Titusville et des autres localités lui répondirent par un refus très ferme. Cependant, trois mois plus tard, Rockefeller refaisait surface. Cette fois, il était porteur de la nouvelle suivante : les quatre cinquièmes de l'industrie du raffinage national avaient formé une entente dont il était le président, la National Refiners' Association.

Plus déterminée que jamais à abattre l'Anaconda maudit qui s'était réincarné, la Petroleum Producers' Union reprit les armes. Se ralliant une fois de plus derrière leur chef, l'opiniâtre capitaine

Hasson, de façon à ne pas être à la merci de la Refiners'Association de Rockefeller, ils créèrent une agence censée leur acheter leur pétrole, puis votèrent immédiatement un embargo de six mois sur les forages afin de couper les approvisionnements de Rockefeller.

Ils demeurèrent unis et, dès le début novembre, ils semblaient de nouveau avoir réussi à mettre Rockefeller sur le flanc. Le 8 novembre, il se montra prêt à reconnaître la nouvelle agence et leur présenta une nouvelle offre. Il leur déclara que son association était prête à signer immédiatement un contrat avec eux. Ce contrat stipulait qu'il leur achèterait le pétrole au prix avantageux de 4,75 $ le baril. Il leur fit également la promesse de ne pas profiter de rabais des compagnies de chemin de fer pendant toute la durée de l'entente.

La réponse était évidente aux yeux de Hasson. C'était un non catégorique. On ne pouvait pas faire confiance à Rockefeller ni à ses associés. Cependant, d'autres que Hasson ne se montrèrent pas aussi fermes. La tension créée par l'interdiction de forer minait l'énergie de nombreux producteurs. Ils se demandaient combien de temps ils allaient tenir. On avait déjà la preuve que certains d'entre eux avaient commencé à vendre en cachette du pétrole à l'association de Rockefeller, et l'on rapportait l'existence d'opérations de forage produisant de bonnes quantités de pétrole, ce qui avait comme effet d'amoindrir l'efficacité de l'embargo. En fait, le pétrole coulait beaucoup plus librement que certains producteurs ne voulaient l'admettre. À la lumière de tout cela, l'offre de 4,75 $ le baril faite par Rockefeller – un montant au-dessus du taux en vigueur – était particulièrement alléchante.

Lors d'une réunion décisive qui eut lieu à Oil City le 12 décembre, les producteurs se montrèrent fortement divisés sur la conduite à adopter, et les luttes entre les différentes factions furent si intenses et pleines de rancœur que le *Derrick* refusa même de les commenter. En fin de compte, les producteurs qui voulaient faire affaire avec Rockefeller remportèrent la partie.

Mais à peine un mois après que les producteurs eurent envoyé environ 50 000 barils de pétrole aux termes du nouveau contrat, l'association de Rockefeller le déclara brusquement nul et non avenu. Aucun pétrole ne serait acheté au prix avantageux de 4,75 $ le baril. De plus, on apprit plus tard que Rockefeller continuait à profiter de rabais des compagnies de chemin de fer. En vérité, il n'avait jamais arrêté d'en profiter.

* * *

Les médias ont rapidement surnommé le mouvement de revendication international de la fin des années 1990 « mouvement antiglobalisation », une appellation relativement dénuée de sens. En effet, il n'existait rien qui soit antiglobal – et de loin – dans ce mouvement mondial, car les protestations venaient des quatre coins du globe et, chaque année, ses membres se réunissaient à Porto Alegre, au Brésil. L'émergence de ce mouvement, plus que tout autre phénomène récemment survenu, fut facilité par le plus fantastique moyen existant pour relier les personnes : Internet. Tous les manifestants de la terre pouvaient communiquer entre eux sans aucun effort et à bon compte. La notion que les millions d'adhérents à ce mouvement sont opposés à l'idée de rapprocher encore plus les pays entre eux serait complètement absurde.

Ce qui définit ce mouvement n'est pas l'opposition à l'interconnexion des nations, mais une opposition au contrôle des trusts, *holdings* et conglomérats. Une part de la confusion vient de la mondialisation du contrôle des grandes entreprises. L'autre partie pourrait être une manière délibérée d'occulter ce qui se passe : ceux qui se sentent menacés par le mouvement de protestation et ce qu'il représente aiment le qualifier d'« antiglobal » et, par conséquent, désignent ses adhérents comme des gens opposés au progrès, de nouveaux luddites, en somme. (Comme nous le savons maintenant, les vrais néoluddites se retrouvent le plus souvent dans les conseils d'administration des constructeurs d'automobiles ou des compagnies pétrolières.) Il n'est pas étonnant qu'un mouvement populaire mondial soit né à la fin des années 1990 pour offrir une résistance à la mainmise planétaire des multinationales, surtout après deux décennies durant lesquelles l'idéologie dominante avait été d'abandonner toute tentative pour essayer de réglementer ou de restreindre le pouvoir de celles-ci. Il est intéressant de noter que ce nouveau et puissant mouvement visant à contrôler la mainmise des trusts avait des racines remontant facilement jusqu'au XIXe siècle, lorsque la première méga-entreprise avait fait son apparition sous une forme dominatrice, insolente et dictatoriale.

La Standard Oil Company de Rockefeller est un exemple typique du phénomène de l'ascension d'un conglomérat monstrueux. L'histoire que nous avons racontée n'est qu'un fragment de la saga des quarante années de consolidation de l'empire Rockefeller, qui parvint à s'emparer impitoyablement de l'industrie pétrolière nord-américaine dès le début du XXe siècle. (Au Canada, un groupe d'entrepreneurs qui espéraient préserver les gisements pétrolifères canadiens des griffes de Rockefeller avaient créé la Imperial Oil Compagny en 1880. Cependant, devant l'impossibilité de résister aux machinations habituelles de ce dernier, Imperial a rejoint l'empire Rockefeller dans les années 1890.)

Ce qui est frappant, c'est de constater comment la population réagissait de façon différente au pouvoir et aux abus des grandes entreprises dans ces années-là. À part les contestataires, notre époque semble s'être béatement résignée d'être sous la coupe de conglomérats aussi puissants. Des scandales, des fraudes d'entreprises à l'échelle d'Enron ou de Global Crossing, des rapports qui démontrent que des manipulations ont été à la source des pannes d'électricité en Californie, ne semblent pas soulever suffisamment l'attention du public pour exiger une limitation quelconque au pouvoir des trusts. De façon similaire, les nouvelles annonçant que George W. Bush avait collecté 200 millions de dollars pour sa réélection, ce qui laissait entendre que le monde des multinationales jouirait dorénavant d'une influence prépondérante sur son gouvernement, ont été accueillies avec une sérénité apathique.

L'humeur de la population était très différente à la fin du XIXe siècle et au début du XXe siècle, lorsque les grandes sociétés mettaient tout en œuvre pour s'implanter. La résistance à l'influence écrasante des trusts était, elle aussi, à son maximum et généralisée, prenant la forme de mouvements de contestation populaire. Un de ceux-ci, particulièrement influent, se nommait le « progressisme ». L'appui dont il bénéficiait à un niveau politique national a obligé le président républicain Theodore Roosevelt et son homologue démocrate Woodrow Wilson à faire part de leur inquiétude à l'occasion de certains discours. Le zèle réformiste du progressisme était alimenté par l'ascension de journalistes fouineurs à la recherche de scandales qui mettaient au grand jour les relations intimes entre le gouvernement et la nouvelle élite d'affaires. Woodrow Wilson n'a pas mis de gants blancs pour déclarer lors de son passage à la présidence, en 1912 : « S'il existe dans ce pays des hommes assez puissants pour posséder le gouvernement, soyez persuadés qu'ils se l'accapareront... »

L'ascension du pouvoir des méga-entreprises a provoqué un immense changement au sein de la société américaine. Jusque vers 1870, l'Amérique était en majorité rurale, composée de petites villes ; les élites locales étaient constituées de marchands, de petits industriels et de membre des professions libérales qui jouissaient d'un pouvoir considérable, d'influence et de prestige. Tout cela a été bouleversé après la guerre civile, par l'essor provoqué par la reconstruction et la croissance rapide des grandes villes. Les « trusts » ont fait leur apparition et sont vite devenus le modèle de fonctionnement des grandes entreprises. Il n'existait pas de vraies contraintes à la croissance des conglomérats ni de règlements pour limiter leurs activités. Par conséquent, un petit nombre d'entre eux dominèrent rapidement leur sphère d'activité, s'emparant du monopole de marchés clés comme le pétrole, l'acier, le bœuf et le sucre. On se trouvait en face du capitalisme le plus implacable et le plus sauvage qui puisse exister, dont la nature rapace a été saisie et figée dans le temps dans un jeu de société appelé Monopoly.

En même temps que se produisait cette transformation, on a vu l'émergence d'une nouvelle élite, telle qu'il n'en avait jamais existé auparavant en Amérique, où les grandes fortunes se sont associées avec les grands propriétaires terriens du Vieux Monde. Dans les années 1840, il n'existait que 20 millionnaires aux États-Unis. Au début des années 1890, ce nombre atteignait plus de 4000. Il existait même 120 Américains possédant des fortunes évaluées à plus de 10 millions de dollars. Où tout cela allait-il conduire le pays ? Telle fut la question que l'on posa, comme un cri d'alarme, dans un article très discuté, paru en 1891, et intitulé « L'ascension du milliardaire ».

Aux yeux de nombreux Américains, l'ascension d'une aristocratie locale menaçait de changer de façon significative la nature même de la société américaine et de compromettre la tradition individualiste. À ce genre d'accusations, Rockefeller répondait à peu près ceci : « Vous allez devoir vous y habituer. » Il affirmait que ce type de concentration d'entreprises dont il était un des pionniers constituait une étape essentielle dans l'évolution du commerce. « Cela a révolutionné la façon de traiter des affaires un peu partout dans le monde, affirmait Rockefeller. L'époque des coalitions est arrivée et elle se poursuivra. L'individualisme est mort ; il ne reviendra jamais. »

Aux yeux des progressistes, ces paroles ressemblaient à une déclaration de guerre. Ce qui se jouait ici était la survie même du noble mode de vie américain qui se résumait à des concepts précis comme l'effort individuel, l'esprit d'entreprise, l'économie, le travail acharné, la persévérance – des concepts que les pionniers considéraient comme essentiels. Rien ne pouvait mieux incarner la mythologie nord-américaine que la notion d'appartenir à un pays plein de possibilités où la force de caractère et le travail – et non pas les antécédents familiaux – déterminaient le succès d'une personne.

Il était déjà injuste que ces monopoles aient le pouvoir de faire grimper les prix (ce qu'ils ont fait), mais fait beaucoup plus grave, ces puissances menaçaient l'esprit d'entreprise et portaient un coup fatal au principe le plus important de l'Amérique. Ce problème est devenu l'un des thèmes les plus essentiels des discours politiques de l'époque. « À l'heure actuelle, il existe le sentiment que l'individualisme est réduit à néant », a écrit Woodrow Wilson, qui est devenu un des personnages clés de la critique progressiste du monopole et du pouvoir des mégaentreprises. « Il y eut une époque où les trusts ne pesaient pas lourd dans les affaires ; cependant, aujourd'hui, ils jouent un rôle prépondérant, et la plupart des hommes ne sont que leurs serviteurs... Tout ce qui déprime, tout ce qui ajoute au pouvoir des trusts et qui en fait quelque chose de plus important que l'être humain, tout ce qui bloque, décourage, attriste le citoyen ordinaire, va contre les principes du progrès. »

Malgré la véhémence de certaines de ses paroles, il faut se garder de croire que Wilson se révéla un impitoyable et véritable pourfendeur des trusts. Pourtant, les inquiétudes provoquées par le pouvoir des mégaentreprises faisaient partie du courant dominant de l'époque, et l'on considérait de telles interrogations comme essentielles pour la santé de la démocratie nationale. Wilson qualifia la lutte contre les trusts comme rien de moins qu'« une deuxième lutte pour l'émancipation ». Il décrivit le pouvoir des grandes entreprises comme une chose à laquelle il fallait résister coûte que coûte sur tous les fronts. Il se plaignit, entre autres, du fait qu'un nombre croissant d'Américains se trouvaient réduits à n'être que des employés des grandes entreprises. Et, dans une phrase qui nous frappe encore quand nous la lisons aujourd'hui, le président Wilson insista en disant que si les futures générations se retrouvaient « dans un pays où les citoyens ne pourront être que des employés et rien d'autre, on verrait alors une Amérique si lamentable que les pères fondateurs de la nation s'en retourneraient dans leur tombe ».

Il est clair que la notion d'individu et de droit des citoyens se trouve au cœur même de l'idéal de démocratie à l'américaine adopté par les pères fondateurs (même s'ils avaient oublié d'accorder ces mêmes droits aux femmes et aux Noirs). L'ascension de la terrifiante puissance des grandes entreprises à la fin du XIXe siècle incita Wilson et les progressistes à s'inquiéter d'un fait : les trusts étaient capables d'écraser l'individualisme à un point tel que le visage de la démocratie pouvait en devenir méconnaissable et ne plus rien signifier. Les dangers que la puissance des mégasociétés fait courir aujourd'hui au « citoyen moyen » sont passés sous silence. Les droits des individus sont encore invoqués, mais, à l'heure actuelle, cet individualisme est chapeauté ; il est devenu le terrain du droit et du monde des entreprises. Le flambeau de l'individualisme que les pères fondateurs et les progressistes nous ont transmis a été saisi au vol par des personnages comme Lee Raymond, homme de main d'Exxon, qui se fait le champion du droit détenu par certains individus de libérer autant de gaz à effet de serre dans l'atmosphère qu'ils le désirent.

* * *

Personne ne pouvait imaginer que Frank B. Kellogg était sur le point de raconter une histoire édifiante lorsqu'il prit la parole dans une salle de tribunal de New York en août 1907 et qu'il déclara : « Je vais vous raconter quelque chose à propos de la Standard Oil Company. »

Kellogg était l'un des meilleurs avocats des États-Unis, et le président Theodore Roosevelt l'avait choisi personnellement pour s'occuper de cette bataille juridique titanesque qui dressait le gouvernement américain contre les intérêts tentaculaires de Rockefeller. Pendant quatre décennies, l'empire Rockefeller avait considérablement consolidé son contrôle sur l'industrie pétrolière, et l'on avait l'impression que rien ne pourrait l'arrêter, en dépit des dizaines de procès, des enquêtes du Congrès et de l'État, ainsi que de constantes condamnations abondamment commentées dans la presse et les discours politiques pendant les campagnes électorales. Maintenant, le gouvernement fédéral au complet s'en prenait à Rockefeller dans un procès où l'on passait chaque détail en revue, où l'on enquêtait sur tous les accords secrets qui avaient permis à la Standard Oil de s'emparer de l'industrie pétrolière nationale et de lui dicter ses lois.

Le procès fut gigantesque. Il remplit 23 tomes et l'on y présenta 1371 pièces à conviction. Les témoignages de 444 témoins, dont ceux des administrateurs de la société et de Rockefeller en personne, remplirent 14 495 pages. Alors âgé de 69 ans, le visage émacié et portant une perruque blanche, Rockefeller fit face au déluge de questions posées par Frank Kellogg avec indifférence, opposant des réponses évasives. Alors que l'attention du public se trouvait fixée sur le drame qui se déroulait au tribunal, le président Roosevelt chercha à renforcer son image présidentielle de croisé antitrust lorsqu'il déclara : « Chaque mesure que nous avons présentée depuis six ans pour protéger l'honnêteté dans les affaires a reçu l'opposition de ces hommes... »

Au bout de deux ans de procédures judiciaires, le tribunal itinérant rendit un verdict de culpabilité qui fut immédiatement envoyé en appel par les avocats de Rockefeller. Deux ans plus tard, en mai 1911, Edward White, le juge en chef de la Cour suprême, maintint le verdict : coupable. Devant une foule silencieuse, attentive à chacun des 20 000 mots du jugement, il déclara : « Aucun esprit impartial ne peut étudier la période en question sans en venir irrésistiblement à la conclusion que son génie [celui de Rockefeller] a démontré par son sens des affaires et de l'organisation... a très vite engendré le désir d'éliminer toute concurrence... à priver les autres de leur droit de faire du commerce et à s'assurer ainsi la maîtrise du marché. » La Cour donna à Standard Oil six mois pour se départir de toutes ses filiales.

La victoire était éclatante. Avec la Maison-Blanche, la Cour suprême et l'opinion publique contre lui, Rockefeller semblait enfin avoir rencontré son maître.

L'immense empire fut vite démantelé et fractionné en un grand nombre de plus petites sociétés à la taille encore très imposante. La société mère, le holding Standard Oil of New Jersey, qui représentait presque la moitié de la valeur nette du conglomérat, resta intacte et continua à garder sa position d'acteur principal dans l'industrie pétrolière en prenant, par la suite, le nom d'Exxon. Les autres membres du holding qui furent divisés portent des marques de commerce toujours connues à l'heure actuelle : Standard Oil of New York devint

Mobil un peu plus tard. Standard Oil of California (ou SoCal) prit le nom de Chevron ; Standard Oil of Indiana, celui d'Amoco ; Standard Oil of Ohio devint la branche américaine de British Petroleum ; Continental Oil devint Conoco, et Atlantic, Arco. « L'opinion publique et le système politique américains avaient obligé la concurrence à renaître dans les transports, le raffinage et la commercialisation du pétrole », conclut Daniel Yergin, apparemment satisfait de la neutralisation du dragon. Il n'en fait pas moins remarquer que ces nouvelles sociétés fonctionnaient toujours plus ou moins comme elles le faisaient avant 1911, c'est-à-dire en n'empiétant pas sur leurs terrains respectifs et en continuant à conserver les mêmes anciennes relations commerciales. Le dragon que l'on pensait avoir terrassé possédait malgré tout encore des forces.

En fait, il s'est avéré encore très vivant. Il est certain que l'impact de la décision de la Cour suprême s'était révélé important, mais il était erroné de l'envisager comme le commencement d'une époque de concurrence sérieuse dans l'industrie pétrolière et d'un frein aux intrigues économiques et politiques des gros intérêts représentés par cette industrie. Bien qu'elles aient, techniquement parlant, été séparées de la société mère, les sociétés qui avaient fait partie de Standard Oil n'en continuaient pas moins à fonctionner en communauté et dominaient l'industrie pétrolière, même sans l'existence d'une administration centrale. On peut examiner le rôle véritable de la famille Rockefeller dans une étude préparée par la U. S. Securities and Exchange Commission en 1940, presque trente ans après le jugement de la Cour suprême. Cette étude – la seule enquête de ce genre dans l'histoire des mégaentreprises – remonta à la source du droit de propriété de la grande société jusqu'aux « propriétaires réels » (c'est-à-dire les personnes qui bénéficiaient vraiment des actions et non pas les seuls propriétaires dont les noms figuraient dans les documents maison). Même si les actions des grandes sociétés pétrolières étaient détenues par de nombreuses personnes, la Securities and Exchange Commission conclut que la famille Rockefeller avait une grande influence, pesait de tout son poids et exerçait un contrôle du travail sur Exxon (avec 20,2 % des actions), Mobil (avec 16,3 %), Standard Oil of Indiana (avec 11,3 %) et Standard Oil of California (avec 12,3 %).

L'industrie pétrolière demeurait un petit club très fermé qui n'admettait qu'un nombre limité de participants – en particulier le groupe déjà mentionné –, maintenant un certain degré de contrôle sur le marché. « La clé de cette domination était constituée d'un réseau étroit de relations entre les sociétés, rendu possible grâce à des projets et à des jeux d'actions en commun ainsi que des conseils d'administration gigognes », affirme John M. Blair, qui a travaillé pendant quatorze ans comme économiste en chef du sous-comité antitrust et antimonopole du Sénat américain. Blair a remarqué que la situation causée par les conseils d'administration ayant un lien entre eux – et dans lesquels les représentants de sociétés prétendument concurrentes ont leur place au sein de plusieurs conseils d'administration – offrait des possibilités infinies pour limiter le commerce, soit au moyen de la connivence, soit grâce à une complaisante coopération. Le tableau détaillé établi par Blair concernant les liens entre les conseils d'administration de l'industrie pétrolière et des banques en 1972 montrait souvent comment les directeurs des grandes compagnies pétrolières se réunissaient avec les conseils d'administration des institutions financières pour planifier des stratégies qui, en fin de compte, affectaient les sociétés en présence. Ces types d'interrelations, qui impliquaient l'industrie pétrolière et le système bancaire, s'étaient énormément amplifiés au cours des années, souligne Blair.

Tout cela allait devenir important, même si l'impact créé se limitait au prix du pétrole. Cependant, comme nous l'avons vu, l'industrie pétrolière a eu et continue d'avoir une très grande influence sur le gouvernement en matière de questions politiques majeures. C'est pourquoi son immense pouvoir se répercute aussi bien sur le plan politique qu'économique. De nombreuses décennies après le jugement de la Cour suprême de 1911, Harold Barnett, le célèbre économiste, a décrit l'industrie pétrolière américaine, qui était encore sous la domination des descendants de la Standard Oil de Rockefeller, comme « le plus important et le plus efficace agrégat de puissance industrielle et politique que le monde ait jamais connu ». Cette opinion avait été émise en 1974, bien longtemps avant que le pouvoir politique de l'industrie pétrolière n'ait atteint l'apogée vertigineuse qu'il connaît sous l'administration Bush.

Et pourtant, nous paraissons avoir perdu tout intérêt pour garder un œil vigilant sur cette puissance inquiétante ou même pour en suivre la trace. À coup sûr, c'est un retournement de situation par rapport aux jours où les grands monopoles représentaient un sujet d'actualité politique brûlant et oû le public et le gouvernement les considéraient comme un grave problème et même une menace pour la démocratie. Pour cette raison, le Congrès américain, en 1914, a appuyé l'adoption du *Clayton Act*, loi qui avait pour but de limiter la concentration du pouvoir par des conseils d'administration étroitement liés. Le rapport de la Chambre des représentants qui accompagnait la loi disait ceci : « Aux États-Unis, la concentration de la richesse, de l'argent et de la propriété entre les mains de quelques individus ou de grandes entreprises a connu une telle croissance que si l'on n'y met pas bon ordre, cet état de choses finira par menacer la pérennité de nos institutions. »

La concentration de la propriété et le pouvoir que cela procure n'ont pas disparu. Au contraire, ces regroupements se sont intensifiés avec toutes les fusions et les nouvelles acquisitions durant les deux dernières décennies. Cela est totalement vrai en ce qui concerne l'industrie pétrolière. Les « Sept Sœurs », qui dominaient le marché pétrolier en 1970, constituent une famille plus restreinte aujourd'hui. Comme, l'économiste Michael Tanzer l'a remarqué : « Les célèbres "Sept Sœurs" se sont regroupées en quatre mégasociétés grâce à des mariages incestueux – Exxon/Mobil, Royal Dutch/Shell, BP et ChevronTexaco. Et pourtant, même si l'envergure du problème a augmenté, la concentration du pouvoir des entreprises ne semble plus constituer un problème. Pour la dernière fois en 1914, le Congrès s'est penché sur la question des liens pouvant exister entre les conseils d'administration. La Securities and Exchange Commission n'a pas cherché à savoir qui étaient les propriétaires réels des *majors* depuis 1940. Aucune enquête exhaustive de la concentration des pouvoirs dans l'industrie pétrolière n'a été entreprise depuis les années 1950, soit l'époque de l'étude en profondeur de la Federal Trade Commission et du sous-comité du Sénat sur les antitrust et les monopoles. Le sujet plus général de la concentration du pouvoir des entreprises n'a même pas été étudié par le Congrès depuis les audiences sur les sociétés multinationales en 1974.

À l'heure actuelle, ceux qui se dissimulent dans le Saint des Saints d'Exxon peuvent vivre parfaitement décontractés, à un degré que Rockefeller n'aurait jamais imaginé. Ce dernier était traqué par le gouvernement, les tribunaux et la presse. Aujourd'hui, l'industrie pétrolière est épargnée de toute attaque et même de toute enquête de la part du gouvernement. Le pouvoir considérable exercé par l'industrie ne connaît pas de limites sur le plan politique. Pas un seul comité du Congrès, pas une organisation gouvernementale n'étudie la concentration du pouvoir dans l'industrie ni n'en fait même mention. Les *majors* qui, autrefois, étaient l'objet d'une vigilance continuelle de la part de citoyens soupçonneux et de gouvernements proactifs, sont devenues pratiquement invisibles et apparemment innocentes.

Les propriétaires de compagnies pétrolières ? Allons donc, ce sont des gens très ordinaires, en somme...

* * *

Rockefeller a réussi à s'emparer du marché du pétrole en Amérique du Nord en quelques décennies et à amasser au cours de ce processus des richesses indescriptibles pour son propre compte. Mais cela n'était pas seulement ce qu'il désirait. Rockefeller et l'empire des entreprises qu'il a engendré ont commencé à jeter des regards de convoitise sur le reste du monde.

Chapitre 7

COMMENT NOTRE PÉTROLE A-T-IL BIEN PU SE NICHER SOUS LEUR SABLE ?

Un signal se mit à résonner dans la tête d'Ali Attiga.

En 1967, Attiga était un jeune et intelligent économiste libyen. Après avoir brillamment terminé ses études à la prestigieuse université Northwestern à Evanston, dans l'Illinois, il était retourné dans son pays natal et, à la fin des années 1960, dirigeait le service de recherches de la Banque centrale libyenne. C'est à ce titre qu'il siégeait également au Higher Petroleum Council, un organisme qui donnait au gouvernement libyen des conseils sur tout ce qui touchait l'industrie pétrolière. Cet organisme était devenu très important dans ce royaume désertique, lointain et sous-développé d'Afrique du Nord.

On y avait découvert du pétrole dans les années 1950 et, dès les années 1960, la Libye en était devenue un pays exportateur. Tout portait à croire qu'il y avait beaucoup plus de pétrole sous le sable du désert, et le gouvernement libyen voulait que ces gisements soient exploités. En 1967, certaines régions très prometteuses avaient été morcelées en parcelles – 37 en tout –, puis avaient été mises aux enchères. Toutes les sociétés pétrolières les plus importantes ainsi que des dizaines de sociétés indépendantes présentèrent des soumissions à l'examen du Higher Petroleum Council.

Pendant qu'Attiga et les six autres membres du Conseil passaient en revue les soumissions, ils constatèrent un fait surprenant. Il n'y avait eu aucune soumission pour 36 des parcelles, tandis que plus de 100 soumissions s'empilaient pour une parcelle en particulier. « Il ne fallait pas être très intelligent pour constater que tout le monde convoitait la même parcelle », s'était rappelé Attiga à l'occasion d'une interview accordée au cours de l'été 2003.

Le potentiel de ce terrain particulier était devenu célèbre dans les cercles pétroliers grâce à leurs services de renseignements. Cette parcelle avait été explorée par Mobil quelques années auparavant, et le conglomérat avait obtenu une concession du gouvernement libyen. Le chef géologue de Mobil n'avait pas mis beaucoup de temps pour déterminer qu'en dessous du sable gisait une fabuleuse nappe de pétrole. Cependant, pour une raison inconnue, ce spécialiste n'avait pas jugé utile de rapporter cette nouvelle à ses employeurs. Par conséquent, Mobil, qui tenait pour acquis que le site n'avait rien de prometteur, l'avait tout simplement oublié. Entre-temps, notre géologue avait démissionné de chez Mobil et s'était fait engager par une nouvelle société, petite mais dynamique sur le marché, la Occidental Petroleum, dont le siège social se trouvait en Californie. Lors des enchères de 1967, l'Occidental Petroleum était sur la liste des sociétés ayant soumis pour s'emparer de ce lot particulier, et elle en connaissait mieux que toute autre la richesse. Au moment où Attiga et les autres membres du Conseil examinèrent les offres, il fut impossible de passer à côté de celle faite par l'Occidental Petroleum, car elle avait été rédigée sur des manuscrits de parchemin et emballée avec des rubans rouge, noir et vert (les couleurs du drapeau libyen). Par ailleurs, elle incluait un bonus de 30 millions de dollars à la signature.

Attiga estimait qu'Occidental Petroleum ne serait pas un bon choix. Cette société venait à peine de s'implanter dans le secteur pétrolier. Elle appartenait à un certain Armand Hammer, un promoteur haut en couleur qui avait fait fortune dans le trafic de trésors ayant appartenu aux tsars de Russie. Hammer avait depuis peu décidé de s'intéresser à l'industrie pétrolière presque pour blaguer, comme il devait l'expliquer par la suite lorsqu'il confia à quelqu'un : « Un de mes amis comptables m'a fait remarquer qu'étant donné ma tranche d'imposition je ne risquais pas grand-chose, même au cas où ce projet me ferait perdre de l'argent. » Hammer ne possédait ni l'expérience ni la compréhension de ce type d'industrie et confessait à qui voulait l'entendre : « Je serais totalement incapable de reconnaître un baril de pétrole, même si je tombais dedans ! »

Les membres du conseil pétrolier ont estimé que cela ne serait pas une bonne idée de lui confier la mise en exploitation d'une nappe pétrolière libyenne aussi prometteuse. Cependant, en fin de compte, la décision ne leur appartenait pas. Le dernier mot revenait au vieux monarque cacochyme, le roi Idris, émerveillé par la généreuse soumission d'Occidental. Comme bonus supplémentaire à la signature, dans la corbeille des cadeaux, Hammer avait même ajouté un jeu d'échecs en or massif expressément pour le roi. Le monarque libyen était connu pour aimer ce genre de cadeaux voyants. « Le régime du roi Idris avait la réputation d'être "sûr", parce qu'il était corrompu », avait fait remarquer un des conseillers pétroliers américains les plus haut placés. Être « sûr » signifiait être malléable, vénal, facilement acheté. Les personnalités de l'industrie pétrolière savaient comment s'y prendre avec le vieux roi Idris. À la fin des années soixante, la majorité des pays exportateurs de pétrole au Proche-Orient recevaient 90 cents pour 1 baril. Cependant, la Libye ne recevait que 30 cents ; pourtant, son pétrole possédait une qualité parmi les meilleures du monde et se classait parmi les moins coûteux à commercialiser, étant donné la situation géographique du pays, juste au sud de l'Italie et au bord de la Méditerranée.

En examinant la situation, Attiga fut assailli par une autre pensée. L'intérêt immense que toutes les sociétés pétrolières montraient pour cette parcelle particulière désignait clairement une réserve de pétrole gigantesque attendant son extraction. Pourquoi la Libye aurait-elle besoin de ces étrangers pour s'en occuper, et surtout de cet arnaqueur qui en connaissait encore moins sur le pétrole que ce gâteux de roi Idris ? Pourquoi les Libyens ne pourraient-ils pas faire ce travail eux-mêmes et s'assurer ainsi que les profits restent à l'intérieur du pays, où ils pourraient être utiles pour améliorer la vie misérable des citoyens ? « J'ai recommandé que cette parcelle ne soit attribuée à personne, se rappelle Attiga. Nous devrions la garder en dehors du lot de parcelles à mettre aux enchères et former une société nationale. »

Le roi rejeta l'idée d'une société pétrolière nationale et accorda la parcelle tant convoitée à Occidental. Attiga et deux autres membres du Conseil du pétrole démissionnèrent pour protester contre le gaspillage de cette occasion.

La parcelle accordée à Occidental s'est avérée être une des plus importantes nappes de pétrole au monde, et d'une facilité extraordinaire à extraire. Malgré son inexpérience, Occidental n'a éprouvé aucune difficulté à pomper l'abondant or noir présent sous le sable libyen. Le pétrole jaillissait pratiquement du sol dès que l'on forait. « Cela ressemblait presque à un lac, se rappelle Attiga. En général, le pétrole se trouve dans du sable poreux. Ici, il était concentré. » Occidental n'a pas tardé à devenir la sixième plus importante compagnie pétrolière du monde. « Occidental a bâti sa fortune en Libye », remarque avec rancœur Attiga, surtout lorsqu'il s'imagine ce que ce royaume du désert aurait pu faire avec tout cet argent.

Armand Hammer est allé rejoindre Jean Paul Getty sur la liste des hommes les plus riches au monde. La Libye allait devoir attendre pour voir se réaliser son rêve de société pétrolière nationale.

* * *

Pour des Occidentaux comme nous, il est difficile de saisir la vraie force des sentiments nationalistes qui se manifestent au Proche-Orient et le fait que ces sentiments se concentrent sur le pétrole. Ne possédant pratiquement aucune autre ressource naturelle et faisant face à une histoire de domination étrangère, les populations du Proche-Orient en sont arrivées à considérer l'or noir comme une sorte de bouée de sauvetage et la clé de leur indépendance future. Par conséquent, ces sentiments nationalistes les ont inévitablement fait entrer en conflit avec les puissants trusts occidentaux qui considèrent que le pétrole de ces régions leur appartient, du moins pas par droit de naissance, mais comme un bien que l'on peut légitimement réclamer. Un slogan très intelligent a très bien su reproduire cette attitude impérialiste. On pouvait le voir sur des pancartes contre la guerre en Irak, lors d'une manifestation qui eut lieu à Washington au printemps de 2003 : « Comment notre pétrole a-t-il bien pu se nicher sous leur sable ? »

Une des raisons qui fait que nous, les Occidentaux, éprouvons des difficultés à saisir l'étendue des sentiments nationalistes que le pétrole inspire aux populations du Proche-Orient est que nous ne réagissons pas de la même manière quand il s'agit de notre propre pétrole, du moins au Canada. L'idée d'adopter une approche nationaliste vis-à-vis de nos réserves pétrolières a complètement été abandonnée, pratiquement bannie du discours national au cours des dernières années. Il s'agit peut-être ici d'une digression. Cependant, laissez-moi constater que l'incursion rapide du Canada dans le développement d'une approche nationaliste face à nos ressources a été vite abandonnée en 1970, principalement parce qu'elle s'est embourbée dans le marécage des relations fédéral et provincial. La majeure partie du pétrole canadien se trouvant en Alberta, les tentatives pour imposer une politique énergétique nationale dans l'intérêt de tous les Canadiens ont été perçues en Alberta comme un essai de mainmise du reste du pays sur les précieuses ressources albertaines. Cela n'était peut-être pas surprenant.

Ce qui l'était, cependant, c'est le peu de sentiments, en Alberta, pour que *la province* elle-même exerce plus de contrôle et récolte plus de dividendes de ses propres ressources pétrolières. La province de l'Alberta s'était montrée incapable ou n'avait pas eu la volonté de bien négocier des accords satisfaisants avec les autres sociétés pétrolières internationales, un genre d'accord que d'autres régions productrices de pétrole ont réussi à obtenir. Mark Anielski, un économiste et expert-conseil d'Edmonton, a remarqué que l'Alberta reçoit considérablement moins de redevances pour son pétrole que des territoires comme la Norvège ou l'Alaska. Pour continuer sur le sujet des redevances, le gouvernement de Ralph Klein en encaisse beaucoup moins que celui de l'ancien premier ministre Peter Lougheed, qui avait obligé l'industrie à payer des redevances appréciables. Celles-ci étaient ensuite investies pour construire l'infrastructure de la province et pour constituer l'Alberta Heritage Fund Trust qui, dès 1986, valait 12 milliards de dollars canadiens – un chiffre qui n'a guère bougé de nos jours.

Anielski estime que si, tout comme en Norvège et en Alaska, le gouvernement Klein avait insisté pour encaisser les justes montants générés par les profits de l'exploitation du gaz et du pétrole, la province aurait pu recueillir au moins 50 milliards de dollars canadiens de plus au cours des dernières années. Cela aurait signifié un montant beaucoup plus important versé à l'Alberta Heritage Trust Fund. (La société Petrofund, de Norvège, a recueilli par exemple plus de 100 milliards de dollars canadiens.) Au lieu de cela, il semble que les sommes d'argent qui auraient dû rester en Alberta se sont retrouvées dans les coffres de compagnies pétrolières dont les sièges sociaux sont situés au Texas.

Cette sorte de détournement de ressources nationales, qui ne prête aucunement à controverse au Canada, a depuis longtemps été une source de contentieux au Proche-Orient. Dès le début des années 1950, les sociétés pétrolières internationales avaient réussi à s'emparer du pétrole des pays de cette région du monde. Ces derniers exprimaient le profond désir de reprendre le contrôle, ce qui a déclenché des forces énormes et entraîné des drames. Mais c'est en Iran que l'un d'entre eux s'est joué de manière frappante et tragique.

L'histoire se concentre autour du très charismatique Mossadegh qui, avec l'Égyptien Gamal Abdel Nasser, s'est imposé par son nationalisme au Proche-Orient. Ces deux hommes, dotés de clairvoyance et de dons oratoires convaincants, ont su s'attirer de nombreux adeptes. Toutefois, au contraire de Nasser, chef d'État répressif et dur, Mossadegh était un démocrate avec un profond sens du respect des lois et une très grande admiration pour les institutions parlementaires britanniques. En fait, Mossadegh était à la tête d'un mouvement qui, à force de ténacité, avait institué la démocratie en Iran.

Réduit au statut de protectorat britannique après la Première Guerre mondiale, l'Iran s'était longtemps embourbé dans des luttes de pouvoir entre le shah, appuyé par les Britanniques, et un parti gouvernant connu sous le nom de Majlis. Mossadegh était né au sein d'une famille privilégiée possédant de bonnes relations. Il avait étudié à Paris, était retourné en Iran et, très jeune, s'était impliqué en politique. Il se faisait le champion des Majlis, qui représentaient la voix démocratique et contestaient le pouvoir absolu du shah, soutenu par les puissances étrangères. Mossadegh a été élu plusieurs fois par les Majlis. On le considérait comme un personnage faisant preuve d'éloquence et de conviction.

Dès le début du XXe siècle, un des éléments responsables de l'instabilité politique en Iran fut l'accord incroyablement favorable donné par le shah à une entreprise pétrolière britannique, l'Anglo-Iranian Oil Company. En fait, le terme Anglo-Iranian (ou Anglo-Persian, comme l'entreprise se nommait au début) était injustifié. On aurait dû la nommer l'Anglo-Anglo Oil Company, étant donné qu'il n'y avait rien d'iranien dans cette entreprise. Elle appartenait à des Britanniques (dont plus de la moitié au gouvernement de Londres) et, en 1901, avait obtenu une concession de 60 ans pour le pétrole iranien. Résultat : des revenus pétroliers très importants se déversaient dans le budget du ministère des Finances de Sa Majesté. Ernest Bevin, le ministre des Affaires étrangères britannique a déclaré que, sans ces revenus, « il n'y aurait eu aucun espoir d'atteindre le standard de vie auquel nous aspirons en Grande-Bretagne ».

Cela était certainement parfait pour l'Angleterre, mais ne laissait pas de ressources conséquentes à l'Iran, qui ne recevait qu'une infime fraction des revenus. Ce pays n'avait pas la possibilité de dire son mot sur la façon dont était administrée la société ni même de vérifier ses états financiers. Au lieu de cela, le gouvernement britannique et la société pétrolière, dirigée par l'autoritaire Sir William Fraser, considéraient que l'Iran était à peine un peu plus qu'une colonie qu'ils pouvaient exploiter selon leur bon plaisir. Le grand centre pétrolier iranien, Abadan, était pratiquement la caricature d'une cité coloniale. Dans le quartier anglais, on y voyait des pelouses bien tenues, des jardins fleuris, des piscines, et il existait même un *country club* pour l'élite étrangère. Non loin de là, mais hors de vue, les ouvriers iraniens du pétrole subsistaient dans des conditions sordides dans un bidonville du nom de Kaghazabad. Ils vivaient dans des habitations faites de vieux barils de pétrole rouillés qu'ils aplatissaient à coup de marteau et qu'ils assemblaient. Il n'y avait ni eau courante, ni électricité, ni routes carrossables. Bref, les Iraniens et les Britanniques menaient des vies totalement séparées à Abadan. Des autobus et des théâtres étaient réservés uniquement aux Britanniques. Même s'ils en avaient eu la possibilité financière, les Iraniens n'avaient pas le droit d'utiliser ces services.

En 1949, un désir de démocratie se manifestait en Iran en même temps qu'un sentiment antibritannique se faisait sentir au sein de la population. Les membres des Majlis demandèrent que la concession accordée à l'Anglo-Iranian Oil Company soit révoquée. Le monarque de l'époque, Mohammad Reza Pahlavi, le fils de l'ancien shah, falsifia les résultats des élections nationales pour obtenir un corps législatif plus malléable. Son ingérence éhontée a provoqué des manifestations monstres partout en Iran et tout particulièrement à Téhéran, la capitale. Mossadegh fit appel aux personnes en faveur d'élections justes afin qu'elles se rassemblent devant sa maison – ce que des milliers de personnes ont fait. Il a emmené cette foule bruyante à travers les rues de la ville jusqu'à la pelouse, devant le palais royal. Ensuite, il a refusé de quitter la place tant que le shah n'aurait pas donné son accord pour promulguer de nouvelles élections non truquées. Le shah a fini par accepter après que la foule fut restée trois jours et trois nuits à monter la garde devant son palais.

Lors des élections qui ont suivi, Mossadegh et quelques-uns de ses proches associés ont été élus et ont formé un bloc puissant qui réclamait toujours plus de démocratie et de contrôle national sur l'industrie pétrolière. Ils jouissaient d'un énorme appui de la part de la population, et celui-ci s'exprimait par des rassemblements dans la rue. Cela leur a permis de faire des progrès sur la question pétrolière. Lors de l'hiver 1951, un comité Majlis dirigé par Mossadegh a recommandé de nationaliser l'Anglo-Iranian Oil Company. Le 15 mars, le corps législatif a fait voter sur cette question. Le shah et l'ambassadeur britannique avaient fait usage de maintes pressions pour que les députés restent chez eux ce jour-là. Malgré l'écrasante contrainte qu'ils avaient subie, 96 députés se sont présentés – suffisamment pour atteindre un quorum – et ils votèrent tous en bloc en faveur de la nationalisation. Le mois suivant, une motion fut votée pour faire de Mossadegh le premier ministre, un poste qu'il acceptait à la seule condition que le corps législatif nationalise l'Anglo-Iranian. Une fois de plus, ce fut une réussite retentissante : la motion était passée à l'unanimité.

Les Britanniques furent sidérés lorsque les Iraniens, sous la direction de Mossadegh, entreprirent cette nationalisation. Londres considéra cela comme le vol honteux d'une propriété britannique et même un affront pour l'honneur de la Grande-Bretagne. « Notre autorité au Proche-Orient a été profondément ébranlée », a déclaré Sir Anthony Eden, le ministre des Affaires étrangères britannique. Dean Acheson, le secrétaire d'État américain, a résumé plus tard l'attitude de la Grande-Bretagne – et apparemment la sienne – lorsqu'il a décrit les Britanniques comme des victimes offensées par « un défi insolent, un outrage à la décence, à la légalité et à la raison, un acte commis par un groupe d'Iraniens violents dont l'unique but était de dépouiller la Grande-Bretagne ».

En ce qui concerne la nationalisation du pétrole iranien, faisant preuve une fois de plus de complaisance pour l'industrie pétrolière, Daniel Yergin dépeint le départ des Britanniques d'Abadan comme une évolution triste et même poignante de leur destinée. Le journaliste nous décrit la façon avec laquelle les industriels du pétrole et leurs familles étaient rassemblés devant leur *country club* et comment le pasteur ferma la porte de leur église « qui avait abrité l'histoire de cette petite communauté insulaire et les registres de toutes les personnes qui étaient nées, avaient été baptisées, s'étaient mariées ou étaient décédées à Abadan ». Puis Yergin nous raconte comment, lorsque les expatriés du pétrole prirent la mer sur un paquebot britannique, l'orchestre joua la *Marche du Colonel Bogey*. Ils chantèrent alors à l'unisson, « formant une chorale improvisée sous le soleil implacable ». Et c'est ainsi, par un défi musical, « que la Grande-Bretagne faisait ses adieux à son entreprise la plus importante à l'étranger ». Dans la façon d'interpréter les événements, Yergin présente les Iraniens comme des affreux qui se sont emparés de leur propre pétrole, tandis que les Britanniques avaient le rôle de pauvres victimes sans défense, des gens spoliés obligés de s'en aller en chantant par signe de défi, après avoir été chassés de leurs demeures. N'oublions pas qu'il s'agit des mêmes Britanniques qui ne donnaient pas la permission aux Iraniens de voyager dans les mêmes autobus qu'eux ou de fréquenter leurs salles de spectacle.

Les sociétés pétrolières internationales n'ont pas tardé à réagir. Elles prirent en bloc la défense de l'un des leurs. Elles considéraient qu'une attaque contre la Anglo-Iranian Oil Company était une attaque contre l'industrie pétrolière mondiale, contre l'inviolabilité des droits des *majors* sur les réserves de pétrole de la région. (« En premier, ils se sont attaqués à l'Anglo-Iranian et je n'ai rien fait ; la prochaine fois, ce sera au tour d'Exxon... ») Ainsi, les sociétés pétrolières les plus importantes se sont unies pour boycotter à l'échelle mondiale le pétrole nationalisé par l'Iran. Les gouvernements britannique et américain ont appuyé cet embargo, et Washington a fait pression sur les sociétés pétrolières américaines indépendantes afin qu'elles aussi le respectent et refusent toute tentative de rapprochement de la part du gouvernement iranien ayant pour but l'exploitation du pétrole de son pays. En mai 1951, le Département d'État américain a publié un communiqué de presse faisant état d'une déclaration des sociétés pétrolières américaines selon laquelle « elles ne voulaient absolument pas, à la lumière de l'action unilatérale exercée par les Iraniens contre les Britanniques, entreprendre une exploitation quelconque en Iran ».

Le boycottage réussit à couper le flux de pétrole iranien sur les marchés mondiaux, ce qui s'est avéré désastreux pour l'économie iranienne. « L'embargo a été très efficace étant donné la coopération des huit sociétés pétrolières majeures, a fait remarquer Zuhayr Mikdashi, un analyste en questions pétrolières. Cet embargo a eu, comme cela avait été voulu, un effet punitif sur l'économie de la Perse. » Les exportations de pétrole iranien, qui rapportaient 400 millions de dollars, n'en rapportaient plus que deux millions en 1952.

Malgré tout cela, l'embargo ne réussit pas à faire tomber le gouvernement de Mossadegh. De plus en plus populaire auprès des Iraniens, il devint rapidement le symbole populaire du défi au pouvoir britannique au Proche-Orient. Lors d'un voyage au Caire, pendant l'automne 1951, il signa un traité d'amitié par lequel l'Iran et l'Égypte se mirent d'accord pour « abattre l'impérialisme britannique ». (Cette position commune était particulièrement saisissante, car, même s'ils partagent la religion islamique, les Iraniens sont des Perses et les Égyptiens des Arabes, et ils parlent des langues différentes.)

Le boycottage pour faire reculer Mossadegh n'ayant servi à rien, les Britanniques commencèrent à envisager d'autres actions. Le ministre de la Défense britannique, Emmanuel Shinwell, fit une mise en garde contre les dangers de laisser les Iraniens nationaliser leur industrie pétrolière en toute impunité : « Si la Perse devait se sortir aussi impunément de cette situation, l'Égypte et les autres pays du Proche-Orient s'imagineraient pouvoir tenter la même chose. » Winston Churchill, le premier ministre qui avait toujours été un grand défenseur de la puissance de l'empire britannique, a été convaincu que les actions de Mossadegh devaient être stoppées et que ce dernier pouvait même être renversé. « Une des grandes croisades de Churchill avait toujours été de maintenir une position ferme contre le nationalisme dans les pays du tiers-monde et, au crépuscule de sa carrière, il était décidé à mener un ultime combat dans cet esprit », a noté Stephen Kinzer, correspondant du *New York Times* et auteur d'un livre intitulé *All the Shah's Men*[20].

---

20. Stephen Kinzer. *All the Shah's Men, An American Coup and the Roots of Middle East Terror*, John Wiley & Sons (« Le Coup américain et la source de la terreur au Proche-Orient »). Disponible en anglais et en perse, 258 p. *(N.d.T.)*

En tout premier lieu, Washington n'avait pas montré grand enthousiasme pour appuyer un coup d'État en Iran, mais cette position s'est modifiée avec la fin de l'administration démocrate d'Harry Truman et l'élection du républicain Dwight Eisenhower. Ce dernier avait tendance à considérer l'Iran comme un champ de bataille possible entre les États-Unis et l'Union soviétique. Kinzer rapporte que, le 14 juin 1953, Eisenhower a été mis au courant, de façon très schématique, que la CIA préparait le renversement de Mossadegh. « Eisenhower n'a pas eu besoin de plus de détails et a donné sa bénédiction aux plans des agents de ses services de renseignements. À peu près à la même époque, Churchill a donné son propre assentiment secret – une approbation beaucoup plus enthousiaste », explique le journaliste. La CIA a envoyé à Téhéran son agent le plus expérimenté, Kermit Roosevelt, le petit-fils du président Theodore Roosevelt. Ce descendant de célèbre lignée a passé une semaine en rencontres secrètes avec le shah pour essayer de gagner son appui pour le futur coup d'État. Kinzer décrit leurs rencontres clandestines et la répugnance que le shah éprouvait au tout début pour appuyer le coup d'État de peur que celui-ci ne tourne mal. Cependant, à force de se trouver en butte à la pression de Roosevelt, le shah finit par adopter la position des États-Unis.

Finalement, le coup d'État se révéla une réussite. Le gouvernement iranien, qui avait été élu de façon démocratique, a été renversé, et le très populaire Mossadegh, arrêté et jugé par un tribunal militaire. Il fut condamné à une peine de trois ans d'emprisonnement, puis placé en résidence surveillée jusqu'à sa mort, en 1967. Le shah, qui avait fui pendant le coup d'État, est remonté sur le trône avec des pouvoirs largement étendus et l'appui inconditionnel du gouvernement américain. C'est alors qu'a commencé le règne de la terreur en Iran, une terreur qui n'a probablement été égalée que par celle de Saddam Hussein sur l'Irak. (En ce qui concerne Kermit Roosevelt, il a reçu la médaille de la U. S. National Security des mains d'Eisenhower lors d'une cérémonie secrète. Après avoir quitté la CIA, il a travaillé six ans comme employé... de la Gulf Oil.)

Le coup d'État contre Mossadegh dirigé par les Américains est devenu un tournant décisif au Proche-Orient. D'une façon, il a servi d'exemple pour dissuader tous les pays qui auraient eu l'idée de posséder un meilleur contrôle de leur industrie pétrolière. Il est certain que les Britanniques et les Américains considéraient les ressources pétrolières du Proche-Orient comme leur propriété personnelle, et ils avaient démontré leur détermination à renverser tout gouvernement ayant l'intention d'agir à l'encontre de leurs intérêts. En revanche, le coup d'État en Iran, qui avait parfaitement montré les visées impérialistes des Américains comme des Britanniques, a servi de catalyseur puissant dans les années suivantes pour faire naître un nationalisme antioccidental dans ces régions. Ce ressentiment s'est le mieux exprimé chez Nasser, le jeune et fougueux colonel égyptien qui avait pris le pouvoir après un soulèvement populaire contre la monarchie corrompue au pouvoir et contre l'occupation britannique qui la soutenait. À cette occasion, plus d'un million de personnes avaient participé à une manifestation dans les rues du Caire, en janvier 1952.

L'appel de Nasser reposait sur sa volonté de mettre au défi les puissances occidentales et sur une profession de foi indéfectible pour une souveraineté arabe et son unité, un message qu'il a transmis dans tout le Proche-Orient lors d'émissions radiodiffusées, *La Voix des Arabes*. Pratiquement devenu un personnage légendaire, il est vénéré par les populations arabes souvent irritées par la docilité de leurs dirigeants qui se laissaient dominer par les puissances européennes. Son prestige auprès de la population égyptienne a vraiment grandi lors de sa revendication du contrôle du canal de Suez, ce moyen de communication vital pour le transport du pétrole entre le golfe Persique et l'Europe. Une intervention armée organisée par la Grande-Bretagne, la France et Israël a finalement échoué, laissant le canal sous contrôle des Égyptiens. La victoire de Nasser, en 1956, lors de la crise du canal de Suez, a été célébrée dans tout le Proche-Orient comme un symbole du défi et une rare victoire sur les pays occidentaux.

Très rare, en effet. En général, les nations à prédominance arabe et musulmane du Proche-Orient ont souffert des défaites humiliantes de la part d'Israël et des pays occidentaux. Le renversement du gouvernement de Mossadegh a certainement été l'une des humiliations les plus écrasantes infligées à un pays qui essayait d'affirmer sa souveraineté. De plus, ce revers a amené plus de 25 ans de dictature impitoyable sous le règne du shah qui est resté en étroite relation avec Washington. Toute possibilité de protester ayant été muselée en Iran, l'opposition se concentrait dans les mosquées, le seul endroit où il était encore possible de tenir de grands rassemblements et où une forme de résistance implacable avait commencé à s'organiser sous l'étendard du fondamentalisme islamique. Cet intégrisme a réussi à provoquer la chute du shah lors de la révolution iranienne de 1979 et a été à l'origine d'un mouvement de haine antioccidentale au sein du monde arabe. Il est vraiment ironique de constater que Washington parle, à l'heure actuelle, d'apporter la démocratie au Proche-Orient. Contre toute attente, la démocratie avait déjà triomphé en Iran au début des années cinquante... pour finir écrasée par le gouvernement américain. Or, on sait combien la chute de Mossadegh a provoqué de conséquences désastreuses qui se font encore sentir de nos jours.

Cependant, à l'époque, le renversement de Mossadegh et l'installation du régime pro- occidental du shah ont été considérés comme une victoire par Washington et par Londres, car les nationalistes désobéissants du Proche-Orient avaient reçu une leçon, et le pétrole iranien était de nouveau passé sous le contrôle des pays occidentaux. La police secrète du shah éliminant systématiquement toute opposition, l'Anglo-Iranian Oil Company pouvait revenir en Iran en toute sécurité à Abadan, qui redevenait de nouveau la ville de la communauté britannique expatriée. C'est ainsi que l'Anglo-Iranian (plus tard, la British Petroleum ou BP) est retournée en Iran, cette fois-ci comme membre d'un consortium incluant aussi les sociétés pétrolières les plus importantes des États-Unis.

L'ordre international pétrolier avait été restauré.

* * *

Une des choses les plus frappantes de cet ordre international, qui a dominé l'économie mondiale à partir de 1920, a été la manière efficace, systématique et absolue avec laquelle il a fonctionné comme un cartel.

Au début du XXe siècle, lorsqu'on découvrit le potentiel pétrolier du Proche-Orient, quelques grandes sociétés internationales s'y installèrent pour prendre le contrôle du pétrole. Ces déserts sous-développés avaient été dominés pendant de nombreux siècles par l'Empire ottoman, puis découpés après la Première Guerre mondiale en plusieurs pays dirigés principalement par les Britanniques. Au milieu des années vingt, une entité, la Iraq Petroleum Company (IPC) fut mise sur pied pour exploiter du pétrole dans un pays nouvellement créé, l'Irak. L'IPC était en fait un partenariat, propriété des cinq plus importantes sociétés européennes et américaines de l'industrie pétrolière : Shell, Anglo-Iranian (BP), Exxon, Mobil et la Compagnie française des Pétroles, propriété du gouvernement français. (Il y avait aussi un sixième participant de moindre importance, un certain Calouste Gulbenkian, un spéculateur arménien qui avait été le premier à découvrir le potentiel de la région en 1904.) Ces cinq sociétés à elles seules dominaient déjà le marché mondial du pétrole et avaient décidé de former ce partenariat pour éviter que toute rivalité se développe entre elles lors de leur implantation dans cette nouvelle région.

Pour y parvenir, les partenaires avaient réfléchi à la bonne façon de coopérer afin que chacun conserve sa position prédominante sur le marché mondial. Ils avaient commencé par considérer les anciennes frontières de l'Empire ottoman et avaient sélectionné une énorme portion de terre qui, à l'heure actuelle, inclut l'Irak, l'Arabie saoudite et la plupart des émirats du golfe Persique. Pour s'assurer de la réussite de leur projet, elles décidèrent de l'exploiter ensemble et d'abandonner toute tentative d'exploitation indépendante risquant de les mettre en concurrence. Cet accord, connu par la suite sous le nom de Red Line Agreement (lors d'une réunion, Gulbenkian avait tracé une épaisse ligne rouge autour de l'endroit visé sur la carte), impliquait les régions les plus riches du globe en pétrole.

Les intentions des sociétés impliquées étaient bien claires : éviter toute concurrence entre elles. Cependant, le danger que d'autres compagnies décident de forcer le passage pour pénétrer à l'intérieur de la Ligne rouge existait toujours. C'est pourquoi les partenaires de l'IPC se hâtèrent d'acheter le plus de concessions possible au gouvernement irakien et aussi de s'assurer le contrôle de toutes les compagnies pétrolières qui auraient osé s'aventurer dans les régions prédéfinies pour y acheter des concessions. Toutefois, elles durent faire face à un obstacle majeur, lorsqu'un acteur important se présenta et se défendit de façon coriace pour ne pas se laisser absorber. Ce nouvel arrivant sur la scène du golfe Persique était la Standard Oil of California (SoCal), une des pièces maîtresses de l'empire Rockefeller. SoCal n'était qu'un pion de petite taille sur le grand échiquier où dominait sa grande sœur Exxon. Il s'agissait d'une société principalement régionale, qui avait dépensé en vain de grosses sommes d'argent dans la prospection du pétrole un peu partout autour du globe. Cependant, en 1932, la chance lui sourit lorsqu'elle découvrit du pétrole dans le petit état de Bahreïn, dans le golfe Persique.

Trois des principaux associés de l'IPC, Shell, BP et Exxon, détectèrent immédiatement l'immense problème que cette menace pouvait créer : une réelle concurrence. Une note de service interne publiée par Exxon décrivait la situation dans les termes les plus durs. On y lisait : « Si la société SoCal n'était pas intégrée dans le système déjà existant des marchés mondiaux, elle "deviendra automatiquement concurrente" et cela risque d'avoir un "effet défavorable sur la façon d'établir les prix" du marché pétrolier planétaire. »

Il fallait obligatoirement trouver un compromis avec SoCal. Cependant, le problème a empiré avant que la moindre action pût être entreprise. En 1938, SoCal a découvert du pétrole en Arabie saoudite, un coup incroyable pour un acteur relativement modeste. Le roi Ibn Séoud talonnait la SoCal et sa partenaire Texaco afin qu'elles exploitent au plus vite les réserves pétrolières de son pays, et elles se sont pliées à ses désirs. Par la suite, il est devenu beaucoup plus difficile de garder le bon génie dans sa bouteille. Dès 1946, le pétrole saoudien faisait son entrée sur les marchés mondiaux au prix de 90 cents le baril, ce qui lui donnait un net avantage sur le pétrole des autres, qui se vendait 1,28 $ le baril à l'époque.

Exxon trouva la solution : plutôt que d'écouler le pétrole à bas prix sur le marché mondial et, par conséquent, de provoquer une concurrence sauvage dans un marché normalement très contrôlé, les compagnies pétrolières allaient devenir partenaires dans l'aventure saoudienne de SoCal afin que le pétrole d'Arabie saoudite puisse être commercialisé grâce aux nombreux points de vente d'Exxon dans le monde entier. Cependant, cette solution n'était pas sans problèmes. L'Arabie saoudite se trouvait à l'intérieur des limites de la Ligne rouge, et l'accord du même nom spécifiait que les partenaires de l'IPC pouvaient participer à des entreprises commerciales à l'intérieur des pays concernés par l'Accord, mais uniquement *en tant que groupe*. Mais l'antipathie du roi envers tout ce qui était britannique excluait toute implication de BP ou de Shell. De plus, les Français et Gulbenkian se montraient très réticents à toute modification à l'accord. Cette controverse dura plus de six ans, jusqu'à ce qu'Exxon réussisse à convaincre ses autres partenaires qu'il était de l'intérêt de tous d'éviter une guerre des prix. Les limites de la Ligne rouge furent modifiées afin qu'Exxon et son acolyte Mobil – sans les autres partenaires de l'IPC – puissent faire partie du marché saoudien.

Toutefois, SoCal (et Texaco) devait donner son accord pour qu'Exxon et Mobil la rejoignent dans l'entreprise saoudienne – mais pourquoi devaient-ils être d'accord ? Elles avaient tiré le meilleur lot, dont elles pouvaient déjà bien évaluer l'étendue ; elles n'avaient pas besoin de se plier aux exigences d'Exxon, ce géant qui s'était impérieusement emparé du marché mondial et tenait beaucoup à abattre toute concurrence partout où elle faisait surface. Une faction du conseil d'administration de SoCal a âprement discuté les avantages de laisser Exxon entrer dans le marché saoudien et a insisté pour que

SoCal et Texaco agissent en solitaires et deviennent ainsi les fournisseurs des raffineries et des distributeurs indépendants du marché américain. « Les gains que nous réalisons en Arabie saoudite sont exceptionnels et le seront encore plus , qu'il y ait accord ou pas [avec Exxon] », a constaté Robert C. Stoner, le directeur de SoCal. James MacPherson, le chef d'exploitation de SoCal en Arabie saoudite, s'est vivement fait l'écho de ce point de vue et a recommandé avec insistance que SoCal utilise sa nouvelle « mine d'or » pour devenir une *major*, indépendante, forte et non une domestique d'Exxon.

Si jamais SoCal décidait de laisser Exxon les rejoindre, sa part des profits diminuerait considérablement et, ce qui est plus important, elle devrait fonctionner dans le cadre des contraintes imposées par les plans mondiaux d'Exxon. D'autre part, si SoCal et Texaco exploitaient à elles deux le pétrole saoudien, elles seraient libres de devenir un adversaire important capable de vendre son pétrole aux raffineries et aux distributeurs indépendants américains. Comme l'a déclaré John M. Blair, un expert en questions pétrolières, SoCal pourrait devenir « le plus important fournisseur de pétrole au monde, avec la possibilité de battre n'importe quel rival ou ensemble de rivaux dans des marchés ouverts à la concurrence ». Il existait des bénéfices évidents pour les actionnaires de SoCal, mais il est intéressant d'avancer des hypothèses et de se demander si une SoCal puissante et indépendante opérant à l'extérieur du cadre douillet du décor pétrolier connu et risquant d'abaisser les prix du pétrole aurait pu provoquer une vraie concurrence apte à se révéler vraiment bénéfique pour des millions de personnes dans le monde.

En fin de compte, Exxon et Mobil reçurent la permission de se joindre à l'aventure en Arabie saoudite. La réserve pétrolière la plus importante au monde allait être exploitée par une association qui ne comporterait que des sociétés américaines : Exxon, Mobil, SoCal et Texaco, une coalition qui opérerait sous le terme générique d'Aramco. Entre autres choses, cet accord devait, à long terme, assurer à Exxon une domination du marché pétrolier international. La raison qui a motivé SoCal à accepter une telle fusion n'est pas vraiment claire, étant donné tous les arguments contre cette entente. Selon Yergin, elle a pu se produire parce que le président de SoCal, Harry Collier, était favorable à un tel arrangement. Collier, surnommé le « magnat terrible » en raison de son entêtement bien connu, avait son mot à dire dans cette affaire. Yergin prétend aussi que donner la permission à Exxon d'entrer sur le marché saoudien s'était révélé une option intelligente, car elle permettait une meilleure stabilité des marchés financiers et de l'économie. Cependant, pouvait-on douter que les marchés et le monde de la finance soient favorables à une société ayant la main haute sur la plus grande réserve de brut au monde ?

Blair nous propose une autre explication possible pour l'ouverture de SoCal à l'égard d'Exxon. Il remarque que la famille Rockefeller possédait encore suffisamment d'actions des trois sociétés, Exxon, Mobil et SoCal, pour se permettre de conserver un contrôle efficace sur leurs entreprises. La famille Rockefeller pouvait donc décider des actions de SoCal. Si l'on considère le point de vue des Rockefeller, il n'était pas dans leur intérêt que SoCal agisse en solitaire et crée ainsi une vraie concurrence à l'intérieur du marché pétrolier. Pourquoi la famille Rockefeller aurait-elle accepté que des sociétés sous son contrôle s'affrontent et deviennent des concurrents sérieux ? Il était bien préférable que tout le monde coopère gentiment et partage les profits, comme ils l'avaient fait au bon vieux temps de la South Improvement Company.

Il se peut bien que Harry Collier, le président de SoCal, le soi-disant terrible magnat du pétrole, n'était pas un directeur aussi obstiné qu'on le prétend, mais tout simplement un employé ne faisant qu'obéir à des ordres... qui venaient de très haut.

* * *

DATE : septembre 1928

LIEU : Achnacarry Castle, sur la côte ouest de l'Écosse

ÉVÉNEMENT : Entente sur les prix internationaux et chasse au coq de bruyère

NOTA BENE : prière d'emmener votre propre personnel de maison

Si l'on essayait d'imaginer un scénario dans lequel se retrouverait une bande de magnats des grandes entreprises réunis pour découper le marché mondial en morceaux et s'entendre de manière illicite sur les prix, il serait difficile de trouver quelque chose de plus approprié que ce rendez-vous d'Achnacarry, qui se déroula à la fin de l'été 1928. Les présidents-directeurs généraux des trois sociétés pétrolières dominant le marché – Shell, BP et Exxon – se réunirent dans un château isolé du début du XIXe siècle, niché au milieu de 25 000 hectares de terrain de chasse magnifique situé dans les Highlands écossais. Leur objectif était de conspirer sur la façon de mettre fin à la concurrence des prix qui se faisait sentir sur les marchés pétroliers d'Extrême-Orient et menaçait de s'étendre à d'autres pays. En plus de leur goût prononcé pour la chasse au coq de bruyère et les alcools de prix, ils communiaient dans une même et profonde aversion pour la concurrence. Ce château perdu (qu'ils avaient loué par l'entremise d'une agence locale, sans domesticité) leur offrait la possibilité de négocier un accord entre eux, de mettre le tout par écrit, sans que des intrus puissent le découvrir et, ainsi, de museler la concurrence.

Malgré tous les efforts déployés pour garder secret le lieu de la rencontre, il y eut cependant des fuites. Cela n'a pas empêché les trois hommes (Walter Teagle, d'Exxon, John Cadman, de BP, et Sir Henri Deterding, de Shell) de mettre par écrit un accord qui allait dicter la conduite du marché du pétrole pour les décennies à venir. Le document a été daté du 17 septembre 1928. Par cet accord, les trois sociétés s'engageaient à ne pas se concurrencer, à installer des quotas afin de conserver leurs parts du marché, à coopérer en partageant les équipements et les installations, et à empêcher toute production excédentaire qui aurait comme résultat un déséquilibre des prix. Cet accord de principe assez général, établi dans une atmosphère de parties de chasse et de beuveries au château, a été suivi de trois autres accords beaucoup plus détaillés, au cours des six années qui ont suivi. Ces nouveaux accords établissaient exactement les modalités selon lesquelles les trois grandes sociétés allaient coopérer pour diriger ce qui représenterait des cartels internationaux, nationaux et locaux. De plus, quatre grands acteurs du marché pétrolier – Texaco, Gulf, Mobil et Atlantic – furent conviés à en faire partie, ce qui rendait ces ententes beaucoup plus complètes et leur permettait ainsi de couvrir encore mieux les marchés internationaux.

Les détails de ces accords sont d'une précision étonnante. Tous les aspects ont été étudiés et prévus pour garder la stabilité du marché : la façon dont les quotas pouvaient être modifiés suivant les circonstances, ce qui se produirait si ces derniers étaient dépassés ou si on sous-exploitait les gisements, une pratique connue sous le nom de « sous-commercialisation ». (Ainsi, il était spécifié que les quotas d'une société faisant de la sous-commercialisation seraient réduits lors de l'exercice financier suivant en distribuant aux autres participants un quart de la somme dépassant sa marge de 5 %.) Ils avaient même mis au point des règlements dans le domaine publicitaire. Certains types de publicités devaient être éliminés ou réduits ; cela incluait les panneaux publicitaires sur les routes, les affiches, les enseignes chez les concessionnaires et même les gadgets comme les briquets. Il y était indiqué comment trafiquer les prix (par consentement mutuel) et traiter les concurrents (de préférence en les achetant).

Tout cela était surveillé par un secrétariat à plein temps situé dans des bureaux à Londres et à New York. Les détails pratiques de l'exécution de ces accords étaient laissés à ce qui a été décrit sans aucune honte dans les documents de la coalition comme étant des « cartels régionaux ». Ces organismes, gérés par des employés locaux des sociétés pétrolières, étaient très occupés à étudier tous ces règlements et à s'assurer que les directives reçues pour empêcher la concurrence soient observées à leur niveau. L'étendue de leurs activités est illustrée par le fait (découvert à la suite d'une enquête du Parlement suédois) qu'en 1937 les compagnies pétrolières faisant partie du cartel suédois se sont réunies 55 fois au cours desquelles elles ont discuté de 897 sujets. (L'année suivante, elles ont couvert 656 sujets au cours de 49 réunions et, un an plus tard, 776 sujets au cours de 51 réunions.) Il est évident que, pour empêcher les forces du marché libre d'agir à leur guise dans le domaine pétrolier, il importe de se livrer à un travail de bénédictin.

Depuis lors, toutes les sociétés pétrolières ont été d'accord pour accepter les accords d'Achnacarry, en insistant cependant pour qu'ils soient résiliés à la fin des années trente. Cependant, la U. S. Federal Trade Commission, qui avait découvert de nombreuses preuves des accords du cartel dans les dossiers des sociétés pétrolières au cours d'une enquête dans les années quarante, n'a pas pu trouver trace d'une quelconque résiliation à un moment ou à un autre. Toutefois, John Blair soumet certaines preuves laissant entendre que le cadre de toute coopération entre les géants du pétrole était encore en vigueur aussi tardivement qu'au début des années 1970. Il s'agit en fait de délibérations tenues par les *majors* pour décider si elles devaient continuer de négocier conjointement avec la Libye et les autres pays du Proche-Orient. Un représentant de Bunker Hunt International, une société importante qui dirigeait des exploitations en Libye, a témoigné par la suite à l'occasion d'audiences devant le Sénat américain qu'à un moment donné il avait été appelé à livrer son point de vue sur le sujet aux directeurs du London Policy Group, une association de *majors*. Lorsqu'il fut décidé que le sujet était trop important pour être traité par ce groupe londonien, on lui a demandé de répéter son opinion lors d'une conférence internationale organisée avec le siège social de Mobil à New York. Le spécialiste s'est retrouvé en train d'exposer son point de vue à l'occasion d'un « congrès des chefs », présidé par le directeur général d'Exxon, Kenneth Jamieson.

* * *

Quelques analystes minimisent l'importance de la façon dont ces supersociétés ont pu fonctionner en tant que cartel. Daniel Yergin, par exemple, reconnaît que les accords d'Achnacarry ont tenté de limiter la concurrence, mais il laisse entendre que ces ententes n'ont pas été vraiment une réussite : « Les sociétés pétrolières n'ont pas eu plus de succès lorsqu'elles ont essayé de faire appliquer les accords d'Achnacarry qu'elles n'en avaient eu pour garder secret le lieu de leur rencontre. » En effet, la concurrence était présente : il existait quelques sociétés pétrolières indépendantes, tout particulièrement sur le marché américain, car elles étaient protégées par les lois antitrust. Et aussi quelques producteurs, raffineurs et, ailleurs, quelques distributeurs.

Cependant, la façon dont les supersociétés se sont organisées pour que les indépendantes demeurent des marginales et qu'elles soient dans l'impossibilité de leur opposer une vraie concurrence ou de défier véritablement leur suprématie fut remarquable. Dans la plupart des cas, les *majors* ont eu la possibilité de trafiquer les prix de façon unilatérale et d'imposer leurs politiques à l'industrie pétrolière. « À partir des accords d'Achnacarry, en 1928, qui ont réparti les marchés internationaux du pétrole [...] les supersociétés se sont arrangées pour que le prix du brut demeure stable, surtout parce qu'elles gardaient le contrôle de la production mondiale », a remarqué l'économiste Michael Tanzer. L'Iran, par exemple, a découvert à quel point les *majors* collaboraient les unes avec les autres lorsqu'elles ont organisé et mis en place l'embargo mondial sur le pétrole iranien, pendant les deux ans qui ont suivi la nationalisation de ce secteur. Il était évident que les *majors* œuvraient à l'unisson et obligeaient le reste de l'industrie pétrolière à suivre leur ligne de conduite. Ce boycottage s'est déroulé au début des années cinquante, plus de dix ans après que les géants eurent déclaré avoir abandonné les accords d'Achnacarry.

Le pouvoir des *majors*, qui ressemblait bien à celui d'un cartel, fut prouvé par leur façon de contrôler l'approvisionnement en brut sur le plan mondial. En outre, elles s'assuraient que seule la quantité de pétrole déterminée par elles serait commercialisée. Un surplus de pétrole risquait fort de faire baisser les prix, une perspective qu'elles ne souhaitaient guère. D'autre part, si la quantité de pétrole mise sur le marché était insuffisante, les prix risquaient de grimper, ce qui pourrait provoquer une sérieuse baisse de l'économie mondiale et ne présenterait rien de très avantageux pour elles. Ce n'était donc qu'en contrôlant la quantité globale de pétrole disponible que les *majors* pouvaient maintenir les prix qui leur convenaient, une tâche pas plus facile d'ailleurs que le contrôle des approvisionnements en brut. Ce dernier se trouvait dans de nombreux pays, aux quatre coins du monde. Pour s'assurer un maximum de revenus, les gouvernements tenaient à ce que l'on procède à l'exploitation des gisements dans les meilleurs délais (et dans les conditions les plus favorables). Cependant, prolongement inattendu, les *majors* se montrèrent capables de contrôler les approvisionnements en brut et de freiner l'exploitation de certains gisements pétrolifères.

Le plus surprenant dans l'histoire du pétrole est la façon dont les *majors* ont *ralenti les activités* des exploitations pétrolières. Cela ne cadre pourtant pas avec la croyance populaire voulant qu'il existe une recherche constante de nouvelles sources d'approvisionnement en brut et un profond désir de les exploiter au plus vite pour les mettre à profit. En fait, les *majors* tiennent à éviter tout surplus susceptible de faire baisser les prix. Ainsi, elles faisaient souvent de leur mieux pour ne pas trouver de pétrole ou du moins pour empêcher que les gouvernements sachent exactement les quantités découvertes et ainsi échapper à toute pression pour les exploiter et les rendre disponibles. On raconte que, à l'annonce que les géologues d'Exxon venaient de découvrir une nappe de pétrole de 10 milliards de barils à Oman, Howard Page, le vice-président d'Exxon, répondit : « Eh bien, je suis pratiquement certain que nous ne tenons pas à commencer l'exploitation. Comme cela, le problème est réglé. Je pourrais investir là un peu d'argent si j'étais sûr qu'il n'y a pas de pétrole, mais puisque nous sommes certains d'en trouver, je ne ferai aucun investissement. »

L'Irak nous offre un exemple intéressant de la façon dont les *majors* ont conspiré pour dissimuler le pétrole existant – ou l'« avaler » comme disent les pétroliers. La richesse des réserves de pétrole en Irak était connue depuis le début. Les géants, comme nous l'avons vu, ont rapidement fait main basse sur celles-ci, mais pas pour les exploiter. Ces *majors*, qui opéraient par l'entremise de l'Iraq Petroleum Company (IPC), avaient réussi à convaincre le gouvernement irakien de leur accorder l'exclusivité des droits d'exploitation du pétrole pour le pays au complet. L'IPC, qui avait gagné cette énorme concession, n'extrayait paradoxalement que peu de pétrole. En 1950, moins de 1 % des nappes de pétrole irakiennes avait été exploitées, à la grande frustration du gouvernement du pays. De plus, l'IPC avait découvert d'autres gisements, mais faisait tout son possible pour cacher au gouvernement irakien les renseignements concernant ces nouvelles découvertes. Selon un rapport secret cité au Sénat américain lors d'audiences tenues en 1974, l'IPC avait effectué des forages et découvert la possibilité de pomper 50 000 barils de pétrole par jour. Toutefois, la société avait préféré « obturer ces puits, choisissant de ne pas les enregistrer, car la divulgation de tels renseignements aurait pu mettre l'IPC en mauvaise situation pour négocier avec l'Irak ».

L'IPC réservait les mêmes astuces à la Syrie voisine. Le gouvernement syrien s'était demandé si l'IPC était vraiment intéressée à exploiter le pétrole – un soupçon qui s'avéra justifié. Dans une note de service, le directeur général de l'IPC a écrit que la société était occupée à « forer des puits dans des endroits où il n'existait aucune possibilité de trouver du brut ». Dans une autre note, il précise : « Nous voulons implanter suffisamment de décors crédibles pour faire croire que nous exploitons véritablement la concession. »

Les *majors* n'étaient peut-être pas disposées à exploiter les nappes de pétrole, mais elles faisaient très attention à ce que d'autres ne le fassent pas à leur place. C'est ainsi qu'en 1961 elles ont fortement réagi lorsque l'Irak a protesté contre la lenteur de l'IPC à exploiter du pétrole et a supprimé tous les droits détenus par l'IPC là où il n'y avait pas eu d'exploitation. Cela représentait 99 % de la concession. De plus, l'Irak avait essayé d'attirer de nouveaux acteurs sur le terrain pour que quelqu'un finisse par pomper un peu de ce pétrole qui dormait dans son sous-sol. Les directeurs de l'IPC se fâchèrent et menacèrent de recourir à une action légale contre l'Irak. Ils allèrent même jusqu'à demander le soutien du gouvernement américain pour que celui-ci empêche les sociétés indépendantes de répondre à l'offre alléchante de l'Irak.

Bien que les experts du gouvernement américain aient prévenu la Maison-Blanche que l'Irak était dans son droit, Washington s'est immédiatement porté au secours des pauvres *majors* blessées dans leur orgueil. Pourtant, l'Irak ne s'était pas emparé de biens appartenant à l'IPC, il n'avait fait que soustraire les parties de la concession non exploitées par l'IPC, après que celle-ci eut bénéficié de plus de trente ans pour agir. Au pire, toute cette affaire pouvait être considérée comme une rupture de contrat – un argument plutôt faible. Cependant, il ne s'agissait pas d'une question relevant du droit international ou d'un gouvernement étranger. Andreas Lowenfeld, un conseiller juridique qui travaillait au Département d'État américain, a écrit dans une note de service : « Les solutions juridiques à la disposition de l'IPC sont peu nombreuses, et nous ne possédons aucune base légale nous permettant de dire aux sociétés indépendantes – et encore moins aux sociétés étrangères – de se tenir loin de l'Irak. »

Cela n'a cependant pas découragé Washington. Averell Harriman, le sous-secrétaire d'État de l'administration Kennedy, qui possédait beaucoup d'influence, avait d'autres considérations à l'esprit. Il s'expliqua en ces termes : « Nous ne voulons pas que des gouvernements comme celui d'Irak aient l'impression que les sociétés pétrolières américaines peuvent être malmenées. » Pour être certain que l'Irak avait bien compris le message, le Département d'État est intervenu de façon très active pour empêcher que les sociétés indépendantes démontrent quelque intérêt que ce soit pour le pétrole irakien. Une note du Département d'État, datée de juillet 1964, révèle qu'il avait « intercédé auprès des sociétés américaines qui, à sa connaissance ou selon ses soupçons, avaient démontré un intérêt quelconque pour les concessions pétrolières en Irak pour les dissuader de présenter des offres au [gouvernement irakien]. » Il semble que ce genre de pression ait été couronné de succès. Un télégramme du Département d'État, signé par le sous-secrétaire d'État George Ball ce même mois, indique : « Les sociétés auxquelles le Département d'État s'est adressé sont Sinclair, Union Oil, Standard of Indiana, Continental, Marathon, Pauly et Phillips. Ces sociétés ont bien répondu aux demandes du Département d'État, et il nous incombe donc de prodiguer les mêmes efforts vis-à-vis de toute société américaine ou affiliée qui aurait l'intention de traiter avec l'Irak. »

Les indépendantes, même sans l'intervention de Washington, étaient tout à fait conscientes que toute tentative d'accepter l'offre de l'Irak leur attirerait de gros ennuis avec les *majors*. Étant donné l'immense contrôle que celles-ci exerçaient sur l'industrie et le marché à l'échelle mondiale, les indépendantes n'étaient pas prêtes à courir ce risque. Elles sont restées sur leurs gardes pour conclure des accords avec l'Irak de peur que cela ne compromette ceux qu'elles pourraient conclure ailleurs avec les grandes compagnies pétrolières. Par exemple, même après qu'un accord eut été signé entre l'IPC et l'Irak en 1965, une petite indépendante qui avait obtenu un contrat de forage en Irak en 1967 a senti le besoin d'aller demander aux *majors* ce qui ressemblait à une permission. Selon une note de service du Département d'État, le directeur adjoint de la société Santa Fe Drilling a signalé que sa société « avait soigneusement vérifié l'attitude des sociétés mères de l'Iraq Petroleum Company (BP, Shell, Exxon) avant de signer un contrat [...], car il ne désirait pas que cela puisse compromettre d'autres contrats que la Santa Fe pourrait obtenir avec les sociétés mères de l'IPC. »

En plus d'avoir à supporter un tel boycottage, l'Irak a été puni directement par les *majors* qui ont réduit l'exploitation de son pétrole alors que le niveau de production était déjà très bas. Les *majors* avaient depuis longtemps gardé la production à son minimum dans les pays qu'elles considéraient comme n'ayant pas une bonne conduite. Howard Page, de la société Exxon, a admis lors d'une commission d'enquête du Sénat que les grandes pétrolières punissaient les pays qui ne se montraient pas coopératifs en réduisant la production alors qu'elles l'augmentaient ailleurs pour récompenser une conduite conforme à leurs desiderata. En règle générale, pendant la monarchie du shah, l'Arabie saoudite et l'Iran étaient favorisés, et leur production gardait un niveau élevé. D'autre part, l'Irak avait toujours été le souffre-douleur de l'ordre pétrolier international, et cela tout particulièrement après qu'il eut enlevé à l'IPC la majeure partie de ses concessions en 1961. L'analyste en questions pétrolières, Pierre Terzian fait remarquer : « L'Irak, qui avait osé s'opposer à l'IPC [...] était encore plus durement traité ; la production stagnait et les forages étaient au point mort. » Issam Al-Chalabi, l'ancien ministre des Affaires pétrolières irakiennes, a déclaré : « Les punitions constantes que subissait l'Irak peuvent expliquer pourquoi les capacités de production de notre pays sont bien en dessous de son potentiel. »

Si nous avons besoin de preuves supplémentaires pour montrer que les grandes compagnies pétrolières opèrent comme un cartel, il suffit de voir la manière avec laquelle elles se sont assurées, presque miraculeusement, une progression constante de la production de pétrole dans les décennies qui ont suivi la guerre, en évitant tout surplus ou toute pénurie sur les marchés mondiaux. Cette progression continue de la croissance de production aurait pu très facilement se réaliser, si chaque pays avait bénéficié annuellement de la même expansion. Cependant, il existait de nombreuses disparités entre les pays pour de nombreuses raisons politiques et logistiques. La production de l'Iran, par exemple, a complètement été arrêtée pendant l'embargo au début des années cinquante et a, ensuite, connu une croissance accélérée comme récompense pour sa « bonne conduite » et pour la politique pro-occidentale du shah, tandis que la production en Irak, au Koweït et au Venezuela ralentissait. Pourtant, comme l'a fait remarquer John Blair : « Pour une raison ou une autre, les *majors* ont pu "orchestrer" tout cela et commettre d'autres aberrations pour obtenir une courbe constamment ascendante de leur alimentation en pétrole. » Il est de fait, que, malgré toutes ces différences, la production mondiale du brut est allée en augmentant, année après année, à un rythme étonnant et constant de 1950 à 1972 : 9,55 % par an. On relève que, peu importe l'année, le taux de croissance que ces géants désiraient atteindre n'a connu qu'un écart de 0,1 % ! Oser croire que les *majors* ne tiraient pas les ficelles en arrière-plan relèverait d'une imagination débridée.

* * *

C'est en contrôlant ainsi la production que les *majors* pouvaient s'entendre sur les prix du pétrole et, par conséquent, réussir à réaliser d'énormes profits. Michael Tanzer a fait la remarque suivante : « Historiquement parlant, les profits les plus importants dans l'industrie pétrolière ont été réalisés en maintenant pour le brut un prix monopolistique, beaucoup plus élevé que les prix de revient. » Cela s'est avéré très réalisable au Proche-Orient, où les coûts de production étaient extrêmement bas. John Warder, le président-directeur général du consortium des *majors* en Iran, a dévoilé les bas coûts de production dans ce pays à l'occasion d'un exposé à la Banque centrale de Téhéran, en 1967. Il est ironique de constater que Warder se plaignait de ce qu'il considérait être un coût « élevé » de production, soit 14 cents le baril de pétrole. Il attribuait ce coût à un excédent d'employés qui, d'après lui, faisait de l'Iran un pays peu compétitif. À titre de comparaison, il a fait remarquer que l'on pouvait produire du pétrole à 8 ou 9 cents le baril en Arabie saoudite et pour un prix de revient plancher de 6 cents le baril au Koweït. À cette époque, sur le marché, le prix du baril était de 1,80 $.

Il est important de remarquer que la « concurrence » à laquelle Warder fait allusion ne concernait pas les prix, ce qui aurait été bénéfique pour les consommateurs. La véritable concurrence se situait entre les pays pouvant offrir les coûts de production les plus bas pour daigner attirer l'attention des sociétés pétrolières. C'étaient elles ensuite qui décidaient des endroits où elles allaient exploiter le pétrole. On peut affirmer que les *majors* se trouvaient en situation favorable, puisqu'elles contrôlaient les prix et que les pays se faisaient concurrence pour leur offrir les meilleurs coûts de production.

Pas surprenant que les bénéfices stupéfiants dont jouissaient ces sociétés au Proche-Orient étaient, en gros, trois ou quatre fois ceux que l'on pouvait obtenir dans d'autres domaines de l'industrie. L'Irak

Petroleum Company a enregistré des bénéfices de 56 % sur son capital net entre 1952 et 1963. En Arabie saoudite, les profits d'Aramco ont été en moyenne de 57 %. Et en Iran, le consortium a enregistré un rendement moyen de 69 % entre 1955 et 1964. Il semble que même les coûts élevés de production en Iran dont Warder se plaignait n'ont pas empêché la société de faire un étonnant profit de presque 70 %.

* * *

Le cartel créé par les sociétés pétrolières les plus importantes était à maints égards une organisation du travail très astucieuse, d'une conception poussée, travaillant à très grande échelle, soucieuse du moindre détail. Nous pouvons même admirer la façon – Paul Frankel, l'analyste en questions pétrolières, l'a qualifié de « hautement professionnelle » – dont le tout avait été organisé. En permettant aux géants du pétrole de contrôler l'accès mondial de la ressource la plus vitale pendant presque un demi-siècle, cette organisation témoigne de l'ingéniosité de sa structure. Toutefois, personne n'avait prévu que celle-ci serait ébranlée assez rapidement par un nomade tout simple et sans grande expérience du monde.

* * *

Aussi corrompu et arriéré qu'il ait pu être, le régime libyen du roi Idris fut le premier à trouver le moyen de ne pas laisser son pays dépourvu de pouvoir dans le sérail des compagnies pétrolières qui se faisaient constamment concurrence pour obtenir de plus hauts niveaux de production. Constamment livrés aux caprices des dirigeants de ces sociétés, les Libyens trouvèrent très tôt le moyen de les déjouer en invitant le plus grand nombre possible de compagnies pétrolières indépendantes à leur faire des propositions. Très vite, de nombreuses sociétés commencèrent l'exploitation, et la Libye se retrouva en position de pouvoir, une situation entièrement différente des autres pays producteurs. Tandis que ces derniers se trouvaient en concurrence les uns avec les autres et qu'ils suppliaient lamentablement les grandes sociétés pétrolières d'exploiter leur pétrole et non celui des pays voisins, les Libyens possédaient un sérieux atout. Ils n'étaient pas obligés de dépendre des *majors*. Ils pouvaient, au contraire, demander aux sociétés indépendantes d'augmenter *leur* production au cas où les *majors* refuseraient de le faire. Les sociétés indépendantes ne faisant pas partie du cartel, rien ne les empêchait de produire autant de pétrole et aussi rapidement qu'elles le désiraient.

C'est exactement ce qu'elles firent avec, comme résultat, l'inondation du marché par le pétrole libyen, majoritairement produit par les indépendantes. Cette réalité provoqua une menace sur le marché mondial : celle d'avoir un surplus de pétrole et donc de faire baisser les prix. Les indépendantes pratiquaient déjà une politique de prix « à rabais » par rapport au prix officiel imposé par les *majors*, et elles vendaient leur pétrole à des prix défiant toute concurrence. Cela a pratiquement provoqué une panique au sein du cartel.

Il est certain que les *majors* pouvaient empêcher tout surplus de pétrole en réduisant leur propre production au Proche-Orient, ce qui en fin de compte aurait réduit la production mondiale de pétrole. Cependant, une telle décision risquait de provoquer la colère des pays du Proche-Orient, déjà lésés lorsqu'ils devaient accepter des niveaux de production moindres. De plus, en cas de chute exagérée des niveaux de production, des pays comme l'Arabie saoudite et l'Iran pouvaient décider de rompre les accords de concessions avec les *majors*, traiter avec des indépendantes ou procéder à une nationalisation pure et simple.

C'est dans cette situation qu'arriva Muammar al-Kadhafi, un jeune homme issu d'une famille de nomades, qui s'était engagé dans l'armée libyenne en jurant de refaire dans son pays ce que Nasser avait fait en Égypte. En septembre 1969, Kadhafi s'empara du pouvoir en Libye, ce qui entraîna un changement radical de la dynamique de l'industrie pétrolière en une nuit. Alors que le roi Idris avait essayé de négocier une augmentation des redevances de 10 cents le baril auprès des sociétés pétrolières, Kadhafi augmenta rapidement ces exigences en demandant 40 cents ! Le turbulent militaire fit également part de son intention de réajuster ses relations avec les sociétés pétrolières. Il menaça de fermer les exploitations des 21 sociétés qui se trouvaient en Libye si elles n'acceptaient pas de verser des redevances plus élevées.

La volonté apparente de renoncer temporairement aux revenus du pétrole, manifestée par Kadhafi, joua en sa faveur. L'augmentation qu'il exigeait, bien qu'élevée suivant les critères de l'époque, n'était pas déraisonnable, tout particulièrement lorsqu'on tient compte de l'excellente qualité du pétrole libyen. James Akin, un expert en pétrole du Département d'État américain, a reconnu et conclu que, si l'on se base sur une formule mise au point par l'industrie pétrolière elle-même, cette augmentation de 40 cents était tout, sauf élevée. Akin a envoyé un rapport à ce sujet à Exxon, Texaco, Mobil et BP. Cependant, ces sociétés, qui avaient l'habitude de mener la barque, ont rapidement repoussé les exigences de Kadhafi et ont présenté une contre-offre de 5 cents le baril.

À leurs yeux, Kadhafi faisait probablement figure d'acteur de catégorie mineure. Ce nomade mystique n'en comprenait pas moins les rouages de l'industrie pétrolière, principalement parce qu'il profitait des conseils d'Abdullah Tariki, l'ancien ministre des Affaires pétrolières d'Arabie saoudite, un homme brillant et redoutablement informé. Grâce à l'aide de Tariki, Kadhafi mit au point une stratégie intelligente consistant en premier à exercer des pressions sur les sociétés indépendantes, qui ne pouvaient compter sur aucune autre source d'approvisionnement. Occidental, par exemple, était très implantée en Libye, mais seulement dans ce pays. Si la Libye réduisait son rythme de production, Occidental se trouverait dans l'incapacité d'honorer les contrats conclus avec ses acheteurs. Occidental fut donc la première à subir des pressions. Lorsque cette société refusa de capituler pour répondre aux exigences de Kadhafi, celui-ci lui donna brusquement l'ordre de réduire sa production de pétrole de 300 000 barils par jour – une quantité impressionnante. Deux mois plus tard, alors qu'Occidental refusait toujours de plier, sa production se trouva réduite de 60 000 autres barils par jour.

Le président d'Occidental, Armand Hammer, cherchait désespérément une autre source d'approvisionnement, car ses négociations avec la Libye ne menaient nulle part. Il est fort possible que le fait d'avoir affiché sa méfiance envers le nouveau gouvernement n'ait pas aidé sa cause. En effet, tous les soirs, il partait de Tripoli dans son jet privé pour aller dormir à l'hôtel Ritz à Paris, d'où il passait en toute sécurité des coups de téléphone aux directeurs de la société à Los Angeles. Il fit également un voyage à New York pour demander au président d'Exxon, Kenneth Jamieson, de lui vendre au prix coûtant les 360 000 barils de pétrole quotidiens que Kadhafi l'empêchait de pomper en Libye. Hammer fit remarquer que, s'il ne pouvait pas obtenir cet approvisionnement en renfort, Occidental n'aurait d'autre choix que d'accepter les exigences de Kadhafi et que, par conséquent, Exxon ne tarderait pas à subir à son tour des pressions. Hammer marquait un point. Cependant, Jamieson ne tenait pas particulièrement à aider une pétrolière indépendante dirigée par quelqu'un qu'il considérait comme un parvenu – une société qui avait constamment cherché à réduire les prix. Il rejeta donc la demande de Hammer.

Pendant ce temps, malgré les pertes importantes de revenus pétroliers dont elle souffrait, la Libye refusait toujours de vaciller. Comme le fit remarquer Kadhafi : « Des gens qui ont vécu sans pétrole pendant plus de cinq mille ans peuvent très bien continuer à s'en passer. » Étant en très mauvaise posture, Occidental dut accepter les termes de Kadhafi. Dans les mois qui suivirent, le reste des sociétés qui exploitaient le pétrole libyen, y compris Exxon, emboîtèrent le pas. « La Libye a été le point de rupture du contrôle des *majors* sur l'approvisionnement du pétrole brut », déclara Ali Attiga, l'économiste libyen. Les revenus annuels générés par l'industrie pétrolière en Libye avaient grimpé en une nuit de 330 millions à 1,4 milliard de dollars.

Les lois mondiales du pétrole venaient d'être réécrites. Après des décennies de domination incontestée des *majors*, on en était arrivé à un point où une nation de pasteurs du désert aux dents longues avait porté un sérieux coup aux sociétés les plus puissantes au monde, celles qui, d'habitude, recevaient l'appui des plus grands gouvernements de la planète. Pour la première fois, le maître avait été efficacement l'objet d'une opposition et devait avouer sa défaite. Sa réputation d'invincibilité venait d'être brisée.

Les choses ne seraient plus jamais les mêmes à l'intérieur du sérail.

Chapitre 8

LE SÉRAIL S'EN PREND AUX GRANDES SŒURS

L'audace de la Libye suscita, parmi une centaine de pays producteurs de pétrole, des sentiments qui couvaient depuis longtemps, mais n'avaient jamais réussi à se manifester ouvertement. Au début des années soixante-dix, la Libye montra à une foule de pays en voie de développement – et avec un succès surprenant – ce qu'il était possible de réaliser. En s'assumant collectivement sous l'appellation d'OPEP, ces pays devaient affronter l'Occident avec une efficacité sans précédent, et cela lança un défi aux fondements mêmes du système capitaliste mondial.

La montée de l'OPEP

L'OPEP est la création de deux hommes séparés par des milliers de kilomètres d'océan et vivant dans des pays qui, à l'époque, n'avaient même pas de relations diplomatiques. Même si le fossé qui sépare le Venezuela de l'Arabie saoudite était immense, le même rêve nationaliste habitait Juan Pablo Pérez Alfonzo, descendant d'une honorable famille espagnole de Caracas, la capitale du Venezuela, et Abdullah Tariki, le fils d'un chamelier qui organisait des caravanes dans le désert d'Arabie saoudite.

Le pétrole – et surtout le ressentiment envers les compagnies pétrolières américaines – avait toujours constitué un thème central dans la politique vénézuélienne. Comme nous l'avons vu au chapitre

4, les richesses pétrolières de la nation étaient contrôlées dès le début du XXe siècle par une petite élite locale entretenant des liens étroits avec les maîtres américains de l'or noir. La corruption, ostensible et très répandue, allant de pair avec cette relation, provoqua une opposition considérable qui fut sévèrement réprimée par le dictateur vénézuélien Juan Vicente Gómez. Les leaders rebelles étaient parfois suspendus vivants à des crochets de bouchers, et les prisonniers politiques, enchaînés, lestés de boulets et précipités dans l'océan. (Lorsque Gómez mourut, en 1935, 14 tonnes de barres de fer, de chaînes et de boulets furent retrouvées dans la prison de Puerto Cabello, de sinistre mémoire.)

Malgré de telles horreurs, les Vénézuéliens parvinrent à organiser une résistance. Une manifestation sur le campus de l'Université de Caracas, à la fin des années vingt, fut sauvagement réprimée par le régime Gómez qui jeta des centaines d'étudiants en prison, y compris un jeune aspirant juriste du nom de Rómulo Betancourt qui devait jouer un rôle important dans l'histoire de son pays. Inspirés par la bravoure des leaders du mouvement, des douzaines d'autres étudiants demandèrent à être emprisonnés avec leurs camarades à Puerto Cabello. Parmi les braves qui acceptèrent par solidarité de s'enfermer dans cet enfer, on retrouvait Juan Pablo Pérez Alfonzo, un condisciple, collaborateur politique et ami de toujours de Betancourt.

Après leur libération, Betancourt fut exilé. La mort de Gómez, en 1935, amena au Venezuela une dictature un peu moins brutale, ce qui permit à Betancourt de rentrer chez lui et de s'occuper clandestinement de politique. Avec son ami Pérez Alfonzo et quelques autres, il organisa un parti politique prodémocratique qui prit le risque d'organiser des syndicats – un geste pour lequel Betancourt se retrouva une fois de plus en exil. Toutefois, en 1939, la situation politique était suffisamment moins tendue pour que Betancourt et son équipe prennent part aux élections nationales et remportent des sièges à la Chambre des députés, une assemblée parlementaire aux pouvoirs limités. Parmi les élus, Pérez Alfonzo, à la demande de Betancourt, devint l'expert du Parti sur les questions pétrolières, un rôle qu'il assuma avec un zèle consommé.

La politique et le pétrole représentaient des sujets que l'on pouvait dorénavant évoquer au Venezuela. Même si le gouvernement comptait beaucoup sur les revenus du brut, il n'avait pas fait grand-chose pour serrer la vis aux compagnies pétrolières. Par conséquent, celles-ci versaient des redevances ridicules qu'elles acquittaient selon des taux fluctuants. Un petit groupe de sociétés versaient le taux maximum (aux alentours de 15 %), alors que la grande majorité des compagnies pétrolières donnaient beaucoup moins. L'opinion politique commençant à être saisie par la question, le gouvernement militaire, sous la direction du général Isaías Medina Angarita, présenta un projet de loi pour mettre de l'ordre dans le barème des redevances. Même si l'on crut un moment que le gouvernement durcissait ses positions envers les compagnies pétrolières, ce ne fut pas le cas. En fait, le projet de loi avait été préparé par deux experts américains, dont Herbert Hoover junior, le fils du 31e président des États-Unis.

Malgré tout, le projet de loi permettait une certaine augmentation des revenus du pays. C'est alors que le parti d'opposition de Betancourt (Accíon Democrática ou AD) décida se s'abstenir plutôt que de voter contre. Cependant, Pérez Alfonzo profita de cette occasion pour haranguer passionnément les foules en dénonçant la mainmise des intérêts étrangers en ces termes : « La façon avec laquelle ils ont exploité les richesses appartenant au peuple vénézuélien est de notoriété publique. La nation vénézuélienne, qui connaît et souffre profondément de cette spoliation qui la prive de ce qui lui appartient de plein droit, ne peut se contenter de relations que l'on ajuste selon le bon plaisir des sociétés concessionnaires. » Pérez Alfonzo insista pour que la loi aille beaucoup plus loin. Il aurait souhaité que l'on exige des compensations pour les redevances ridicules versées dans le passé et que l'on ait imposé des conditions plus fermes sur les contrats existants afin de limiter les « bénéfices exorbitants » que les multinationales soustrayaient au Venezuela. Ces propos audacieux tombèrent dans des oreilles favorables parmi les classes moyennes et permirent à l'AD de recevoir des appuis pour un mouvement politique élargi contre les oligarques au pouvoir qui avaient autorisé les sociétés étrangères à s'enrichir.

En 1945, un coup d'État mené par Betancourt renversa la dictature de Medina Angarita et amorça un ambitieux programme de démocratisation. Pérez Alfonzo fut nommé responsable des affaires pétrolières et, bientôt, prit les moyens de forcer les multinationales à payer davantage d'impôts, des mesures qui, au cours des deux ans qui suivirent, multiplièrent par cinq les revenus provenant du brut. Mais, pour Pérez Alfonzo, la vision des choses allait plus loin que d'encaisser des revenus plus substantiels. Il préconisait l'établissement d'une société pétrolière nationale à qui l'on donnerait priorité pour exploiter les nouvelles concessions, et la possibilité pour le Venezuela de vendre son pétrole dans le monde entier. Il exigea un gel des concessions aux sociétés étrangères, la construction de raffineries sur place et des réductions draconiennes dans les prix intérieurs de l'énergie de façon à encourager le développement industriel et agricole. Le nouveau gouvernement mit également sur pied un syndicat des travailleurs du pétrole qui, immédiatement, exigea une augmentation de salaire de 100 %, que les compagnies pétrolières accordèrent.

Lorsque les premières élections générales eurent lieu en décembre 1947, il y eut un raz de marée en faveur de l'AD qui rafla 80 % du vote populaire. Dorénavant, ministre officiel du pétrole dans un gouvernement élu démocratiquement, Pérez Alfonzo entreprit de mettre sérieusement à exécution son ambitieux programme. Dans un geste qui fut un électrochoc pour l'industrie pétrolière en 1948, il lui imposa une participation égale aux bénéfices. (Ces conditions « 50/50 » donnèrent à l'Arabie saoudite l'idée de conclure une entente similaire.) Mais ce qui inquiétait peut-être davantage les compagnies, c'était que Pérez Alfonzo cherchait un moyen de coopérer avec les pays producteurs de pétrole du Proche-Orient de manière que les compagnies pétrolières ne puissent pas mettre les pays en concurrence.

Ces projets constituèrent l'étincelle d'une organisation qui devait plus tard ébranler la politique internationale, mais qui fut temporairement mise en veilleuse à la suite d'un coup d'État qui renversa le gouvernement Betancourt, élu de façon démocratique. Au lieu de prendre contact avec les pays du Proche-Orient, Pérez Alfonzo revisita de nouveau, avec Betancourt, la prison de Puerto Cabello.

Ainsi revint une autre période noire de dictature et de terreur, cette fois sous la férule du colonel Marcos Jiménez. Même si nombre de personnes ayant appartenu au précédent gouvernement furent assassinées, Pérez Alfonzo et Betancourt furent finalement relâchés et partirent en exil. Entre temps, Jiménez avait mis sur pied une police secrète pour supprimer toute opposition. Il pilla le Trésor public et ne tarda pas à devenir l'homme le plus riche du pays. Il rétablit également des liens intimes avec les compagnies pétrolières étrangères en leur accordant massivement des concessions. Dix ans plus tard, lorsqu'il fut finalement chassé du pouvoir à la suite d'émeutes et de grèves générales, lorsque la production de pétrole cessa, il s'enfuit aux États-Unis. Ce pays lui réserva un accueil chaleureux. (Après avoir refusé de l'extrader pendant quatre ans, Washington renvoya finalement Jiménez au Venezuela en 1963. Il y fut jugé, passa cinq ans en prison jusqu'à ce que Washington prenne des mesures pour le libérer. Il s'exila finalement à Madrid.)

Avec des élections générales et le retour au pouvoir de l'AD, en 1958, Pérez Alfonzo reprit une fois de plus le poste de ministre des Affaires pétrolières et minières et aussi sa croisade pour obtenir un contrôle national plus important sur le brut de son pays. Il décréta que l'on n'accorderait plus de nouvelles concessions aux sociétés et que l'objectif ne serait plus d'augmenter la production de brut, mais de maximaliser la valeur de la production pétrolière existante. Au fil des années, Pérez Alfonzo s'était de plus intéressé à la conservation des ressources naturelles et même à l'écologie. Contrairement à presque toutes les personnes de sa génération, il était très conscient que le pétrole était une ressource non renouvelable, qu'il fallait conserver pour le futur développement du pays et non gaspiller dans une politique à courte vue pour encaisser temporairement de gros revenus. Afin de gérer plus efficacement la ressource, il mit en avant son projet de Société nationale des pétroles.

Pérez Alfonzo se tourna alors vers un projet plus ambitieux : il voulait que les pays producteurs reprennent le contrôle du marché international du brut. Individuellement, ils étaient faibles, et les *majors* les montaient les uns contre les autres. Et pourtant, à l'intérieur de leurs frontières, ces pays possédaient la plupart des ressources pétrolières dont le monde était tributaire. S'ils décidaient d'agir collectivement pour limiter la quantité de brut vendu sur le marché mondial, ils devaient être en mesure de garder des prix élevés, de conserver cette ressource non renouvelable et, dans la foulée, de s'enrichir. Pour cela, il fallait un mécanisme capable de contrôler les quantités produites.

Curieusement, cela le mena à consulter la documentation de la Texas Railroad Commission, un organisme chargé de la régulation de la production au Texas. Comme nous l'avons vu précédemment, dans les années trente, lorsque la concurrence d'un grand nombre de compagnies pétrolières indépendantes avait menacé de faire chuter les prix sur le marché intérieur américain, les *majors* avaient insisté pour que la production soit réglementée. Ainsi, pour éviter la surchauffe, on avait mis sur pied un organisme régulateur gouvernemental qui décidait des quotas pour les producteurs américains. La Texas Railroad Commission se livrait alors à ce qu'elle appelait une politique « pro-rationnement ».

Durant ses nombreuses années d'exil, Pérez Alfonzo s'était notamment rendu aux États-Unis et avait étudié en détail les opérations de la Commission. Maintenant, il voulait utiliser des stratégies auxquelles l'organisme recourait pour gérer les approvisionnements en pétrole du Texas afin de les adapter à une échelle planétaire. Il s'en confia à Washington afin de voir si le gouvernement américain était intéressé à travailler à un tel projet avec le Venezuela. Après tout, les États-Unis étaient également un pays producteur, mais Washington n'avait aucun intérêt dans un semblable plan ne présentant aucun avantage pour les consommateurs américains ou les puissantes compagnies pétrolières. Les consommateurs, bien sûr, voulaient du carburant au plus bas prix possible et, de la part de Washington, tout projet de rationnement volontaire d'envergure internationale dont l'objectif ultime visait à maintenir les prix du pétrole à leur maximum ne pouvait que provoquer une levée de boucliers. Quant aux *majors*, par l'entremise de leur cartel, elles pratiquaient déjà leur propre rationnement volontaire au plan international, et elles en profitaient grassement. Elles ne trouvaient aucun avantage à partager leur pouvoir décisionnel et leurs profits avec des pays comme le Venezuela. En fait, il était crucial pour les *majors* de pouvoir monter les pays producteurs les uns contre les autres. De cette façon, les compagnies pétrolières conservaient leur pouvoir en leur imposant les termes qu'elles désiraient, ce qui en clair signifiait qu'elles tiraient leur épingle du jeu en ne versant à ces nations qu'une infime partie de leurs bénéfices.

Pérez Alfonzo fut très surpris de la rebuffade qu'il essuya de la part de Washington. Si les Américains ne manifestaient aucun intérêt envers son projet, cela ne voulait pas dire qu'il ne serait pas capable de trouver des partenaires à des milliers de kilomètres de chez lui, dans des pays dont il ne connaissait rien.

* * *

Depuis son plus jeune âge, Abdullah Tariki était considéré comme un garçon brillant et entreprenant. Dans les années vingt, ce jeune garçon avait montré ce dont il était capable en traversant le désert saoudien à dos de chameau – un voyage d'une quarantaine de jours. Très fier, son père avait toutes les raisons de croire que, lorsqu'il serait plus grand, ce fils pourrait reprendre sa petite affaire de caravanes. Celles-ci se rendaient jusqu'aux grands centres du Koweït pour écouler leur marchandise.

Tandis qu'Abdullah grandissait, la situation de son pays changeait considérablement. Les rivalités constantes entre les tribus du désert donnèrent naissance au royaume d'Arabie saoudite. Les choses changèrent aussi dans la vie d'Abdullah lorsqu'un courtisan qui parcourait avec Ibn Séoud des régions reculées du royaume remarqua la perspicacité de ce garçon âgé seulement de neuf ans. Ce dernier ne devint jamais caravanier pour son père. À la place, il joua un rôle clé en remodelant les politiques pétrolières et, dans ce processus, devint le champion indéfectible des pays producteurs et un adversaire acharné des compagnies pétrolières internationales. Howard Page, qui fut longtemps le stratège d'Exxon au Proche-Orient, décrivait Abdullah Tariki comme le plus agressif des nationalistes représentant les pays producteurs avec lesquels il avait eu à transiger. Le porte-parole de la compagnie n'hésitait pas à affirmer : « C'est d'ailleurs le seul que je ne pouvais vraiment pas supporter. »

Après avoir été remarqué par l'entourage du roi, Tariki ne pouvait qu'être destiné à un avenir prometteur. On l'envoya alors pendant quatre ans dans une école au Koweït et ensuite à Bombay, une ville réputée excellente pour tout Proche-Oriental voulant se familiariser avec le commerce mondial. Lorsqu'il revint, il bénéficia d'une bourse du gouvernement saoudien pour se rendre au Caire, le cœur de la vie intellectuelle et de la culture arabes. Au début des années trente, un mouvement d'opposition se dessinait déjà contre la monarchie plutôt fantoche de Farouk, contrôlé par les Britanniques. Tariki demeura douze ans en Égypte et s'enthousiasma pour la renaissance nationaliste qui devait plus tard atteindre son apogée avec Nasser.

Il rentra dans son pays avec une foule d'idées radicales et un diplôme de chimiste géologue de l'Université du Caire. Une autre bourse lui permit de parfaire ses études à l'Université du Texas, où il acquit des connaissances avancées en géologie pétrolière et une compréhension de l'Amérique qui, on s'en doute, n'avait rien à voir avec ce que l'on racontait dans les foyers d'agitation égyptiens. Se rendre d'Égypte au Texas fut pour Tariki un choc culturel aussi grand que celui ressenti par le petit chamelier envoyé à l'école au Koweït. Tariki s'adapta et demeura au Texas après ses études. Marié brièvement à une Américaine, il travailla comme géologue stagiaire pour la Texaco.

Cependant, c'est son expérience égyptienne qui devait, en fin de compte, l'influencer le plus. Lorsqu'il rentra en Arabie saoudite en 1948 à l'âge de 29 ans, c'était l'un des Saoudiens les plus instruits et le seul ayant un diplôme et de l'expérience en géologie pétrolière. On le nomma donc surveillant des Affaires pétrolières de la province orientale où se trouvait le gisement de Ghawar. Les directeurs d'Aramco commençaient à se rendre compte du fabuleux potentiel de ce champ de pétrole, plus extraordinaire que ceux d'Iran ou d'Irak. Ghawar était une mer souterraine de 240 km de long par 35 km de large avec la plus forte concentration de brut au monde. Extrait à raison d'un million de barils par jour (nous étions au milieu des années cinquante), ses réserves devaient théoriquement durer 275 ans.

Frappé par la richesse d'un tel gisement, Tariki fut encore plus surpris de constater que ces ressources ne rapportaient qu'un revenu des plus modiques au Trésor saoudien et, surtout, que son pays avait peu de choses à dire sur l'exploitation de cet or noir. Ses fonctions de « surveillant » étant surtout protocolaires, il fut écarté des centres de décision d'Aramco et traité avec condescendance par les dirigeants de l'entreprise, même lorsque le roi promut Tariki à un poste qui venait d'être créé, celui de directeur général des Affaires pétrolières et minières. De plus en plus, Tariki se sentit animé par les sentiments nationalistes que son séjour en Égypte avait éveillés en lui et qui continuaient à se répandre dans le monde arabe. Les dirigeants d'Aramco commencèrent à angoisser en constatant que Tariki était un adepte de Nasser et qu'il parlait du pétrole comme l'une des clés d'un arabisme fort et uni. Il flirta même avec l'idée d'« arabiser » Aramco, un concept un peu plus vague que celui de « nationalisation », qui avait causé tant de problèmes en Iran.

Les relations entre Tariki et Aramco se détériorèrent encore plus, lorsque le directeur général exhuma une clause de l'entente qui liait le gouvernement saoudien et la société. Cette clause, passée jusqu'à maintenant inaperçue, permettait au royaume de nommer deux directeurs au conseil d'administration d'Aramco. Tariki se fit nommer par décret royal, et les réunions du conseil de la société – d'ordinaire somnolentes – prirent l'allure de confrontations au cours desquelles Tariki exigeait d'avoir accès aux livres de la société. Malgré la résistance d'Aramco, celle-ci devait quand même lâcher des bribes d'information à Tariki pour le faire taire. Malgré ces renseignements parcimonieux, il réussit à prouver qu'Aramco avait omis d'acquitter 145 millions de dollars d'impôts. (Une somme importante lorsqu'on se rappelle qu'à cette époque les revenus pétroliers du royaume ne s'élevaient qu'à 300 millions.)

Non content de forcer la société à respecter l'entente qu'elle avait signée, Tariki voulait changer les règles du jeu, et cela impliquait un changement de dynamique. L'idée de réunir les pays arabes producteurs de pétrole couvait depuis 1945, année marquée par la création de la Ligue arabe, qui parlait déjà explicitement des ressources pétrolières du monde arabe. Toutefois, l'unité ne fut qu'un rêve plutôt inaccessible, car il était clair que les pouvoirs représentés par les pays producteurs arabes pouvaient facilement être éclipsés par des pays d'autre origine ethnique comme l'Iran ou le Venezuela. En l'absence de collaboration parmi les nations productrices, la tentation d'un pays d'augmenter sa production aux dépens des autres était grande, comme cela avait été évident après la nationalisation du pétrole iranien. À la satisfaction générale des intéressés, afin de compenser le brut qu'ils ne pouvaient plus pomper en Iran, les *majors* avaient simplement accru leur production dans les autres pays du Proche-Orient ainsi qu'au Venezuela. Et ces revenus supplémentaires avaient fait leur bonheur.

Tout comme Pérez Alfonzo dans son pays, Tariki avait compris jusqu'où les compagnies pétrolières internationales pouvaient aller pour monter les pays producteurs les uns contre les autres afin de garder la haute main sur les approvisionnements. Tandis que Pérez Alfonzo envisageait d'approcher les pays producteurs arabes, Tariki voyait quel potentiel le Proche-Orient tirerait de faire cause commune avec le Venezuela. Lorsqu'il entendit parler qu'un congrès national sur le pétrole devait avoir lieu au Venezuela en 1951, Tariki s'arrangea pour y assister bien qu'il ne fût pas invité. Pérez Alfonzo était alors en exil et, à Caracas, le Saoudien ne trouva vraiment personne avec qui collaborer. Cependant, l'idée d'une coopération entre pays producteurs commença à germer dans son esprit et, en route vers son pays, il s'arrêta pour rencontrer des personnalités du secteur pétrolier à Téhéran et à Bagdad. Il fit également escale à Rome, où il rencontra Enrico Mattei, qui était à la tête de l'Ente Nazionale Idrocarburi (ENI), la société nationale des pétroles, et qui provoquait une colère bleue chez les *majors* en décrochant des contrats de production et des parts de marché grâce à des méthodes dynamiques et efficaces[21].

L'idée d'une collaboration internationale parmi les pays producteurs demeurait toujours un rêve jusqu'à ce que les conditions changent à la fin de la décennie. En 1958, Pérez Alfonzo était de retour au Venezuela et s'occupait toujours de pétrole en recherchant des pays prêts à faire cause commune avec lui. En outre, il existait un surplus de pétrole sur les marchés mondiaux, car on découvrait de nouveaux gisements, notamment en Union soviétique, hors du champ d'action des multinationales. Les prix se trouvaient donc poussés à la baisse, ce qui forçait les *majors* à vendre leur pétrole sous le prix dit « d'affichage », un prix qu'elles fixaient d'ailleurs elles-mêmes, ce qui ne les empêchait pas de verser toujours des redevances aux nations productrices sur la base de ces prix « affichés ». En février 1959, les compagnies pétrolières ripostèrent en diminuant le prix d'affichage de 18 cents le baril, une réduction qui eut des répercussions énormes sur les pays dont les revenus dépendaient presque exclusivement du brut.

Les pays producteurs proche-orientaux répondirent à la crise deux mois plus tard, en organisant la première réunion du Congrès arabe du pétrole au Caire. Malgré la controverse provoquée par la réduction des prix, cette réunion fut loin d'être orageuse. D'ailleurs, des représentants des compagnies pétrolières y assistèrent et ne se

---

21. Les dirigeants des *majors* raillaient volontiers Mattei, un brillant ingénieur et homme d'affaires, en lui faisant remarquer qu'il n'était pas, comme eux, un vrai pétrolier mais un démarcheur besogneux. Cet homme, qui heurtait de plein fouet les intérêts américains, anglais et français dans son secteur, disparut le 27 octobre 1962 lors de l'écrasement de son avion dans des circonstances suspectes. *(N.d.T.)*

sentirent pas rejetés. Fait significatif, des observateurs venus d'Iran et du Venezuela étaient également présents. Ce congrès donnait finalement à Tariki et à Pérez Alfonzo la possibilité de se rencontrer.

Les deux hommes avaient mutuellement entendu parler de leurs projets respectifs et, après avoir été présentés, ressentirent le besoin de les concrétiser. Évitant les rencontres officielles, ils se dirigèrent vers Maadi, en banlieue du Caire, où un *yacht-club*, fermé pour la saison, offrit le cadre parfait à des pourparlers qui eurent lieu dans le plus grand secret. Ils étaient accompagnés par quelques congressistes venus d'autres pays, mais ce furent Pérez Alfonzo et Tariki qui menèrent d'importantes négociations. Au Congrès, les représentants des compagnies pétrolières n'y virent que du feu, mais, au *yacht-club*, Tariki et Pérez Alfonzo parvinrent à un *gentlemen's agreement*, un accord reposant sur l'honneur, que Pérez Alfonzo devait décrire plus tard comme « la première semence qui donna vie à l'OPEP ».

Un an plus tard, les surplus s'accumulant et les prix s'effondrant toujours, le directeur général d'Exxon, Monroe Rathbone, décida de baisser pour la deuxième fois le prix d'affichage. Ce geste aurait des répercussions encore plus fortes. Le directeur d'Exxon au Venezuela était si convaincu qu'une deuxième réduction constituait une erreur tactique qu'il menaça de démissionner si elle était mise en vigueur. À New York, le conseil d'administration d'Exxon décida de tenir compte de cette mise en garde et imposa la réduction seulement aux pays producteurs du Proche-Orient, un geste doublement provocateur pour des nations où le message nationaliste de Nasser avait déjà suscité un nouveau sentiment de fierté arabe.

Une réunion fut convoquée le mois suivant à Bagdad, en septembre 1960. Elle comprenait cinq pays producteurs clés : l'Irak, l'Iran, l'Arabie saoudite, le Koweït et le Venezuela. Entre eux, ils représentaient environ 80 % des exportations mondiales de pétrole, ce qui leur donnait un potentiel extraordinaire pour bouleverser un monde qui dépendait de plus en plus de l'or noir. La présence de l'Irak, qui n'avait pas assisté au congrès du Caire, mais avait de vieux griefs contre les *majors*, ajouta une note militante à la réunion. Le *gentlemen's agreement* conclu au Caire par Tariki et Pérez Alfonzo fut présenté par les deux hommes avec enthousiasme : si les nations productrices parvenaient à s'entendre entre elles pour réduire leur production, ce seraient elles – et non les grandes compagnies pétrolières – qui contrôleraient le marché international et auraient le pouvoir de fixer les prix. Il était facile de prévoir que les *majors* n'apprécieraient guère cette rébellion, mais le Venezuela, qui avait évité la deuxième réduction de prix, était la meilleure preuve que tenir tête aux conglomérats pouvait se révéler rentable. Avant la fin de la réunion de Bagdad, une nouvelle entité était née : l'Organisation des pays exportateurs de pétrole ou OPEP, un cartel suffisamment influent pour s'attaquer à un autre cartel. Pérez Alfonzo, ravi, déclara : « Nous avons formé un club très sélect. Nous sommes maintenant unis. C'est un moment historique. »

Disons que ses membres n'étaient pas encore tout à fait prêts à réécrire l'histoire, mais l'armature de l'organisation était en place, avait son siège social à Genève, tenait des réunions et des colloques sur l'importance de tenir tête au cartel des compagnies pétrolières. Cependant, malgré les allocutions grisantes parlant d'unité et de défis à relever qui avaient caractérisé le sommet de Bagdad, les vieilles rivalités et le manque de confiance ne tardèrent pas à réapparaître avec, comme résultat, qu'on ne réalisa aucun progrès sur les questions cruciales des restrictions de la production, un point pourtant essentiel dans tout projet de rationnement volontaire comme celui qui avait eu lieu à l'époque au Texas. En mars 1962, la nouvelle organisation encaissa un coup dur : Tariki perdit son poste de ministre du pétrole.

Le limogeage de Tariki marqua pour l'Arabie saoudite la fin d'un flirt avec les réformes politiques. Nous étions à cheval entre les années cinquante et soixante. Tariki avait été l'un des membres influents d'une formation qui essayait de pousser le royaume à établir des liens plus forts avec l'Égypte de Nasser, une politique pétrolière nationaliste et, à l'intérieur, des réformes politiques démocratiques.

Ce groupement, dirigé par le dynamique prince Talal, recevait l'appui de plusieurs princes saoudiens, ainsi que d'un petit cercle d'intellectuels de pointe. Cette formation avait des projets à long terme pour faire entrer l'Arabie saoudite dans le monde moderne en la faisant passer d'une monarchie autocratique à une monarchie ouverte, démocratique et constitutionnelle. Ces réformateurs préconisaient l'établissement d'une constitution, la liberté de presse et une Assemblée nationale au sein de laquelle un tiers des sièges pourraient être détenus par la famille royale et les chefs tribaux, et les deux tiers par des élus. Mais le premier ministre, le prince Fayçal, s'opposa à de telles réformes. En décembre 1960, de plus en plus impopulaire, Fayçal fut remplacé par le roi Séoud, qui forma un nouveau cabinet dans lequel Talal devait être ministre des Finances, tandis que Tariki recevait le portefeuille des Affaires pétrolières. Ce fut un moment plutôt surprenant dans la politique saoudienne. En Occident, particulièrement à Washington, et dans les bureaux d'Aramco, l'idée de voir l'Arabie saoudite nationaliser son pétrole et emprunter des idées à une Égypte au mieux avec Moscou causa une véritable panique. On surnomma respectivement Talal et Tariki, « le prince et le scheik rouges ».

Mais avant même qu'elle ait pu prendre corps, cette expérience radicale fit l'objet d'un veto. Presque immédiatement, le maladif roi Séoud annonça qu'il n'y aurait pas de constitution, puisque, de toute façon, son pays était gouverné par la loi islamique et qu'il n'était pas question de réformes. L'été suivant, on confisqua le passeport du prince Talal et on fouilla son palais. Quelques mois plus tard, le roi Séoud se réconciliait avec Fayçal qui revint au gouvernement, et Tariki perdit son poste. Fayçal suivit un chemin très conservateur et, dans un geste qui eut le don de ravir Aramco et Washington, il remplaça Tariki par un avocat de 32 ans, le Scheik Zaki Yamani. Ce charmeur aimait New York et la culture occidentale, autant que Tariki était fasciné par Le Caire et le monde arabe. Tariki éliminé, le duo de leaders qu'il formait avec Pérez Alfonzo fut perdu pour l'OPEP et les pays producteurs les plus significatifs de l'Organisation et du monde en général. Insensiblement, l'OPEP penchait de plus en plus vers Washington.

La décennie qui suivit, l'OPEP se révéla un tigre de papier, un forum où l'on parlementait beaucoup et où l'on n'agissait guère. Les *majors* et le gouvernement américain étaient, dans la plupart des cas, capables d'ignorer cette organisation. L'ancien ambassadeur en Arabie saoudite, James Akins, se souvient que les porte-parole du gouvernement n'avaient même pas le droit d'entretenir des relations avec l'OPEP afin de bien montrer que les Américains n'accordaient aucune importance à l'Organisation.

Entre-temps, Tariki était une source constante d'irritation pour les compagnies pétrolières internationales. Banni du royaume saoudien en 1962, il voyageait beaucoup dans le monde arabe en prononçant force allocutions dans lesquelles il dénonçait les compagnies pétrolières, exigeait la renégociation des concessions et exhortait l'établissement d'une structure d'experts techniques arabes pour gérer l'exploitation des champs de pétrole. Lors d'une réunion de l'Arab Oil Congress à Beyrouth, en novembre 1963, Tariki fit un discours enflammé qui devint légendaire dans le monde arabe. « Lorsque Dieu dota l'Iran, le Venezuela et les pays arabes de vastes réserves pétrolières, il n'a pas fait cela pour donner la possibilité à des étrangers de venir de pays lointains afin d'exploiter de telles réserves », proclama-t-il devant un auditoire médusé. Il soutenait que nul n'avait besoin des sociétés étrangères pour mettre en valeur les gisements du Proche-Orient et prévint ses auditeurs que perdre le contrôle du brut proche-oriental aurait des circonstances catastrophiques pour le monde arabe. « La nation arabe vit une époque où des moyens de développement extraordinaires sont à sa portée. Cette chance ne se représentera peut-être pas. Si la nation arabe n'en fait pas bon usage, cela sera perdu, et les générations montantes seront condamnées à une éternelle pauvreté et au sous-développement », concluait-il.

Tariki s'installa au Liban et, avec l'expert pétrolier libanais Nicolas Sarkis, fonda un journal professionnel qui devint un point de ralliement de l'intelligentsia politique du monde arabe. Il fonda plus tard son propre journal, *The Oil of the Arabs* (Le pétrole des Arabes), dont le bandeau avait pour sous-titre *Arab Oil for the Arabs* (le pétrole arabe aux Arabes). Il agit également en qualité de conseiller pour des gouvernements nationalistes comme ceux d'Algérie, d'Irak et, plus tard, de Libye. Finalement, c'est au service de Kadhafi que Tariki décida de porter un coup redoutable à l'ordre pétrolier mondial. Il recourut à une stratégie consistant à utiliser les compagnies pétrolières indépendantes pour créer un effet de levier contre les *majors*. Tariki se montra plus rusé qu'Exxon en forçant le conglomérat à accepter une augmentation de redevances de 40 cents le baril de brut libyen. Cette hausse se répercuta dans tout le Proche-Orient, et on comprend mieux pourquoi Howard Page, d'Exxon, ne pouvait « absolument pas supporter » Tariki.

Au Venezuela, Pérez Alfonzo ne tarda pas à être désillusionné par la politique. En effet, le gouvernement dont il faisait partie adoptait de plus en plus une attitude de droite et rejetait les orientations pétrolières à tendances nationalistes qu'il avait si âprement défendues. « À la fin, on l'excluait de toutes les décisions gouvernementales », remarque Hugo Chávez. Il prit sa retraite, mais continua à lutter pour ses idéaux de conservation des ressources et l'écologie. La passivité n'étant guère dans le caractère d'Alfonzo, on l'entendait parfois dire de l'OPEP qu'elle était une organisation trop inerte. On l'entendit un jour déclarer d'un ton acerbe à des dirigeants de compagnies pétrolières : « Vous ne nous jetez que les miettes de votre festin, mais n'oubliez pas que nous ne sommes pas des chiens... »

L'OPEP ne devint jamais l'outil de responsabilisation et le promoteur de la conservation des ressources dont Pérez Alfonzo rêvait, mais, bientôt, il devait néanmoins assurer à ses membres qu'ils pouvaient être admis au festin.

* * *

Durant l'automne 1973, les choses changèrent de manière dramatique dans le paysage pétrolier mondial. Les surplus de production, qui avaient été si pénibles pour l'industrie et qui avaient fait chuter les prix si fortement dans les années cinquante et soixante, avaient disparu. Bien au contraire, le renouvellement des stocks commençait à se compliquer, car la demande croissait plus rapidement que les nouvelles sources d'approvisionnement. Traditionnellement, lorsque des pénuries de pétrole se faisaient sentir, les États-Unis étaient capables d'augmenter leur production intérieure pour compenser, Mais, après 14 ans de contrôle des importations, les États-Unis avaient épuisé leurs propres réserves à un rythme hallucinant et, en cas de crise, ne pouvaient plus pallier rapidement les pénuries. Ces facteurs accrurent le pouvoir de ceux qui avaient du brut à vendre.

À la suite du succès remporté par la Libye, qui avait pu arracher une entente plus profitable de l'industrie pétrolière à la fin des années soixante, le pouvoir de négociation des nations productrices avait déjà augmenté. Cette réussite suscita des attentes et des exigences plus élevées. D'ailleurs, au Proche-Orient, l'idée que ces nations étaient en droit d'être propriétaires de leurs ressources pétrolières était largement acceptée. Le débat se partageait entre la pleine nationalisation (telle que préconisée par Tariki) et la simple « participation », avec une série d'étapes menant à la nationalisation intégrale (solution recommandée par les modérés comme le scheik Yamani). En 1971, la Libye et l'Algérie avaient nationalisé une partie importante de leurs industries pétrolières et, finalement, en 1972, l'Irak avait nationalisé l'IPC. Les petits États du Golfe comme Abu Dhabi, le Koweït et le Qatar négocièrent des ententes de participation qui leur accordaient 20 % de la propriété de leurs installations. À la fin de 1972, même l'Arabie saoudite pro-occidentale exigeait sa part du plus fabuleux gâteau des *majors* : l'Aramco. Yamani s'était arrangé pour que les compagnies pétrolières acceptent de remettre aux Saoudiens 25 % d'Aramco, un pourcentage devant s'élever à 51 % après dix ans.

Au début des années soixante-dix, les nations productrices avaient également affirmé leur pouvoir de façon collective. L'Occident commençait à s'apercevoir de la formidable force potentielle de l'OPEP. Après le succès remporté par la Libye, des demandes similaires se faisant sentir ailleurs, les *majors* décidèrent qu'il y allait de leur intérêt de négocier collectivement avec les nations productrices plutôt que de permettre aux producteurs d'exiger des tarifs à la tête du client, avec des exigences encore plus grandes. Au cours de confrontations avec les nations productrices à Téhéran et à Tripoli, en 1971, l'industrie pétrolière s'était entendue sur une majoration des prix censée durer cinq ans. Mais, en octobre 1973, l'OPEP convoqua les *majors* à une réunion, à Vienne, avec la ferme intention de dénoncer cette entente et de décrocher des prix plus élevés. L'époque où les porte-parole des Américains refusaient allègrement de discuter avec l'OPEP était révolue.

Tandis que les deux parties s'affrontaient dans la capitale autrichienne, la situation prit soudainement une allure plus instable. Le 6 octobre, l'Égypte et la Syrie envahirent un territoire occupé par Israël. La colère des Arabes, exacerbée par l'indéfectible appui dont Israël bénéficiait de la part des Américains, se répercuta sur les négociations tarifaires qui se tenaient alors au Koweït, et celles-ci prirent un ton plutôt acerbe. L'offre de l'industrie pétrolière, qui proposait une augmentation de 15 cents, fut carrément rejetée par les nations productrices qui déclarèrent vouloir doubler les prix. Ulcérées par le militantisme et l'apparente unité de l'OPEP, les compagnies pétrolières décidèrent de consulter les plus importants gouvernements occidentaux. La réponse fut dénuée d'ambiguïté : il n'était pas question de céder. Les négociations traînant en longueur, l'OPEP fit un geste qu'elle n'avait jamais fait auparavant. Elle augmenta les prix du brut de 70 %, faisant passer le prix du baril de 3 $ à 5,11 $. Jusqu'alors, les compagnies pétrolières avaient toujours fixé les prix sans même consulter les nations productrices. Maintenant, c'était au tour de ces nations de fixer les prix sans consulter les compagnies.

Le jour suivant, les membres arabes de l'OPEP se rencontrèrent au sein d'une organisation qu'ils appelèrent l'OAPEP et renchérirent en émettant un communiqué exigeant une réduction immédiate de la production de 5 %. Ils s'engagèrent à réduire leur production dans les mêmes proportions tous les mois, « jusqu'au retrait complet des forces israéliennes de tous les pays arabes occupés et la restauration des droits juridiques du peuple palestinien ». Lorsque trois jours plus tard, l'administration Nixon annonça une aide militaire à Israël de 2,2 milliards de dollars, les Saoudiens, jusqu'alors les plus pro-Américains des Arabes, déclarèrent cesser toute expédition de pétrole aux États-Unis.

On avait prévu depuis longtemps que le pétrole pouvait servir d'arme, et la menace se précisait. Cette technique aurait même été appliquée au cours de la guerre israélo-arabe de 1967. À cette époque, l'efficacité de cette opération avait été atténuée par la capacité des États-Unis à augmenter leur production intérieure. Toutefois, les États-Unis n'étaient plus capables, cette fois-ci, de compenser la pénurie avec leurs propres réserves. L'embargo des pays arabes se révélait donc beaucoup plus efficace. Bien que destinées principalement à exercer un effet de levier sur Israël, les réductions progressives annoncées par les pays producteurs arabes contribuèrent également à raréfier le pétrole et, par conséquent, aidèrent à renforcer l'escalade importante des prix de l'OPEP. Il s'agissait exactement là de la stratégie dont avait rêvé Pérez Alfonzo (même si, avec ce dernier, on ne tenait pas compte de la situation israélienne) : réduire les ventes de pétrole et de le vendre plus cher, ce qui procurait les mêmes revenus, voire des revenus plus élevés, tout en ménageant l'avenir.

Et l'on n'avait encore rien vu... Moins de trois mois plus tard, l'OPEP se réunit une fois de plus à Téhéran et remonta encore ses prix en les doublant, de 5,11 $ à 11,65 $. Le plus surprenant est que cette dernière augmentation avait été soutenue par le shah d'Iran, malgré ses cordiales relations avec Washington. En quatre ans, le prix du baril de pétrole, qui revenait au départ à 1,80 $, était passé à 11,65 $ – une augmentation de plus de 600 % !

Entre les majorations de prix et l'embargo, le monde fut soudainement en train de vivre une superbe crise de l'énergie. Avant l'embargo, le monde arabe produisait 20 millions de barils de pétrole par jour ; après, il n'en produisait plus que 15. Même si les effets se faisaient sentir un peu partout, c'est toutefois aux États-Unis qu'ils avaient le plus de répercussions. L'assistance exemplaire que ce pays accordait à Israël était ce qui enrageait le plus les Arabes. En quelques mois, en Amérique, les prix à la pompe augmentèrent de 40 %. Cela n'ébranlait pas vraiment un pays où l'automobile était au centre de la culture, mais on releva de nouveaux phénomènes comme les files d'attente aux stations-service, les achats d'essence restreints, certains jours, aux détenteurs de plaques minéralogiques paires ou impaires. De tels ennuis n'étaient pas censés survenir en Amérique.

Mais aussi ennuyeuse qu'elle ait pu être, la crise ne dura pas très longtemps. De plus en plus de pétrole du Proche-Orient réussissait à se soustraire à l'embargo et à se retrouver sur le marché. Entre-temps, la guerre israélo-arabe s'était terminée, et le leader égyptien Anouar Al-Sadate, un défenseur éloquent de l'embargo lorsque son pays avait déclaré la guerre, avait été courtisé par Washington pour le ramener à de meilleurs sentiments. Il prônait maintenant un relâchement des pressions exercées sur les expéditions de brut. En mars 1974, les ministres des Affaires pétrolières arabes s'entendirent pour mettre un terme à l'embargo. On avait partiellement réussi à les convaincre que ce geste de conciliation inciterait les Américains à faire de sérieux efforts pour présenter une solution au conflit qui sévissait au Proche-Orient. L'embargo avait duré cinq mois en tout.

Pourtant, cet embargo et les prix constamment plus élevés du brut devaient avoir un effet durable dans le monde pétrolier et sur la politique en général. Pour la première fois, un petit groupe de pays, jusque-là marginaux et ne jouant aucun rôle important sur la scène internationale, s'étaient réunis pour défier l'Occident et laisser le plus puissant pays au monde temporairement incapable de pleinement satisfaire un mode de vie insouciant, extravagant, que des millions de ses citoyens estimaient faire partie de leurs droits les plus fondamentaux.

Sans nul doute, une telle audace devait être réfrénée, et la domination indiscutée de l'Occident devait reprendre ses droits.

* * *

La première chose qu'il convient de noter à propos de l'impact de la crise de l'énergie de 1973-1974 et de ses séquelles est qu'elle se révéla rentable pour les sociétés pétrolières. Les luttes qui menèrent à l'augmentation impressionnante des prix en 1973 se manifestèrent entre les compagnies pétrolières et les pays producteurs à l'occasion de nombreuses réunions à Téhéran, à Tripoli, à Genève et au Koweït. La vérité la plus élémentaire est que les *majors* du pétrole sortirent gagnantes de l'épreuve en encaissant des bénéfices supérieurs à tout ce qu'elles avaient pu imaginer au cours des trente années précédentes. En 1973, année où l'OPEP imposa unilatéralement une augmentation qui multipliait le prix du brut par quatre, Exxon déclara un bénéfice de 2,5 milliards de dollars, une somme qui représentait un record absolu pour toute multinationale. L'année suivante, alors que l'Occident pâtissait encore pour s'ajuster au choc de cette nouvelle époque dans l'histoire de l'énergie, les profits d'Exxon atteignirent de nouveaux sommets. Le meilleur moyen d'apprécier l'ampleur des profits d'Exxon est de suivre son rendement sur un certain nombre d'années. De 1963 à 1972, la société connut un appréciable taux de rendement de 12,8 % en moyenne. En 1973, ce taux bondit au-dessus de 16 % et, en 1974, atteignit un incroyable niveau de 21,3 %. Exxon menait la marche, mais les autres *majors* eurent aussi des rendements exceptionnels en 1974. Mobil déclara un taux de 17,2 %, Standard (Indiana) de 21 %, Gulf de 17,9 %, tandis que les grandes compagnies pétrolières affichaient une moyenne générale de 19 %.

De tels chiffres soulèvent une question troublante : quel rôle ces multinationales avaient-elles joué pour contribuer ainsi à assurer leur prospérité ? Daniel Yergin semble attribuer une telle manne à la simple chance. « La plupart des augmentations immédiates ont été le fruit des opérations étrangères. Lorsque les pays exportateurs majorèrent leurs prix, les compagnies pétrolières se crurent tout permis », écrivit-il. Mais les *majors* n'étaient-elles que des observatrices apathiques regardant d'un air émerveillé l'argent tomber dans leurs coffres pendant que l'OPEP tirait les ficelles ? John Blair, l'économiste anti-trust, met en doute l'idée de compagnies se contentant de jouer les bénéficiaires passives. Il fait remarquer qu'à l'époque l'OPEP manquait d'expertise technique pour se charger de la tâche extrêmement complexe consistant à ajuster les approvisionnements en pétrole dans le monde afin de maintenir les prix auxquels elles désiraient le vendre. « Si le rendement devait effectivement être contrôlé par les pays de l'OPEP, ceux-ci auraient mis au point certains mécanismes de contrôle semblables à ceux qui ont été élaborés au cours des années par les compagnies pétrolières », précisa-t-il.

L'idée, popularisée dans la presse occidentale, d'une OPEP tirant subrepticement les ficelles, n'a jamais été prise au sérieux par la presse spécialisée, où l'on a l'habitude de passer au crible les subtilités de la fixation des prix du pétrole. Dès 1975, le *Petroleum Economist* faisait remarquer, par exemple, que les nations productrices avaient longtemps pensé à la possibilité de « programmer » leur production, mais que cette tâche n'était pas une sinécure. « Sa mise en œuvre efficace nécessite, pour les pays producteurs, la fixation de quotas de base individuels et la mise au point d'un mécanisme pour appliquer les décisions de production et imposer des sanctions aux contrevenants, À l'heure actuelle, cette organisation [l'OPEP] peu homogène n'a ni le personnel ni l'expertise pour fonctionner comme un cartel efficace », écrivait-on dans cette revue professionnelle,

Si l'OPEP ne possédait pas les subtilités qui lui auraient permis de fonctionner comme un cartel, les *majors* n'en manquaient pas. C'était même le genre de terrain où elles excellaient, et cela remontait aux accords d'Achnacarry, en 1928. Blair conclut que, manquant de compétence et d'autorité dans un contexte de demande décroissante, l'OPEP ne pouvait que confier la fonction de calculer les approvisionnements avec précision aux grandes compagnies pétrolières, celles-ci continuant simplement à jouer leur rôle historique consistant à stabiliser le marché des prix courants.

Le rôle joué par les *majors*, qui gardaient la haute main sur les approvisionnements pendant la crise de l'énergie, a été implicitement admis par le président du conseil d'administration d'Exxon, Clifton C. Garvin, à l'occasion d'une interview télévisée à *Face the Nation*, en novembre 1975. Au cours de cette émission, un reporter du *Washington Post*, Gordon Mintz, fit remarquer qu'Aramco, le mois précédent, avait réduit sa production en Arabie saoudite de 2,4 millions de barils par jour. « Cela ne prouve-t-il pas que c'est Aramco et non l'Arabie saoudite qui mène le jeu et que, sans l'appui d'Exxon et des autres "grandes sœurs", le cartel représenté par l'OPEP se désintégrerait et que le prix du brut baisserait ? », demanda le journaliste. Garvin nia évidemment ces allégations, mais, par la suite, se comporta exactement comme s'il les confirmait. Autrement dit, c'était bien la compagnie pétrolière et non l'Arabie saoudite qui avait décidé de réduire la production. Il expliqua : « L'Europe est temporairement en récession, elle connaît une baisse modérée des affaires, la demande n'est pas au rendez-vous. Le résultat est que *nous avons dû réduire notre production de pétrole.* » Plus tard, lorsqu'on lui reposa la question, Garvin entra dans les détails. « La demande de pétrole *que nous escomptions* ne s'est pas matérialisée. *Il nous a donc fallu baisser la production...* » (Les italiques sont de moi). Le président du conseil d'administration d'Exxon admettait en somme que la baisse de demande enregistrée par la compagnie pétrolière l'avait amenée à réduire sa production. Cette réduction fut qualifiée à l'époque par le *Petroleum Intelligence Weekly* de « stupéfiante », car elle avait permis aux prix de l'essence de demeurer élevés.

Les économistes et les autorités gouvernementales avaient prévu un effondrement des prix et le déclin de l'OPEP par suite de la récession de 1975. Cette baisse soudaine, provoquée par une majoration des prix des carburants, signifiait inévitablement une demande moins élevée pour ceux-ci. Certaines personnes se disaient qu'avec un surplus de stocks les prix dégringoleraient, à la plus grande satisfaction des consommateurs occidentaux. Mais un tel soulagement ne se matérialisa pas parce que les *majors*, grâce à leurs méthodes sophistiquées, avaient vu venir le « problème » et, en décrétant une réduction de production, firent en sorte que les surplus ne s'accumulent pas. En d'autres termes, ces multinationales avaient joué un rôle crucial pour permettre à l'OPEP le maintien de prix élevés. Les compagnies pétrolières savaient comment faire fonctionner le système, le mettre à leur service (et, incidemment, à celui de l'OPEP) et en tirer bénéfice.

Tandis que la colère des Occidentaux se déchaînait contre les producteurs arabes de pétrole – une colère qui devait couver pendant des années et amener de l'eau au moulin de nombreux politiciens américains –, les compagnies pétrolières se contentaient d'avoir l'air de profiter innocemment de la situation en encaissant des milliards de dollars de bénéfices, tout simplement parce qu'elles avaient eu la chance de se trouver au bon endroit au bon moment.

* * *

Les pays occidentaux n'ont pas digéré facilement l'obligation de s'adapter à ce changement majeur dans les affaires politiques mondiales. L'idée que des populaces vivant dans des pays aussi peu importants – le Venezuela, l'Arabie saoudite, l'Iran, l'Irak, le Koweït... et, grands dieux, la Libye ! – puissent s'ingérer dans la politique économique mondiale semblait injuste, du moins aux yeux des grandes puissances ayant l'habitude de faire la pluie et le beau temps dans ce domaine. C'est ainsi qu'à l'Ouest la nouvelle tournure des événements fut présentée comme une sorte de viol, une agression dirigée contre un état de choses existant depuis longtemps parmi les nations respectueuses des lois. Le président américain Gerald Ford déclara à cet effet au mois de septembre 1974 : « Les nations souveraines ne sauraient permettre que leurs politiques soient dictées ou que leur destin soit décidé par un tripotage et une fixation artificielle des prix des matières premières mondiales. »

Comme nous l'avons vu, le tripotage et la fixation artificielle des prix des matières premières mondiales étaient chose courante sur les marchés pétroliers mondiaux depuis des décennies, à un détail près :

les coupables étaient les grandes compagnies pétrolières. Il s'agissait là d'un arrangement que des pays souverains comme les États-Unis ne faisaient pas seulement que permettre, mais qu'ils encourageaient vivement en employant la force s'il le fallait. Les décisions clés concernant le marché international du pétrole avaient depuis longtemps été prises dans les salles des conseils d'administration à Londres et à New York, sans oublier les châteaux en Écosse. Ces décisions, qui entraînaient d'énormes répercussions pour les nations productrices de pétrole, n'avaient rien en commun avec l'économie de marché. Elles représentaient, au contraire, son antithèse. Au lieu de permettre la libre entreprise, le marché international du pétrole avait été partagé avec soin entre un petit nombre de partenaires étroitement liés. De plus, les décisions prises par cette clique étaient totalement arbitraires et absolument contraires aux lois de la libre entreprise. La production de l'Irak se trouvait limitée, alors que celle de l'Arabie saoudite augmentait pour des raisons qui n'avaient rien à voir avec les éventuelles possibilités de commercialisation du pétrole irakuien ou saoudien. Les pays qui osaient défier l'autorité des *majors* se faisaient punir et ceux qui coopéraient étaient récompensés.

En procédant à la nationalisation du pétrole iranien, le gouvernement de Mossadegh a découvert à quel point les règles du commerce pétrolier international pouvaient être arbitraires. En tout premier lieu, Washington avait envoyé à Téhéran deux personnages officiels haut placés, le diplomate Averell Harriman et le conseiller en questions pétrolières Walter Levy, pour qu'ils expliquent à Mossadegh les dures réalités du marché pétrolier. Mossadegh leur a rétorqué qu'il projetait de vendre le pétrole iranien au prix que le marché accepterait. Les deux envoyés des États-Unis ont été exaspérés par leurs difficultés à lui faire comprendre un fait pourtant bien simple : la libre entreprise n'existait tout simplement pas en matière de pétrole ! Les *majors* déterminaient le prix du brut. Point final. Lorsque Mossadegh était allé de l'avant avec ses plans de nationalisation, comme nous l'avons vu, l'industrie pétrolière avait répondu en décrétant un boycottage qui avait fermé tous les marchés mondiaux au pétrole iranien.

Cet embargo représentait une agression effrontée à la liberté du commerce et, pourtant, les gouvernements britannique et américain n'étaient pas intervenus pour défendre les principes de la libre entreprise. Tout au contraire, ils s'étaient empressés de renverser le gouvernement iranien.

Il est donc tout à fait surprenant que les pays occidentaux aient condamné les pays de l'OPEP après les avoir accusés de tripotage et de fixation artificielle des prix du pétrole. Tant que les sociétés pétrolières étaient aux commandes, qu'elles procédaient à des tripotages et à la fixation artificielle des prix des matières premières mondiales, on considérait que tout était pour le mieux dans le meilleur des mondes. Mais, lorsque les pays producteurs ont commencé à toucher aux prix du brut, la situation a été jugée hors de contrôle, comme un insupportable affront à la souveraineté des nations.

Ce tournant dans le déroulement des événements a pris un aspect vraiment spectaculaire. Les revenus des pays producteurs ont grimpé de 22 milliards de dollars en 1973 pour atteindre le chiffre stupéfiant de 90 milliards l'année suivante, un changement qui a eu des répercussions très importantes dans le monde entier. « Ce n'est que très rarement – et peut-être même jamais – qu'un ensemble de pays a réussi à augmenter ses revenus aussi rapidement », a fait remarquer l'analyste en questions pétrolières et historien Pierre Terzian. Les médias ont concentré leur attention sur les riches scheiks arabes qui sont devenus instantanément les symboles de la cupidité et de la trahison contre les pays occidentaux. Il est tout à fait vrai que certains sont devenus multimillionnaires du jour au lendemain, particulièrement ceux qui avaient des liens avec les familles royales des états peu peuplés du golfe Persique comme l'Arabie saoudite, le Koweït, les Émirats arabes unis et le Qatar.

Ces quatre pays étaient peu représentatifs des membres de l'OPEP dans lesquels vivaient environ 300 millions de personnes, dont la majorité connaissait des conditions de vie assez primitives. Le revenu moyen dans ces quatre pays du golfe Persique a doublé entre

1973 et 1974, passant de 3528 $ à 7600 $. Cependant, dans les pays de l'OPEP dont la population était plus importante et dont la production de pétrole était moins élevée, les gains ont été moindres. Le revenu annuel moyen, qui représentait 396 maigres dollars, est passé à 540 $. Rien d'impressionnant en somme. (À titre de comparaison, il est intéressant de noter que le revenu annuel moyen était de 5203 $ dans les pays industrialisés en 1974, soit 1 % de moins que l'année précédente.) Entre-temps, au Nigeria, membre de l'OPEP, avec une population de 80 millions d'habitants, l'augmentation des revenus du pétrole n'avait élevé le revenu moyen que de 80 $ par personne. En Indonésie, où la population atteignait 130 millions, le revenu moyen annuel n'avait augmenté que de 18 $. Aussi pittoresque qu'il ait pu paraître aux yeux des médias, le scheik richissime grâce au pétrole n'était pas la norme, sauf dans quelques palais du golfe Persique.

Cependant, l'idée que les Arabes avaient fomenté un plan pour s'emparer du monde continuait de couver dans les médias. La revue *The Economist* avait informé ses lecteurs que l'OPEP n'aurait besoin que de 15,6 ans pour acheter toutes les sociétés commerciales cotées au monde en utilisant ses surplus. Le magazine français *L'Express* a fait un calcul similaire pour montrer qu'avec l'argent en surplus l'OPEP pouvait se payer les Champs-Élysées en dix jours, et la tour Eiffel en un peu plus de huit minutes. Chose intéressante, personne n'a jamais calculé la vitesse avec laquelle Exxon pourrait accaparer les Champs-Élysées. Même si l'on sait fort bien que le gouvernement français n'irait jamais mettre en vente de tels symboles nationaux, ce concept constituait une diversion permettant d'attiser l'animosité de l'Occident envers les pays de l'OPEP et provoquer la crainte que les pays arabes n'utilisent leurs nouvelles richesses pour mettre en pièces la culture et l'esprit occidentaux.

Les médias revenaient constamment sur le fait que d'énormes sommes d'argent pouvaient être *recyclées*, ce qui impliquait que toute la richesse existant dans ces régions éloignées était quelque chose de totalement insolite. Sa place était *chez nous*, là où *nous* pouvions l'utiliser. En fait, une grande partie des gains excédentaires de l'OPEP *était* recyclée dans l'économie des pays industrialisés. Une analyse faite par la Banque de Chicago a dévoilé que du total des actifs bruts que possède l'OPEP à l'étranger – et qui se chiffrait à 160 milliards de dollars en 1977 –, 42 milliards avaient été investis directement aux États-Unis, 16 milliards dans d'autres pays industrialisés et 60 milliards en fonds publics contrôlés par des banques américaines.

Dans ce discours odieux résidait l'idée sournoise que la répartition des revenus mondiaux avant l'émergence de l'OPEP avait été naturelle et juste. Les pays de l'Ouest n'avaient alors pas considéré qu'une grande concentration de richesses appartenant à une poignée de personnes causait un problème quelconque, du moins jusqu'à ce qu'une partie de cette richesse échoue dans les pays producteurs de pétrole. Il est intéressant de constater qu'à une époque antérieure, dans les années cinquante et soixante, il y avait eu un autre bouleversement concernant les revenus mondiaux, lorsqu'une baisse importante des prix des matières premières (y compris du pétrole) avait provoqué une baisse des revenus des pays les plus pauvres. À la même époque, les pays industrialisés avaient pu bénéficier d'une augmentation des prix des produits manufacturés. « Cela a entraîné de gros déficits dans la balance des paiements des pays en voie de développement pendant que les pays développés considéraient comme normal un marché régi par la loi de l'offre et de la demande », signalait alors Ali Attiga, l'économiste libyen qui avait également été le secrétaire général de l'OAPEC. Ce n'est que lorsque les choses ont changé et que les revenus ont joué en défaveur des pays de l'Ouest que les commentateurs ont remarqué un changement.

De plus, comme l'ont fait les nations productrices, on peut argumenter que, durant de nombreuses années, leur pétrole a été vendu au rabais, et que cela s'est révélé très profitable à l'économie en favorisant la croissance industrielle et la prospérité des pays occidentaux. Il est tout à fait vrai que le pétrole est une matière première essentielle à notre époque. Comme elle ne se trouve pas partout, qu'elle est non renouvelable et qu'il s'agit d'une source d'énergie très efficace, nous parlons ici d'une ressource possédant une très grande valeur, que son prix devrait refléter.

La tarification trop basse du pétrole paraît être une chose particulièrement injuste quand on sait que la plupart des pays qui en possèdent beaucoup ne disposent d'à peu près aucune autre ressource. Abdullah Tariki l'avait souligné lors de son discours convaincant au Congrès arabe du pétrole à Beyrouth, en 1963. Pour de nombreux pays producteurs, il s'agit d'une chance unique. Lorsque les réserves en brut de ces pays auront disparu, elles ne reviendront jamais et même ceux qui possèdent les réserves les plus importantes s'attendent à ce qu'elles soient épuisées vers le milieu de ce siècle. Les pays producteurs n'ont donc qu'une unique fenêtre sur l'avenir, qui leur donne la possibilité d'utiliser leur pétrole de manière à bien positionner leur pays. Un tel atout, s'il n'est pas évalué à son juste prix, entraîne l'imprudence et l'irresponsabilité, qui peuvent causer énormément de tort aux générations futures. Dans quelques décennies, probablement au cours des cinquante prochaines années, ces pays se retrouveront sans leur source principale de revenus. Essayez d'imaginer quelque chose de semblable en Occident ; les tanks ne seraient pas longs à rouler dans les rues.

Quand on regarde l'OPEP sous cet angle, on comprend mieux ses réactions. Bien que l'OPEP agisse comme un cartel et qu'il adopte parfois les mêmes pratiques contre la concurrence que les sociétés pétrolières, il le fait dans le but d'enrichir des pays pauvres qui, dans bien des cas, n'ont que très peu d'autres ressources. Qui plus est, ce pétrole est *leur* pétrole. Les sociétés pétrolières, d'autre part, ont réussi à accaparer le marché en prenant le contrôle des réserves pétrolières dans des contrées éloignées, souvent grâce à la ruse, à la corruption, à l'intimidation et, quelquefois même, à l'aide des forces armées.

Bien entendu, l'embargo des années 1973 et 1974 avait fait apparaître un tout nouveau palier d'agression dans l'indexation artificielle des prix du pétrole sur les marchés mondiaux. Tout à coup, une matière première vitale était supprimée, avec comme conséquence des pays pris en otage et subissant des privations sérieuses. Aussi dramatique que ce concept puisse paraître, il n'est cependant ni nouveau ni confiné à cette situation précise. Pendant des décennies, Washington a imposé un blocus très sévère à Cuba, empêchant l'entrée dans ce pays de matières premières vitales et créant ainsi des pénuries très importantes. De façon similaire, le boycottage des années cinquante contre l'Iran a paralysé l'économie de ce pays. Plus récemment, au cours des années quatre-vingt-dix, le Conseil de sécurité de l'ONU, sur l'insistance de Washington, a maintenu des sanctions désastreuses contre l'Irak, qui ont privé ce pays de médicaments et de nourriture et qui, d'après l'ancien ministre de la Justice des États-Unis, ont causé plus d'un million et demi de morts au sein de la population irakienne.

La réponse que l'on aurait pu recueillir dans les médias et auprès des gouvernements occidentaux est que ces pays méritaient des traitements aussi durs étant donné leur mauvaise conduite (bien qu'il soit difficile d'imaginer un système judiciaire permettant la mort d'un million et demi de personnes parce que le dictateur qui les dirigeait, un individu non élu démocratiquement, se conduisait mal). En comparaison, l'Ouest a décliné toute responsabilité lors de l'embargo pétrolier de 1973, et le fait que les Américains ont dû faire la queue pour remplir le réservoir de leur voiture semble avoir été une odieuse atteinte à leurs droits. La moralité de la situation a pu paraître tout à fait différente aux yeux des Arabes qui vivaient au Proche-Orient. Lors du déclenchement de la guerre en octobre 1973, l'Égypte et la Syrie ne faisaient qu'essayer de récupérer leurs propres territoires, qu'Israël avait fait siens en 1967 et dont l'ONU avait exigé la remise. Si nous acceptons l'idée que les nations ont le droit de protéger l'intégrité de leurs territoires, comme nous le ferions certainement en Occident pour protéger nos frontières, il n'est donc pas surprenant que l'Égypte et la Syrie se sentent le droit d'essayer de reprendre leurs biens ni que des pays arabes frères les appuient en retenant le pétrole comme moyen de pression tactique. En fait, l'embargo s'est soldé de manière assez anodine en Occident. Les files d'attente à la pompe ne sont guère agréables, mais personne n'en meurt. L'embargo pétrolier des pays arabes semble constituer un abus scandaleux seulement lorsqu'on croit que les embargos – les pays occidentaux les utilisent facilement pour punir les états « délinquants » autour du globe – sont des armes qui appartiennent exclusivement à *notre* arsenal.

* * *

L'argument suprême utilisé par l'Ouest pour diffamer l'OPEP était que les augmentations du prix du pétrole étaient catastrophiques pour les nations pauvres. Il est tout à fait vrai que les prix plus élevés du pétrole ont eu des effets désastreux sur la plupart de pays du tiers-monde, qui n'avaient pas les moyens d'acquitter la facture et qui avaient désespérément besoin de cette énergie pour leur croissance économique... En 1974, les pays en voie de développement avaient dû payer 11 milliards de dollars en coûts supplémentaires pour le pétrole, leur causant un déficit commercial de 35 milliards, quatre fois celui de 1973. Les pays en voie de développement avaient donc lancé des appels à l'aide. Quelques pays africains demandèrent l'institution d'un système de prix à deux étages permettant aux nations pauvres d'être épargnées par la hausse des prix. L'OPEP a étudié cette demande lors de réunions qui eurent lieu aux mois de janvier et de juin 1974 et, par deux fois, la demande fut rejetée. Il faut donc admettre que les critiques des pays de l'Ouest à l'égard des pays arabes, indifférents à ces suppliques, avaient quelque fondement.

Toutefois, si l'on examine la situation d'un peu plus près, on s'aperçoit que tout n'est pas aussi nettement tranché. Tout d'abord, il faut remarquer l'ironique particulière dans la façon dont l'Occident manifestait soudain un très vif intérêt pour les difficultés des pays du tiers-monde. Henry Kissinger, le premier de tous, ne manquait jamais une occasion de mentionner l'impact de l'augmentation du prix du pétrole sur les pays en voie de développement, qui, comme il le faisait remarquer, « font face à la famine et à cette tragédie que constitue le vain espoir de se développer ». Il est difficile de ne pas se souvenir que, jusque-là, Kissinger ne s'était jamais inquiété du sort de ces pays à une époque où le « vain espoir » de s'en sortir ne pouvait pas être imputé à son ennemi juré, l'OPEP.

Il est également intéressant de noter que les pays industrialisés montraient une volonté très limitée d'aider les nations dont elles déploraient autant le triste sort. Malgré les promesses faites de mettre de côté 0,7 % de leur produit national brut (PNB) pour aider les pays étrangers, les pays industrialisés n'ont réussi à rassembler que 0,3 % de leur PNB au cours des années soixante-dix. Il y eut quelques exceptions marquantes comme la Hollande et la Norvège (0,6 % pour ces deux pays) et la Suède, qui a atteint 1 %. Pendant la même période, l'Allemagne n'a consacré que 0,4 % au tiers-monde et les États Unis – le pays le plus riche au monde – un maigre 0,2 %.

Ces chiffres nous donnent un point de comparaison intéressant si on les rapproche de l'aide financière assez consistante accordée par les pays de l'OPEP au tiers-monde à la suite des hausses du prix du pétrole. Même avant ces hausses, les pays de l'OPEP étaient réputés avoir distribué un pourcentage plus élevé de leur PNB aux pays en voie de développement. Selon les statistiques de l'OCDE, ce taux atteignit 1,2 % de leur PNB en 1973. Après les hausses du prix du pétrole, ils ont porté cette aide à 2 % du PNB en 1974 et à 2,7 % en 1975. Terzian a noté que ces efforts étaient considérables à tous les points de vue, spécialement parce que beaucoup de ces pays avaient une population importante et qu'ils étaient loin d'être riches. Il est également saisissant de constater que les pays sous l'autorité des scheiks du golfe Persique, qui avaient la réputation de faire preuve de cupidité dans l'esprit des Occidentaux, ont fourni de l'aide aux pays pauvres à un niveau qui nous aurait coupé le souffle si nous en avions eu connaissance à l'Ouest. Selon l'OCDE, l'Arabie saoudite a fourni presque 5 % de son PNB en aide à l'étranger, tandis que le Koweït, les Émirats arabes unis et le Qatar ont donné de *10 à 15 %* de leurs PNB respectifs. On peut sans doute dire que ces pays du Golfe avaient les moyens d'agir de la sorte, mais on pourrait en dire autant des pays de l'Ouest.

Malheureusement, les documents qui font état de nos dons ne reflètent guère notre générosité.

La démarche intrépide entreprise par un petit groupe de pays, dont l'Algérie, était encore plus impressionnante dans ses perspectives et ses ambitions. Il s'agissait de saisir le bon moment et d'utiliser la montée de l'OPEP pour effectuer des changements majeurs dans l'économie mondiale. Cela a débuté avec une session extraordinaire de l'ONU à New York, en avril 1974. L'Algérie a demandé que l'on entreprenne une action ayant pour but d'abandonner le système selon lequel la petite élite des pays du G7 régissait l'économie mondiale pour l'élargir à un groupe de pays beaucoup plus vaste, que l'on pourrait nommer le G77. L'Assemblée générale de l'ONU a adopté ce plan qui exigeait rien de moins qu'un « nouvel ordre économique mondial ».

Plus vite dit que fait, bien entendu. Cependant, des efforts gigantesques on été entrepris pour donner suite à ce plan dirigé par le président algérien Houari Boumediene. L'idée maîtresse était d'empêcher les pays de l'Ouest de répondre aux nouvelles réalités créées par l'OPEP en insistant uniquement sur le prix du pétrole. Boumediene recommanda que tout changement du prix du brut fasse partie du nouvel examen approfondi du fonctionnement de l'économie mondiale, injuste envers les pays producteurs, et sur la façon dont les pays du tiers-monde étaient exploités par les pays industrialisés d'Occident.

Boumediene se rendit compte que la hausse des prix du pétrole avait offert des possibilités inexistantes jusque-là. « Dans le passé, nous parlions et personne ne nous écoutait. Nous avons crié et nous n'avons reçu aucun écho. Nous avons demandé de l'aide, et le vent a étouffé nos voix », déclarait le leader algérien au début de 1975. Et voilà que le pouvoir conféré à l'OPEP par le pétrole attirait l'attention des pays occidentaux. L'organisation à laquelle les États-Unis refusaient de parler seulement quelques années auparavant faisait maintenant l'objet d'une cour assidue (et aussi de diffamation) de la part des institutions occidentales qui tenaient beaucoup à engager un

« dialogue ». Boumediene voulait que les nations membres de l'OPEP tiennent tête aux cajoleries visant à les faire entrer dans le club des riches pays occidentaux, seulement parce qu'ils étaient producteurs de pétrole. « Nous devons prendre garde à ne pas tomber dans le piège qui nous a été tendu. Nous devons refuser de discuter avec les pays industrialisés tout simplement à cause de notre qualité de producteurs de pétrole », disait Boumediene en insistant sur le fait qu'il n'y aurait pas de dialogue avec les pays occidentaux selon les termes mesquins qu'ils tenaient à appliquer. Personne ne pourrait s'occuper de la « question du pétrole » de façon unilatérale. Le problème de l'inégalité monstrueuse entre le Nord et le Sud devait être envisagé dans sa globalité.

Il s'agissait là d'une proposition grisante. Tout comme Hugo Chávez essaye de le faire de nos jours, Boumediene tentait de définir le rôle de l'OPEP et voulait en faire le champion d'un tiers-monde où certains pays pourraient utiliser leur richesse et leur pouvoir récemment acquis, non seulement pour se garantir une place privilégiée dans le concert économique des nations, mais aussi pour entraîner avec eux les autres pays en voie de développement. « Nous gèlerons le prix du pétrole si nous devons le faire. Nous le baisserons si nous devons le baisser, déclara Boumediene. Nous le ferons seulement à la condition qu'il y ait une réciprocité de la part des pays industrialisés et que chacun contribue, selon ses moyens et les responsabilités qu'il a, pour réorganiser l'économie mondiale. »

L'OPEP, avec l'Algérie comme catalyseur, a commencé à élaborer son plan lors de réunions au cours de l'année 1974 et d'un congrès qui a rassemblé les pays de l'OPEP et autres pays du tiers-monde à Dakar, au Sénégal, en février 1975. Le mois suivant, environ mille délégués se réunirent lors d'un sommet à Alger. La ville était parsemée de pancartes déclarant que l'OPEP était le « bouclier protecteur du tiers-monde ». De bien des façons, ce sommet a représenté une étape décisive, car les membres de l'OPEP ont fait beaucoup plus que de traiter essentiellement du problème des prix et de la fiscalité. Ils ont sanctionné une « déclaration solennelle » où il était dit que

« les grandes crises économiques mondiales [...] ont principalement comme origine les profondes inégalités économiques et les progrès sociaux entre les peuples [...] et que ces inégalités ont été engendrées et maintenues principalement par l'exploitation étrangère [...] ». Ces paroles, prononcées par des pays qui, seulement quelques années auparavant, n'auraient jamais osé contester les tout-puissants maîtres occidentaux, étaient vraiment audacieuses.

Cependant, pour terminer, ce sommet a rejeté la plupart des propositions ambitieuses que l'Algérie avait mises à l'ordre du jour. La majorité des pays de l'OPEP se montraient satisfaits d'épouser la cause de la solidarité envers le tiers-monde, mais ils désiraient également faire la paix et établir des relations plus étroites avec les pays occidentaux. Ils ont rejeté le plan de Boumediene qui souhaitait l'institution d'un « fonds de développement » au capital de 10 à 15 milliards de dollars, et ils ont préféré laisser l'aide aux pays étrangers à un système plus approprié par lequel les pays détermineraient leur niveau de contribution. Les membres de l'OPEP ont également rejeté l'idée d'un pacte de défense commune.

Il va sans dire que les pays occidentaux ont accueilli avec une certaine froideur l'idée de repenser complètement l'ordre économique mondial. (À la place, dans le but de coordonner les programmes d'urgence de la répartition du pétrole, de la gestion des stocks, et afin d'être moins vulnérables à l'avenir, ils ont créé l'International Energy Agency.) Parmi les pays occidentaux, la France fut celle qui répondit le mieux aux initiatives de l'OPEP et signa un accord de principe dont l'objectif était de réexaminer les règles de l'économie globale. Sur l'ordre de la France, un « dialogue » international, qui ne se limitait pas aux questions pétrolières, a débuté à Paris. Cette réunion se nommait la Conférence internationale sur la coopération économique et synchronisait le dialogue Nord-Sud. Tous les pays industrialisés les plus importants y ont participé, ainsi que sept pays membres de l'OPEP et 12 autres venant du tiers-monde. Le « dialogue » a traîné en longueur pendant les deux années suivantes, réunion après réunion. Les coprésidents étaient le ministre canadien des Affaires étrangères,

Allan MacEachen, qui s'intéressait depuis longtemps aux questions de justice sociale, et Perez Guerrero, l'ancien ministre du pétrole du Venezuela et un proche collaborateur de Pérez Alfonzo. Malgré tout le dévouement dont ces deux personnes firent preuve envers la cause du développement économique, elles furent incapables d'obtenir des pays industrialisés une seule réponse à des questions fondamentales posées par l'OPEP et les autres pays du tiers-monde. Les pays riches se sont mis d'accord sur deux choses : augmenter leur aide en fournissant 0,7 % de leur PNB – un objectif qu'ils n'ont pas réussi à atteindre –, et créer un fonds permettant de consolider le prix des matières premières des pays en voie de développement. En fin de compte, ce fonds n'a jamais été créé.

* * *

Il est triste de constater que le zèle réformiste s'est également évanoui au sein de l'OPEP. Un changement de tendance important apparut en mars 1975, à peine trois semaines après le sommet d'Alger, lorsque le roi Fayçal fut assassiné par un membre de la famille royale saoudienne, un individu au cerveau apparemment dérangé. Bien qu'il ait toujours été conservateur, le roi Fayçal n'en respectait pas moins Boumediene et travaillait à ses côtés pour que l'OPEP en arrive à un consensus capable de créer un lien entre la faction radicale de Boumediene (l'Algérie, la Libye et l'Irak) et les nations plus démocratiques du golfe Persique, dirigées par l'Arabie saoudite. Le roi Fayçal était également un nationaliste engagé qui, comme le fait remarquer Terzian, « pouvait à l'occasion tenir tête aux États-Unis, malgré les liens très étroits et considérables qu'il entretenait avec ce pays ». Pour certains réactionnaires américains, ce désir d'indépendance, aussi modéré qu'il fût, n'en était pas moins insupportable. Le roi Fayçal a été décrit de façon étonnante dans le *Washington Post* comme le personnage qui, « depuis Hitler, avait le plus causé de tort aux pays occidentaux ».

Le décès du roi Fayçal a provoqué un énorme bouleversement politique en Arabie saoudite, et sa répercussion sur les pays de l'OPEP et le monde entier a été lourde de conséquences. La couronne saoudienne s'est retrouvée sur la tête du prince Khalid, considéré comme un monarque faible et inefficace, alors qu'en même temps se déroulait une lutte de pouvoir entre deux princes importants, Fahd et Abdulhah, demi-frères de Fayçal, qui représentaient des clans rivaux. Il est significatif que ces deux princes aient eu des idées différentes sur une question épineuse, celle des relations avec les États-Unis. Les deux princes estimaient qu'il était nécessaire d'entretenir des relations avec Washington. Cependant, les idées d'Abdulhah n'étaient guère pro-occidentales et, tout comme le roi Fayçal, le prince Abdulhah avait une propension à défendre l'indépendance de son pays. Au contraire de presque toutes les autres personnes de la famille royale, il avait choisi de vivre dans le désert, sous la tente, à boire du lait de chamelle et refusait de vivre dans les palaces de Riyad et sur ses yachts en Méditerranée. Aux yeux d'Abdulhah, il était important de préserver le caractère islamique et arabe de l'Arabie saoudite, que ce soit en politique intérieure ou extérieure, et il s'inquiétait des conséquences d'une trop grande production de pétrole sur la modernisation du pays, et de la corruption que cela entraînerait. Fahd, quant à lui, entretenait des liens très étroits avec Washington et désirait développer encore davantage ces liens. Fahd était devenu le prince héritier après la mort de Fayçal, et il était responsable de la politique pétrolière de l'Arabie saoudite.

L'ascension de Fahd sur le trône en 1982, après le décès du roi Khalid, a donné une nouvelle vie à la « relation privilégiée » entre Riyad et Washington. Cela signifiait, de plus en plus, que, en échange d'une garantie de la sécurité pour la famille royale, Washington aurait la permission de déterminer la quantité de pétrole produit par l'Arabie saoudite. Ce pays, qui possédait environ un quart des réserves mondiales de brut, pouvait effectivement le vendre à un prix plus bas que celui imposé par l'OPEP. Il lui suffisait d'ouvrir les vannes et d'inonder le marché. Seuls les Saoudiens possédaient ce pouvoir énorme, et ils l'exerçaient de plus en plus en étant aux ordres de Washington.

Ainsi, en mai 1976, à Bali, lorsqu'une majorité de membres de l'OPEP décida d'augmenter de 20 % le prix du pétrole pour compenser l'inflation, l'Arabie saoudite s'opposa violemment à cette hausse, et cela conduisit à une querelle acharnée entre l'Irak et les Saoudiens. Cette dispute a traîné en longueur pendant des mois et a incité le ministre saoudien du pétrole, le scheik Yamani, à menacer publiquement d'inonder le marché de brut saoudien, au risque de faire dégringoler les prix imposés par l'OPEP. Yamani a été perçu comme un traître par toute la communauté arabe, tandis que la presse occidentale le félicitait pour sa modération. Il est vrai que Yamani et le prince héritier Fahd, qui menait la barque, semblaient souvent favoriser les intérêts américains au détriment de ceux de la communauté arabe. En 1978, lorsque les Saoudiens se sont de nouveau opposés à une autre majoration de prix et ont réussi à la limiter à 10 %, Yamani a déclaré à des journalistes occidentaux : « J'ai tout fait pour minimiser l'augmentation. » Nicolas Sarkis, un expert libanais en questions pétrolières, a accusé publiquement Yamani et l'a apostrophé en ces termes : « L'OPEP n'a pas été instituée pour devenir une filiale du Département d'État américain, mais pour prendre la défense des intérêts d'un groupe de pays sous-développés. »

Les relations étroites entre Washington et Riyad se solidifiaient à la fin des années soixante-dix. Par contre, l'époque où l'OPEP pouvait être considérée comme une force cohérente défendant l'intérêt de ses membres – et encore davantage ceux des pays du tiers-monde – était définitivement révolue. L'Arabie saoudite produisait le chiffre impressionnant de 8,5 millions de barils par jour, ce qui créait suffisamment de réserves pour empêcher les prix de grimper, mais, avec le temps, ceux-ci diminuaient à cause de l'inflation. Le volume impressionnant de la production saoudienne, absolument pas nécessaire pour subvenir à ses propres besoins, mais encouragé par les États-Unis à la suite de la crise énergétique, a également permis à l'Ouest et aux sociétés pétrolières occidentales de constituer leurs propres stocks. Comme ces dernières possédaient de grosses réserves de brut, elles ont pu recommencer à jouer un rôle prépondérant dans l'élaboration du prix de la matière première en achetant et en revendant de grandes quantités de brut pour les livrer immédiatement sur le *spot market* ou marché dit « au comptant ».

En 1979, après la révolution iranienne, lors de la nouvelle série de chocs causés par les prix du pétrole, l'OPEP n'a rien eu à voir avec ces augmentations. Ces majorations ont plutôt découlé de surenchères sur les prix du marché au comptant pratiquées par les sociétés pétrolières, ce qui leur avait permis d'empocher des milliards de dollars. Cette situation a provoqué une riposte des Saoudiens en colère, qui ont fait appel à Washington pour que le gouvernement américain intervienne et empêche les sociétés pétrolières de faire grimper les prix et de vendre le pétrole à un prix supérieur à ceux fixés par l'OPEP. Toutefois, les Saoudiens étaient largement responsables de s'être placés dans une situation difficile et d'avoir mis tous les membres de l'OPEP dans l'embarras. En inondant les marchés mondiaux de leur pétrole pour faire plaisir aux Américains, les Saoudiens avaient affaibli le pouvoir possédé par l'OPEP de maintenir des prix élevés. Cela a divisé ses membres qui ont commencé à se disputer les marchés alors que les prix du pétrole s'effondraient. L'OPEP ainsi divisée, le rêve d'une organisation pouvant avoir la force de défier le pouvoir occidental des conglomérats se trouva détruit. Le contrôle de la politique pétrolière dont s'étaient emparés audacieusement quelques pays sous-développés pendant un court laps de temps, avait été repris par l'Ouest et les compagnies internationales.

* * *

Ironie du sort, les augmentations des prix du pétrole accompagnées d'une « crise de l'énergie » dans les pays occidentaux, ainsi que l'embargo des années 1973 et 1974 ont engendré l'électrochoc dont l'Occident avait tant besoin pour comprendre qu'il fallait, au minimum, diminuer le rythme avec lequel nous émettions imprudemment du gaz carbonique dans l'atmosphère. Personne ne s'était vraiment soucié de la nécessité de vouloir utiliser moins d'essence jusqu'au moment où cette dernière est devenue chère et rare. Si nous avions continué à laisser se dérouler les événements de façon totalement insouciante plutôt que d'opter, comme nous l'avons fait, pour une politique un peu moins irresponsable, nous serions sans doute dans un état beaucoup plus piteux et beaucoup plus près de ce que le réchauffement de la planète risque de nous réserver. C'est ainsi que, malgré tout ce que l'on pourra dire contre l'OPEP, ses jours de gloire nous auront au moins apporté, du côté des changements climatiques, quelques années supplémentaires d'un équilibre relatif.

De plus, il s'avère qu'il ne nous a pas été aussi difficile de réduire nos besoins en pétrole que nous aurions pu l'imaginer. Comme Yergin nous le fait remarquer, dès 1985 les États-Unis avaient baissé de 25 % leur consommation en énergie et de 32 % leur consommation en pétrole par rapport à l'année 1973. Ces économies n'ont pas été provoquées parce que des personnes avaient subi des pénuries, mais grâce aux améliorations technologiques – tout spécialement dans le cas des moteurs d'autos et des appareils ménagers – qui ont permis à ces machines d'avoir les mêmes performances tout en étant plus efficaces. Toute estimation raisonnable révélait une nette amélioration et même une saine économie financière. Ralph Torrie, un conseiller en énergie à Ottawa, a remarqué que nos épargnes sur le plan énergétique depuis les trois dernières décennies représentaient notre principale « source » d'énergie nouvelle. « Nous avons obtenu ces nouvelles sources, a-t-il fait remarquer, à peu près sans aide des gouvernements, sans la présence d'institutions bien organisées ni d'infrastructure financière et, enfin, malgré la concurrence très bien organisée du pétrole, du gaz et de l'industrie nucléaire, des secteurs généreusement subventionnés. » Torrie pose la question : « *Si nous nous mettions vraiment à économiser*, quels résultats n'obtiendrions-nous pas de cette nouvelle source d'énergie ? »

C'est pourquoi, de bien des façons, la vraie « crise » de 1973-1974 n'a pas été causée par l'augmentation du prix du pétrole, mais par notre incapacité de considérer ces prix élevés comme un signal d'alarme nous prévenant de réduire nos besoins en pétrole. Malgré la facilité avec laquelle nous aurions pu procéder à cette réduction, nous avons, en grande majorité, refusé de nous y astreindre. La panique causée par la possible pénurie de pétrole a disparu aussi vite qu'elle avait fait surface, et nos résolutions de procéder à des changements de nos mauvaises habitudes énergétiques se sont évanouies avec celle-ci. Dès le mois d'août 1974, seulement quelques mois après la levée de l'embargo sur le pétrole, un projet de loi qui devait permettre des dépenses de 20 milliards de dollars pour améliorer les systèmes de transports en commun très négligés a été amputé de la moitié de la somme prévue. Comme cela s'est avéré, la suprématie de l'automobile avait encore de beaux jours devant elle et ne serait pas défiée.

En fait, rien ne serait mis au défi, rien ne changerait. Il n'y aurait pas de tentative de réduction de la consommation du pétrole ni aucun effort sérieux pour s'occuper des inégalités existant dans de nombreuses régions du monde, une question que les pays de l'OPEP, avec le pétrole en guise d'arme, avaient réussi à mettre en évidence. Le message était clair : retournez à vos tentes et à vos bidonvilles, les gars... l'Occident est encore aux commandes !

Les États-Unis, qui avaient repoussé les solutions pouvant se révéler bénéfiques pour l'environnement et apporter des solutions à la pauvreté sur la terre, ont consacré leur énergie à diminuer le pouvoir de l'OPEP. Et, de plus en plus, Washington s'est fixé des solutions à long terme encore plus ambitieuses pour résoudre la crise énergétique : prendre physiquement le contrôle des puits de pétrole au Proche-Orient.

Chapitre 9

LE ROI DES VANDALES

Qu'on la qualifie de véritable crise de l'énergie ou d'autre chose, celle de 1973-1974 a créé chez les Américains un certain sens de la fragilité qui devait avoir chez eux de profondes implications. Presque instantanément, cette crise a déclenché un processus d'importante remise en question quant au rôle joué par le pétrole dans la sécurité nationale américaine. Cette réactualisation amena un gigantesque changement de cap et devint bientôt la priorité numéro un de la politique extérieure américaine, permettant aux États-Unis d'influencer ou même de contrôler ce qui se passait au Proche-Orient, où l'on trouve 65 % du brut mondial. Alors que Washington étendait son hégémonie politique et militaire au Proche-Orient, les États-Unis jouèrent de plus en plus le rôle qu'assumait la Grande-Bretagne, le pouvoir dominant dans la région, de la fin de la Première Guerre mondiale jusqu'à la fin des années soixante. Tandis que les Américains prenaient le relais, ils connaissaient, tout comme les Britanniques avant eux, des difficultés dans leurs relations avec les peuples de ces régions. Finalement, la forte présence des États-Unis, y compris le cantonnement de 5000 soldats américains en Arabie saoudite, provoqua une réaction qui mena vers l'émergence d'une force militante conduite par Oussama Ben Laden. Ironiquement, la montée de ce pouvoir concrétisait certaines craintes, celles que les actions politiques des Américains au Proche-Orient finissent par menacer la sécurité nationale des États-Unis.

* * *

Dans ce restaurant ensoleillé d'une banlieue chic de Washington James Akins est un monsieur qui sait apprécier un menu thaïlandais à sa juste valeur et manie les baguettes comme un Asiatique. Qu'il s'agisse de gastronomie orientale ou de politique internationale, il n'affiche aucune des attitudes typiques des Américains des classes dirigeantes, un cénacle auquel il a sans nul doute appartenu. Après avoir occupé d'importants postes diplomatiques au Koweït et en Irak à la fin des années cinquante et au début des années soixante, Akins est rentré à Washington où il est devenu le premier expert en pétrole du Département d'État. À cette époque, le nationalisme libyen et des pays du Proche-Orient était en pleine effervescence et accaparait toute l'attention de la Maison-Blanche. Après les élections de 1972, Akins fut chargé par celle-ci de mettre au point le premier plan énergétique global des États-Unis. Son objectif personnel était d'insister très fortement sur la nécessité de conserver l'énergie, une solution que les collaborateurs de Nixon n'étaient certainement pas prêts à encourager. Akins se souvenait de ce que lui avait rappelé le bras droit de Nixon, John Erlichman (impliqué dans l'affaire du Watergate) : « Monsieur Akins, il vous faut comprendre que la conservation [de l'énergie] ne fait pas partie de notre éthique républicaine. » Akins, que ses connaissances sur le pétrole et le Proche-Orient rendaient indispensable à la Maison-Blanche (il parle presque couramment l'arabe), fut nommé, malgré son approche écologique, ambassadeur des États-Unis en Arabie saoudite alors que la crise de l'énergie faisait rage.

L'intérêt manifesté par Akins à l'égard de la conservation de l'énergie n'était pas sa seule faiblesse aux yeux des républicains. Il y avait aussi ses idées sur la manière dont les États-Unis pouvaient le mieux défendre leurs intérêts au Proche-Orient. Dans le jargon du Département d'État, Akins était considéré comme un « arabisant[22] ».

---

22. Le mot « arabisant » *(arabist)* signifie en anglais, comme en français, un érudit dans la culture et l'histoire arabe, mais aussi une personne aux idées pro-arabes, donc suspecte. *(N.d.T.)*

À son domicile, il possède d'ailleurs des étagères pleines de poteries anciennes que sa femme et lui se sont procurées en Irak au début des années soixante. Au cours des dernières années, les arabisants ont pratiquement disparu au Département d'État et dans la bureaucratie de Washington. Ils ont été remplacés par des gens ayant de solides affinités avec le gouvernement israélien.

Lorsqu'on est arabisant, quoi de plus naturel que de prêter une oreille compréhensive aux points de vue d'un monde que l'on connaît bien ? Cela n'empêchait d'ailleurs pas Akins de présenter des politiques qu'il considérait à long terme comme favorables aux intérêts du gouvernement de sa patrie. Il estimait que Washington se faisait inutilement des ennemis au Proche-Orient en recourant à la manière forte et en refusant toute initiative arabe, même lorsqu'elle était parfaitement légitime et compréhensible. Ainsi, Akins essaya de convaincre Washington de lever l'interdiction de 1960 faite aux porte-parole américains de discuter ou de négocier avec l'OPEP. « Je leur expliquais pourtant qu'il nous fallait reconnaître cette organisation... », se rappelle-t-il. De la même manière, comme je l'ai mentionné dans un chapitre antérieur, Akins conseilla aux fonctionnaires de Washington d'accéder à la demande de Kadhafi qui exigeait une hausse de 40 cents par baril de brut en 1969 – une revendication raisonnable, mais qui mettait les grandes compagnies pétrolières dans un état hystérique. Akins encouragea ces compagnies à accepter les exigences libyennes, un conseil qu'elles ignorèrent.

Les conseils d'Akins sur ces questions étaient fréquemment ignorés, non seulement à Washington, mais aussi par les membres de la haute direction des compagnies pétrolières avec lesquelles il faisait affaire. Il se souvient particulièrement qu'à la fin des années soixante un dirigeant très haut placé lui rendit visite à son bureau en lui prédisant que l'Arabie saoudite produirait plus de 20 millions de barils de pétrole par jour d'ici 1980. Lorsque Akins lui demanda ce que les Saoudiens pensaient d'un prélèvement de pétrole aussi important dans leurs réserves de brut, la réponse arriva instantanément et sans réplique possible : « Dites-moi, qu'est-ce que les Saoudiens peuvent bien avoir à foutre là-dedans ? » Akins estime que ce genre d'attitude méprisante mine les intérêts des États-Unis au Proche-Orient.

Les agissements négatifs de l'Amérique envers le monde arabe se sont durcis davantage après la crise pétrolière de 1973-1974, et Akins découvrit bientôt jusqu'à quel niveau hiérarchique ces sentiments antiarabes pouvaient se manifester. Au milieu des années soixante-dix, la presse populaire et les journaux politiques universitaires étaient remplis d'articles prônant une confrontation très nette avec l'OPEP. Dans l'influent journal *Commentary* de janvier 1975, le stratège conservateur bien connu Robert Tucker, dans un article intitulé « Pétrole : la question de l'intervention américaine », recommandait une riposte militaire. Plaçant la barre plus haut, dans son édition de mars, *Harper's Magazine* publia un morceau de bravoure de la plume d'un certain Miles Ignotus, le pseudonyme d'un présumé professeur de Washington, conseiller en défense nationale et familier du milieu des responsables politiques. L'article s'intitulait carrément « Il faut saisir le brut arabe ». Ce pamphlet au vitriol contre les États du Golfe les accusait d'extorsion et de chantage. Ignotus avait monté un scénario dans l'éventualité d'un nouvel embargo sur le pétrole. Il suffisait à Washington d'envoyer au Koweït comme à Abu Dhabi 40 000 marines appuyés par des porte-avions, des destroyers et une dizaine de sous-marins nucléaires, de saisir les champs pétrolifères les plus importants et de prendre des Américains comme administrateurs. Akins, qui était alors ambassadeur en Arabie saoudite, réagit vigoureusement lors d'une interview télévisée en décrivant l'auteur non identifié comme étant soit un dément, soit un criminel, soit un agent de l'Union soviétique. Pas de chance ! Ce courageux auteur n'était nul autre que Henry Kissinger, qui, en qualité de secrétaire d'État, avait évidemment des relations bien placées dans les hautes sphères de l'administration américaine. Peu après – en sera-t-on surpris ? –, Akins fut relevé de ses fonctions en Arabie saoudite et de son rôle de conseiller au centre des questions relatives aux politiques pétrolières.

Presque 30 ans plus tard, toujours élancé, svelte, l'air sportif, Akins se fond aisément dans le décor de ce restaurant thaïlandais sans prétention, dont il semble être un client habituel. Rien ne pourrait laisser penser qu'il faisait autrefois affaire avec des rois saoudiens, des présidents et des cadres dirigeants de multinationales. Il n'entretient aucun contact avec la présente administration américaine, qui se garde bien de lui demander conseil malgré la profondeur et l'ampleur de ses connaissances qui demeurent au centre des préoccupations de la politique extérieure des États-Unis : le pétrole et le Proche-Orient. Cet homme est loin d'être impressionné par la politique de Bush en Irak, mais il y voit une continuité avec le passé. « L'idée de faire main basse sur l'Irak est la reprise d'un vieux projet qui a vu le jour la première fois en 1975, dit-il, un projet de Kissinger, que je croyais enterré depuis longtemps. »

Ce projet était loin d'être enterré. Bien au contraire, on lui a donné de l'ampleur. Au lieu des 40 000 marines que l'on se proposait d'envoyer dans la région, ce sont 140 000 soldats que l'on a dépêchés pour prendre le contrôle d'un pays de 25 millions d'habitants au cœur même du monde arabe.

* * *

C'est au cours de la Première Guerre mondiale, puis de la Seconde, que l'importance cruciale du pétrole s'est affirmée dans les pays occidentaux. Les Britanniques avaient évalué avec justesse l'importance stratégique de ce carburant pour leur marine lors de la guerre de 1914-1918 ; quant aux Américains, la prise de conscience s'était faite au cours de la Seconde Guerre mondiale. Daniel Yergin note que, depuis 1942, Washington avait réévalué entièrement l'importance prise par le pétrole en le replaçant dans son contexte. « Le pétrole fut reconnu comme une matière première stratégique pour la poursuite de la guerre, explique Yergin. S'il existait une ressource qui façonnait la stratégie militaire des puissances de l'Axe, c'était bien celle-là et s'il existait une ressource qui pouvait contribuer à sa défaite, c'était bien encore le pétrole. » La situation créa un état d'urgence concernant l'accès à cette ressource vitale, et cela attira l'attention sur une partie du monde bien spécifique. « Au cours de toutes les études sur la situation [...] les doigts pointaient tous vers la même région de la mappemonde : le Proche-Orient », se remémore Herbert Feis, un conseiller en économie au Département d'État. Cela explique pourquoi Franklin Roosevelt, de retour de la Conférence de Yalta, en 1945, s'est arrêté au Proche-Orient pour une rencontre historique avec le roi Ibn Séoud.

On peut donc dire que, depuis la Deuxième Guerre mondiale, l'importance de l'accès au pétrole – et donc au Proche-Orient – était au centre des préoccupations de Washington. La crise de l'énergie de 1973-1974 augmenta ces inquiétudes qui furent partagées par le peuple américain. La seule idée que l'Amérique puisse être privée de cette ressource vitale devint une question politique de premier plan et renforça la détermination de Washington de toujours s'assurer un libre accès aux ressources pétrolières.

Si le désir de contrôler le golfe Persique a toujours représenté une arrière-pensée renforcée par la crise de l'énergie, dans les années soixante-dix la logistique d'une telle entreprise avait de quoi décourager Washington. Avec plus de 400 000 km^2 de désert, 10 000 km de pipelines, 400 stations de pompage, le problème consistant à faire sécuriser la région par des militaires se révélait énorme. « La demande militaire pour une opération de cette envergure serait au-delà des possibilités de quelque pays ou de quelque groupe de pays que ce soit », avait avoué le sénateur Mark O. Hatfield. En plus des problèmes géographiques considérables, il y avait la réalité de la puissance militaire soviétique qui empêcherait les États-Unis de dominer une région pétrolifère pratiquement aux portes de l'URSS.

Quelques mois après l'article de Kissinger dans *Harper's Magazine*, le Service de recherches du Congrès américain publia une étude évaluant les possibilités d'une occupation américaine dans les pays du Golfe. Elle faisait ressortir les difficultés de saisir les installations pétrolières intactes, de les sécuriser (peut-être pendant des années), de les faire fonctionner sans l'aide de leurs propriétaires, de garantir le passage des fournitures venant de l'étranger et l'acheminement des produits pétroliers à l'extérieur. L'étude en venait à la conclusion que, pour réussir, cette opération ne serait possible que si les installations pétrolières ne subissaient que des dommages minimes et que si les forces soviétiques se gardaient d'intervenir. En voici un extrait :

> Étant donné qu'il est impossible de prévoir l'une ou l'autre éventualité, les opérations militaires destinées à secourir les Américains (et dans une moindre mesure leurs principaux alliés) par suite d'un embargo total de l'OPEP, combineraient des frais prohibitifs ainsi que de grands risques. [...] Notre pays épuiserait tellement ses réserves stratégiques qu'il ne lui en resterait aucune pour faire face à des imprévus ailleurs. Les perspectives pourraient se révéler médiocres, avec des retombées néfastes d'une énorme portée politique, économique, sociale, psychologique et, en cas d'échec, des conséquences militaires.

On remarquera qu'en tenant compte de la logistique difficile d'une telle opération et en soulignant son aspect aléatoire, on ne s'interroge guère sur la justification morale d'une occupation. Même au plus haut niveau de l'administration américaine, l'opinion générale était que les Arabes avaient commis une très grande faute en refusant à l'Occident le libre accès à leurs ressources pétrolières, et que, par conséquent, les Occidentaux étaient en droit d'adopter des mesures draconiennes pour retrouver la situation d'antan. Lorsqu'on demanda à Kissinger si Washington envisageait une action militaire dans le cas d'une autre augmentation des prix du brut, il déclara au magazine *Business Week* que faire face à une hausse de prix était une chose (parce qu'il y avait toujours moyen de négocier), mais « qu'il s'agissait d'une autre affaire lorsqu'on menaçait d'étrangler le monde industrialisé ». Ces commentaires eurent le don de scandaliser le monde arabe, mais les États-Unis ne reculèrent pas d'un pouce, ne serait-ce que pour modérer leurs propos. Au lieu de cela, le président Gérald Ford appuya fermement Kissinger et déclara quelques semaines plus tard au magazine *Time* : « Je voudrais faire savoir aussi clairement que possible qu'en cas d'étranglement économique – et j'ai bien dit étranglement –, sans vous préciser ce que nous avons l'intention de faire, nous comptons entreprendre les actions nécessaires à notre survie. »

Le secrétaire à la Défense, James R. Schlesinger, poursuivit cette politique d'intimidation lorsqu'il déclara dans le *U.S. News and World Report* de mai 1975 : « Nous ne saurions demeurer entièrement passifs devant un autre embargo pétrolier. Je me garderai de vous dévoiler mes intentions et me contenterai de vous dire que en réponse à un embargo de ce genre, il existe des mesures de rétorsion économiques, politiques et éventuellement militaires. » On relèvera dans ces propos que Washington se considérait comme une victime innocente, une partie lésée essayant simplement de se protéger des agressions. James H. Noyes, adjoint au sous-secrétaire à la Défense, sut monter en épingle l'image d'innocence et de vulnérabilité de l'Amérique. Il justifiait une intervention militaire dans cette région en déclarant que la saisie par l'OPEP des revenus considérables dans les pays du Golfe risquait de créer « une Amérique quelque peu appauvrie entourée de pays ruinés et insalubres ».

Malgré ce besoin brûlant de se justifier, Washington fit preuve de retenue. Les États-Unis se relevaient de la débâcle vietnamienne, une longue et sanglante intervention militaire soldée par une défaite à peine camouflée (jamais véritablement admise). Au lieu de faire courir le risque à ses troupes de se retrouver dans un autre bourbier, Washington mit au point une stratégie consistant à compter sur des alliés locaux – l'Iran et l'Arabie saoudite, mais surtout l'Iran – pour faire avancer les intérêts occidentaux dans la région. En vendant pour des millions de dollars d'armement à ces dictatures, Washington espérait remplir le vide laissé par les Britanniques. Le sous-secrétaire d'État Joseph Sisco l'expliqua plus tard en ces termes : « Au départ des Britanniques, nous avons essayé de nous montrer obligeants et avons encouragé les deux principaux pays de la région, l'Iran et l'Arabie saoudite, à devenir des éléments majeurs de stabilité. »

Toutefois, en qualité de représentants du pouvoir américain, ces pays se trouvèrent liés plus étroitement à Washington, ce qui provoquait des réactions négatives dans plusieurs segments de leur population. En Iran, cette résistance mena finalement à la destitution du shah lors d'un soulèvement populaire. Après avoir été massivement rejeté par son propre peuple, le shah se réfugia aux États-Unis, ce qui confirmait l'amitié portée par Washington à ce dictateur honni. Peu après, en novembre 1979, un groupe de militants islamiques fit irruption dans l'ambassade américaine de Téhéran et saisit 52 otages. Cette lamentable affaire, qui dura 14 mois, constitua l'élément central du durcissement d'attitude dont fit preuve l'Américain moyen envers le monde islamique. Jour après jour, les chaînes de télévision montraient des militants iraniens éructant des slogans antiaméricains. Un programme intitulé *L'Amérique en otage* était diffusé tous les soirs. Le public était apparemment dérouté par ces jeunes barbus bizarres et menaçants qu'ils voyaient à l'écran, des personnages apparemment sortis de nulle part, qui avaient décidé de s'en prendre inopinément aux États-Unis. Le correspondant du *New York Times*, Stephen Kinzer écrivit : « Les Américains trouvèrent ce crime non seulement barbare mais inexplicable, sans doute parce qu'aucun de ces téléspectateurs n'avait la moindre idée de la responsabilité qui incombait à leur pays pour avoir imposé aux Iraniens un régime monarchique qu'ils haïssaient si profondément. »

Avec l'ayatollah fondamentaliste Ruhollah Khomeyni, ennemi inconditionnel des États-Unis, à la tête de l'Iran, et des militants islamistes jetant ouvertement un défi au pouvoir américain, il était parfaitement clair que Washington ne pouvait plus compter sur ce pays pour défendre ses intérêts au Proche-Orient. « Pour les responsables politiques de haut niveau, il devint évident que l'approche par subrogation n'était plus viable et que, par conséquent, les États-Unis devaient assumer *directement* la responsabilité de la stabilité dans le golfe Persique », a écrit le politologue Michael Klare, auteur de *Resource Wars*. Washington ne tarda pas à franchir le pas pour établir un contrôle militaire dans la région. Dans son discours sur l'état de l'Union de janvier 1980, le président Jimmy Carter déclara que « toute tentative, par quelque force que ce soit, d'exercer une domination politique dans le golfe Persique serait considérée comme une attaque contre les intérêts vitaux des États-Unis et qu'une telle agression serait repoussée par tous les moyens nécessaires, y compris les forces armées ». Bien que formulée dans une langue de bois typique à la Défense nationale, c'est-à-dire évoquant une protection de la région contre des attaques venues de l'extérieur, ce texte résume la doctrine de Carter. Elle venait d'être évoquée à cette occasion pour la première fois et expliquait sans ambiguïté que non seulement les États-Unis estimaient la région vitale pour leurs intérêts, mais qu'ils étaient prêts à recourir directement à la force militaire pour en garantir le libre accès.

C'est ainsi que débuta très sérieusement une réorientation de la stratégie militaire américaine qui amena nettement le Proche-Orient sur le devant de la scène. La clé de tout cela reposait sur la Force de déploiement rapide (FDR), alliant souplesse et rapidité, chargée des opérations coup-de-poing, mais excluant le recours à l'arme nucléaire. Même si la FDR existait déjà sous différentes formes depuis le début des années soixante, ce n'est qu'après 1980, après la prise d'otages de 1979 et l'invasion soviétique de l'Afghanistan six semaines plus tard, qu'elle put enfin bénéficier d'un financement digne de ce nom. L'analyste militaire Jeffrey Record remarque que, dès 1981, les vieilles préoccupations entretenues par Washington à l'égard de l'OTAN et de la menace soviétique en Europe avaient substantiellement changé et qu'un financement avait été attribué pour se doter d'une force de frappe capable d'intervenir autour du monde, en particulier au Proche-Orient. En 1983, la Force de déploiement rapide fut renforcée et rebaptisée U.S. Central Command ou CENTCOM, et son premier objectif fut d'assurer la défense du golfe Persique contre une éventuelle invasion soviétique.

Même avec un financement généreux de la CENTCOM, les difficultés stratégiques pour garder la maîtrise de la région du Golfe demeuraient immenses. Tout d'abord, il y avait le problème de l'Union soviétique qui ferait tout en son pouvoir pour éviter une mainmise américaine dans la région. D'autre part, la plupart des troupes de cette nouvelle force bien nantie se trouvaient dans des bases situées à l'intérieur des États-Unis, à des milliers de kilomètres de la région. Washington prit des mesures pour surmonter ce problème en améliorant les installations de ses bases militaires existantes et en en acquérant de nouvelles. Cependant, établir autre chose qu'une présence militaire terrestre dans la région constituait un défi, étant donné que les gouvernements locaux ne tenaient pas à l'imposer à leurs populations, assez peu réceptives. Ainsi, dans le Golfe, le sultanat d'Oman acceptait, pour 100 millions de dollars, de donner à Washington accès à ses aérodromes et à ses ports situés aux alentours du très stratégique détroit d'Ormuz. (Ce dernier était décrit par le ministère de l'Énergie américain comme « le point de contrôle le plus important du monde », puisqu'il y passe chaque jour quelque 15 millions de barils de brut.) Toutefois, afin que les militaires américains ne soient pas trop visibles par la population locale, les autorités omanaises avaient sévèrement limité leurs déplacements. Ainsi, en 1981, au cours de manœuvres militaires, un contingent de marines qui avait débarqué sur le territoire du sultanat eut seulement « le droit de pénétrer de six kilomètres dans l'arrière-pays et d'y demeurer 30 heures ».

Tout en établissant sa puissance militaire sur le Golfe, Washington froissait un tant soit peu la susceptibilité des populations locales, mais ne faisait pas vraiment face à de l'opposition de la part des chefs d'État de la région... à une exception près.

* * *

Dès le début des années quatre-vingt-dix, Saddam Hussein était devenu l'homme à abattre pour les États-Unis, même si les relations difficiles de ces derniers avec l'Irak avaient largement précédé l'arrivée au pouvoir de ce tyran. En 1958, le brigadier général Abd al-Karim Kassem avait pris le pouvoir à la suite d'un coup d'État qui renversait la monarchie établie par les Britanniques et régnait sur l'Irak depuis la fin de la Première Guerre mondiale. Le coup d'État de Kassem fut, en général, bien accepté par la population, qui saluait ainsi la fin de l'hégémonie du Royaume-Uni sur le pays. Selon Stephen Pelletiere, professeur à l'École de guerre de l'armée américaine et auteur de *Iraq and the International Oil System*[23], Kassem sut se rendre populaire, surtout dans les classes défavorisées. Il instaura nombre de mesures sociales, redistribua des terres, établit un système d'assurance sociale et d'allocations de chômage et accorda des subventions permettant au pain de demeurer à un prix abordable pour tous. Il adopta également une attitude ferme envers les compagnies pétrolières étrangères fonctionnant sous la protection de l'Iraq Petroleum Company (IPC). Kassem insista auprès de cette multinationale pour augmenter la production et obtenir pour l'Irak 20 % des actions de la société.

Au grand dam de l'industrie pétrolière internationale et de Washington, le régime de Kassem semblait prendre le même engagement nationaliste que celui dont Mossadegh avait fait preuve en Iran, plus tôt dans la décennie. Les relations devinrent même plus tendues en décembre 1959 lorsque Kassem, frustré par le manque de collaboration de l'IPC qui refusait d'accéder à ses demandes, augmenta les droits d'expédition du brut de la société. En représailles, l'IPC cessa complètement ses opérations au champ pétrolifère de Rumaila et décida de diminuer la production des autres puits irakiens. La tension s'élevant, Kassem fit voter la loi controversée mentionnée au chapitre 7 en retirant pratiquement toutes les concessions à l'IPC. « Ce geste, note Pelletiere, connut un appui populaire, mais créa un ressentiment durable parmi les compagnies pétrolières internationales qui contrôlaient l'IPC. »

En 1963, Kassem fut renversé à l'occasion d'un violent coup d'État mené par le parti, une organisation très hiérarchisée et anticommuniste épaulée par de jeunes activistes, dont Saddam Hussein, qui fut blessé lors des combats. Les années qui suivirent furent

---

23. Disponible en anglais seulement.

marquées par l'instabilité jusqu'à ce qu'une seconde formation baasiste au sein de laquelle Saddam Hussein prenait du galon s'arrangeât pour prendre le pouvoir en 1968. Selon Pelletiere, qui travailla plus tard comme agent de la CIA dans la région, il existe des rapports dignes de foi sur l'implication de la CIA dans la saisie du pouvoir par le Baas en 1963 et en 1968. Cet ex-agent conclut qu'il n'est pas possible de confirmer ces rumeurs, mais qu'aussitôt que les Baasistes consolidèrent leur pouvoir en 1968 et que Saddam Hussein devint leur chef incontesté, ils adoptèrent une attitude considérée comme hostile par l'Occident.

Saddam Hussein suivit l'orientation nationaliste de Kassem et lui insuffla même plus d'agressivité. La Société nationale des pétroles irakiens, que Kassem avait gardée en veilleuse, fut mise en route par Saddam Hussein. Elle se livra à l'exploration, au développement et planifia soigneusement chacune de ses actions. Même si les méthodes répressives d'état policier du gouvernement répugnaient aux Irakiens, l'approche nationaliste des questions pétrolières et le réinvestissement des revenus du brut dans une impressionnante infrastructure publique avaient l'assentiment des foules. En 1972, Saddam Hussein commença par nationaliser les champs de pétrole irakiens, processus qui fut complété en 1975. « Aux yeux des compagnies pétrolières, il s'agissait là d'un crime impardonnable... », fait remarquer Pelletière. Mais pire encore aux yeux de Washington, il entretenait des relations de plus en plus étroites avec Moscou. En 1974, Saddam signa un traité d'amitié irako-soviétique. Il se tournait dorénavant vers Moscou, non seulement pour se faire aider à établir un État totalitaire, mais aussi pour développer son infrastructure pétrolière.

Les relations hostiles de Washington avec le maître de Bagdad prirent un tour plutôt bizarre en devenant plus cordiales en 1980, après la déclaration de la guerre Iran-Irak. Saddam Hussein était toujours le même chef sanguinaire, barbare, réprimant toute résistance et dirigeant son pays avec une poigne de fer, mais les Américains le préféraient aux Islamistes fondamentalistes qui avaient fait main basse sur l'Iran et permis à leurs manifestants enragés de retenir en otage des citoyens américains pendant si longtemps. C'est ainsi que Washington, officiellement neutre, donna un coup de main à Saddam Hussein pendant la guerre Iran-Irak. (La Maison-Blanche en profita pour vendre également des armes à l'Iran sous le manteau – une combine que l'on découvrit au cours de l'affaire des Contras, qui plongea le gouvernement Reagan en plein scandale en 1986[24].) L'aide américaine à l'Irak fut, bien sûr, classée top secret. Plus de soixante agents du Service des renseignements de la Défense des États-Unis fournissaient à l'Irak de l'information sur l'évaluation des dommages causés en Iran par les bombes, ainsi que des photos satellites du déploiement des troupes iraniennes. Washington facilita aussi les demandes de prêts pour l'Irak et forma des lobbies alliés pour faire cesser l'envoi d'armes au gouvernement iranien. En 1984, les États-Unis levèrent enfin leur opposition à la livraison à l'Irak d'avions de chasse français porteurs de missiles. L'appui américain à Saddam Hussein au cours de ces années est d'autant plus curieux quand on considère la détermination dont Washington fit preuve plus tard pour se débarrasser à tout prix du dictateur. De plus, cet appui de Washington au cours des années quatre-vingt ne se démentit point, bien que Saddam Hussein recourût aux armes chimiques au cours du conflit.

Plus intriguant encore fut le rôle de Donald Rumsfeld qui, plus tard, en qualité de secrétaire à la Défense, supervisa l'invasion de l'Irak en 2003. Vingt ans plus tôt, en 1983, il était à la tête d'une société de produits pharmaceutiques et rendit visite à Saddam Hussein en tant qu'envoyé spécial de l'administration Reagan pour améliorer les relations entre les deux pays. (Des photographies souvenirs de cette touchante rencontre ont fait surface à la veille de

24. Arrangement secret pour financer les Contras antisandinistes au Nicaragua par la vente, très discrète, d'armes à l'Iran. Cet arrangement avait l'avantage de pacifier les « modérés » au sein du gouvernement iranien, de faciliter la libération d'otages américains détenus au Liban et, si possible, de ramener l'Iran à de meilleurs sentiments envers l'Occident. *(N.d.T.)*

l'invasion américaine de 2003, et elles demeurent populaires sur certains sites Internet.) Le deuxième voyage de Rumsfeld à Bagdad, quelques mois plus tard, en mars 1984, relève de l'humour noir. L'utilisation de produits chimiques par Saddam Hussein au cours de la guerre contre l'Iran et les rebelles kurdes fut largement annoncée et critiquée, ce qui força l'administration Reagan à la dénoncer publiquement à son tour le 5 mars. Quelques jours plus tard, le secrétaire d'État George Schultz rencontra un diplomate irakien et l'assura qu'il ne devait pas prendre les critiques acerbes de Washington comme une rebuffade. Selon le document, le diplomate sortit « peu convaincu » de cette réunion. De toute évidence, Schultz considérait son amitié avec Saddam Hussein comme très importante et il avait demandé à Rumsfeld de revenir à Bagdad essentiellement pour assurer au raïs que Washington ne l'avait condamné que pour la forme. Dans des notes datées du 24 mars, on ordonnait à Rumsfeld de clarifier la position de Washington en ces termes : « Notre condamnation des armes [chimiques] mortelles ou handicapantes n'est strictement émise qu'en vertu de notre forte opposition à leur utilisation où que ce soit. » Washington tenait cependant « à insister sur le fait que ses intérêts résidaient 1) dans la défaite de l'Iran ; 2) dans l'amélioration constante de ses relations avec l'Irak, à un rythme qui restait à définir par ce pays ». Rumsfeld se serait d'ailleurs fait dire : « Au cours de vos discussions, il faudra que vous insistiez sur ce message. »

Mais l'appui américain à Saddam Hussein s'envola peu après que le dictateur eut remporté la victoire sur l'Iran en 1988. Avec cette victoire, le prestige de ce dernier augmenta considérablement dans la région – et avait de quoi inquiéter la Maison-Blanche. Cette guerre terminée, l'hostilité contre Saddam Hussein reprit de plus belle. Après tout, il était l'allié des Soviétiques et le plus anti-israélien des leaders arabes. Il maintenait des liens avec l'OLP et réclamait à cor et à cri un État palestinien, alors que les autres pays arabes étaient plus tièdes. Autre source d'inquiétude pour Washington : Saddam Hussein possédait des armes de haute technologie françaises et soviétiques, de quoi être en mesure de bloquer les interventions américaines dans la région. De tous les États du Golfe, c'est l'Irak qui s'opposait le plus aux efforts de Washington pour imposer une forte présence militaire américaine au Proche-Orient. Pelletiere l'explique en ces termes : « Saddam tenait à prévenir l'ingérence des États-Unis dans les affaires de la région et, pour cela, avait l'assentiment des scheiks [du golfe Persique] qui ne tenaient pas à ce que le Proche-Orient devienne l'enjeu d'une rivalité de superpuissances. » Saddam Hussein prépara une charte des pays arabes selon laquelle les États du Golfe pouvaient fort bien être les protecteurs de leurs eaux territoriales plutôt que de confier ce rôle à Washington. (Seule l'Arabie saoudite refusa d'adhérer à cette charte.)

Ainsi se préparait une confrontation probablement inévitable entre les États-Unis et un Irak de plus en plus sûr de lui avec, au centre de l'enjeu, l'hégémonie sur les pays producteurs de brut. Vers la fin de 1989, Colin Powell, qui dirigeait alors les chefs d'état-major, ordonna au général Norman Schwarzkopf, commandant en chef de la CENTCOM, de dresser des plans en vue d'une confrontation majeure avec l'Irak. Au bout de cinq mois, on exposa ce plan dans un document ayant pour nom *Operational Plan* (ou OpPlan) *1002-90*[25]. Selon les médias, on y proposait le déplacement de plusieurs divisions blindées appuyées par des forces navales et aériennes. La CENTCOM organisa même la répétition d'un conflit américano-irakien vers le milieu de juillet 1990. Deux semaines plus tard, comme si on lui en avait donné le signal, Saddam Hussein envahissait le Koweït.

Une telle décision laissa perplexe, mais l'Irak avait toujours soutenu que le Koweït devait faire partie de son territoire. Ces considérations mises à part, ces deux pays avaient eu des relations relativement bonnes durant la guerre Iran-Irak ; Bagdad s'institua protecteur du Koweït – un pays arabe frère – contre les visées des Iraniens. Le Koweït montra sa gratitude (tout comme l'Arabie saoudite) en

25. Selon ce plan, conçu en juillet 1990, on organisa un *kriegspiel*, ou jeu de guerre, où il s'agissait de protéger notamment l'Arabie saoudite contre une attaque irakienne. Les Américains s'attendaient à perdre la moitié de leurs troupes disponibles dans une telle bataille. *(N.d.T.)*

finançant l'effort de guerre irakien. Après la guerre, la lune de miel tourna cependant au vinaigre. L'Irak demanda au Koweït de lui céder deux petites îles situées stratégiquement dans la seule voie maritime lui donnant accès au golfe Persique. Ces îles n'avaient guère d'importance pour le Koweït, qui avait amplement de façade maritime, mais il refusa tout de même de remettre ce territoire et offrit de les louer à Saddam Hussein pour des milliards de dollars ! En plus, le Koweït demanda le remboursement de l'énorme prêt qu'il avait consenti à l'Irak, alors que ce pays affirmait qu'il s'agissait d'une subvention. Pour aggraver le contentieux, le Koweït trichait sur les quotas fixés par l'OPEP. Il produisait trop de pétrole, occasionnant par la même occasion une chute des prix de cette matière première, y compris en Irak, dont les besoins de revenus étaient criants.

La conquête du Koweït aurait certainement donné à l'Irak la maîtrise qu'il désirait avoir sur le golfe Persique et aurait contribué potentiellement à lui régler ses problèmes de liquidités. Ce qui est toutefois déroutant, c'est que l'Irak ait pu s'imaginer qu'il pouvait impunément envahir ce petit pays regorgeant de pétrole sans provoquer les États-Unis qui considéraient la région sous leur influence. Saddam Hussein croyait-il vraiment pouvoir se permettre un tel geste – surtout aux portes de l'Arabie saoudite – sans s'attirer les foudres de la puissance américaine ? On peut toujours spéculer sur un point. Serait-il possible que Saddam Hussein ait pu croire à la volonté des États-Unis de ne pas s'opposer à une telle invasion ou, du moins, à leur intention de ne pas intervenir ?

Il est possible que le dictateur en soit venu à cette conclusion à la suite de sa rencontre avec l'ambassadrice américaine April Glaspie, qu'il avait convoquée à son palais présidentiel le 25 juillet 1990, une semaine avant l'invasion. Selon une retranscription irakienne des propos échangés pendant cette rencontre et qui fut plus tard reproduite dans les médias occidentaux, Mme Glaspie demanda au raïs pourquoi il avait massé autant de troupes à la frontière koweïtienne. Saddam Hussein lui répondit qu'il lui était impossible d'amener le Koweït à la raison et qu'il avait l'intention de prendre les mesures qui s'imposaient. Puis il demanda à l'ambassadrice ce que Washington en pensait. « Nous n'avons pas d'opinion sur vos conflits entre pays arabes, répondit Mme Glaspie. Le secrétaire [d'État] James Baker m'a ordonné de réitérer les instructions données pour la première fois à l'Irak dans les années soixante, soit que la question koweïtienne ne regarde pas les États-Unis. »

La retranscription des Irakiens est-elle exacte ? Des journalistes britanniques en obtinrent une copie un mois environ après la réunion et l'invasion du Koweït, et voulurent alors demander des explications à Mme Glaspie à l'ambassade des États-Unis à Bagdad. Repoussant les journalistes qui l'assaillaient alors qu'elle s'engouffrait dans sa limousine, elle garda pratiquement le silence, mais répondit lorsqu'on lui demanda si elle avait, en quelque sorte, encouragé l'agression irakienne au Koweït : « De toute évidence, comme la plupart des gens, je ne pensais pas que les Irakiens allaient envahir *entièrement* le Koweït. » Des mois plus tard, alors qu'elle témoignait devant le Comité des relations extérieures du Sénat, Mme Glaspie décrivit la transcription comme une « invention » déformant ses propos, mais elle admit néanmoins que l'ensemble de ce document était exact. Elle fut plus tard rétrogradée au poste de consul général des États-Unis au Cap, en Afrique du Sud.

Il est intéressant de constater que Washington n'a jamais réfuté le contenu de la retranscription irakienne de la rencontre Glaspie-Saddam Hussein en faisant connaître, par exemple, les instructions que le Département d'État avait fournies à Mme Glaspie avant l'entretien. En 1992, au cours d'un débat télévisé, l'un des candidats à la présidence, Ross Perot, demanda au président George Bush pourquoi il ne permettait pas que les instructions écrites à l'ambassadeur Glaspie soient au moins portées à la connaissance du Comité des relations extérieures du Sénat ou du Comité des renseignements de la même assemblée. Bush père balaya cette idée d'un revers de main : « C'est complètement absurde ! Il s'agit d'une question d'honneur national ! » De toute manière, Washington n'a jamais nié que l'entretien entre April Glaspie et Saddam Hussein a eu lieu ni que les États-Unis savaient pertinemment que l'Irak massait des troupes à la frontière du Koweït. On peut présumer qu'un tel déploiement de troupes aurait provoqué une réaction négative, soit des dirigeants de Washington, soit de l'ambassadrice Glaspie. Généralement, les États-Unis ne se sont jamais gênés pour faire savoir aux gouvernements étrangers ce qu'ils aimeraient qu'ils fassent ou ne fassent pas. Pourtant, curieusement, on ne trouve aucune mise en garde des États-Unis envers l'Irak relative à une éventuelle invasion du Koweït.

Si la retranscription irakienne *est* exacte, cela soulève une autre question. Pourquoi les États-Unis ont-ils refusé d'exprimer quelque réprobation que ce soit – on peut dire qu'ils ont même fait preuve d'indifférence – en laissant l'Irak envahir le Koweït, ce qui leur donnait une justification toute trouvée pour intervenir militairement ? Avec l'effondrement de l'Union soviétique, il était maintenant possible d'intervenir sans crainte de riposte massive. D'ailleurs, l'appui international à une telle intervention contre l'agresseur irakien se justifiait de lui-même. Pour résumer, si la transcription est exacte, Washington aurait encouragé l'invasion irakienne pour préparer la voie à une pleine intervention militaire. Il ne faut donc pas se surprendre si, au cours de la guerre qui s'ensuivit, les choses se déroulèrent exactement comme Schwarzkopf les avait prévues dans son *Plan 1002-90*. La puissance irakienne montante, qui dominait dans la région, fut littéralement anéantie par les forces de frappe aérienne et terrestre supérieures des Américains et de leurs alliés. L'unique rival militaire du pouvoir américain dans la région fut donc éliminé et, après la guerre, des milliers de soldats américains restèrent dans la région, notamment en Arabie saoudite et au Koweït.

Les États-Unis ayant finalement réussi à imposer une présence militaire dominante et significative dans le Golfe, on n'entendit pas le moindre murmure sur le plan international.

* * *

S'il existait quelque ambiguïté concernant les intentions militaires des Américains dans la région du Golfe avant la guerre de 1991, elle se dissipa après celle-ci. Le sous-secrétaire à la Défense, Joseph

Nye, déclara en 1995 : « Les États-Unis continueront à faire appel à une variété de moyens pour promouvoir la sécurité et la stabilité [dans le Golfe], en travaillant avec nos amis et nos alliés... et demeureront prêts à défendre les intérêts vitaux des États-Unis dans la région – si nécessaire de manière unilatérale. » Insistant lourdement auprès des Nations unies, Washington paralysa l'Irak en faisant décréter de sévères sanctions qui imposaient, entre autres, à ce pays l'embargo d'une foule de fournitures et de denrées de toutes sortes, même sur des articles n'ayant aucune valeur d'ordre militaire. Washington imposa des zones aériennes interdites au nord et au sud de l'Irak et les fit respecter à l'aide d'appareils américains (et britanniques) basés en Arabie saoudite et en Turquie. Washington fournit également 42 milliards de dollars d'armement, de munitions et de formation militaire aux États du Golfe : Arabie saoudite, Koweït, Bahreïn, Oman, Émirats arabes unis. Selon une évaluation stratégique produite en 1998 pour l'Institut pour la sécurité nationale, un organisme du Pentagone, ces pays ne devaient pas utiliser ces armes pour poursuivre des objectifs personnels, mais pour que « leurs forces puissent apporter une contribution distincte à l'effort conjoint des États-Unis ». L'intention des Américains de dominer la région ne pouvait être plus claire. « Toutes ces initiatives, relève Michael Klare, font partie d'une politique consistante et intégrée dont l'objectif est de soutenir la domination américaine dans le golfe Persique. Depuis 1980, le renforcement de la domination américaine dans le golfe a constitué peur des objectifs les plus importants et les plus cohérents de la Maison-Blanche. »

Ce qui est clair, malgré les tentatives répétées de certains commentateurs pour le nier, c'est que cet effort américain de domination militaire du Golfe a toujours eu pour objet de garder le contrôle sur les réserves de pétrole de la région, lesquelles, comme l'a fait remarquer Cheney, représentent approximativement les deux tiers des réserves mondiales connues de brut. Cette attention concentrée sur le pétrole est confirmée dans un rapport intitulé *La Géopolitique de l'énergie au XXIe siècle*, préparé en novembre 2000 avec l'aide d'une équipe bipartite du Congrès par des cadres supérieurs de l'administration et de grands patrons de compagnies pétrolières. Ce rapport, rédigé en termes précautionneux, établit clairement que l'intention de Washington de libérer le Koweït ne constituait qu'une partie de sa motivation. Ainsi, on y lit : « Même si l'objectif premier des États-Unis et des forces alliées vise à libérer le Koweït et à restaurer sa souveraineté, la question de la sécurisation des approvisionnements en énergie représente également une puissante motivation. »

En réalité, avant que les intentions de la Maison-Blanche dans la région ne deviennent une question délicate à la veille de l'invasion de l'Irak en 2003, cette importance accordée au pétrole était volontiers admise par les plus hauts personnages de l'administration américaine. Ainsi le général Anthony C. Zinni, alors commandant en chef de la CENTCOM, déclara au Congrès en 1999 : « Avec plus de 65 % des réserves mondiales de pétrole regroupées dans les États du Golfe... [les États-Unis et leurs alliés] doivent pouvoir avoir accès aux ressources de cette région. » À moins que le général n'ait plaisanté ou qu'il n'ait voulu dire qu'il fallait pouvoir accéder à quelque autre ressource naturelle dans ce coin du monde – le sable, peut-être ? –, les États-Unis avaient, sans aucun doute possible, l'intention d'utiliser leur puissance militaire pour préserver leur accès au brut des pays du golfe Persique.

Avec l'arrivée de George W. Bush au pouvoir en 2001, la volonté des États-Unis de dominer militairement la région s'accrut davantage. Les néo-conservateurs qui formaient le noyau de la nouvelle administration avaient fait des pieds et des mains au cours des années quatre-vingt-dix pour que soient entreprises des actions militaires directes contre Saddam Hussein. Une fois la menace soviétique évaporée et l'armée irakuienne écrasée, une telle intervention était bien tentante, alors qu'elle était peu envisageable quand les néo-conservateurs se trouvaient en retrait au sein des administrations Reagan et Bush père. Maintenant, rien ne pouvait arrêter Washington. Même si George W. Bush n'avait jamais mentionné cette intervention au cours de sa campagne électorale, elle devint immédiatement la question prioritaire pour son administration, comme l'avait clairement exprimé un compte rendu adressé à l'ancien secrétaire-trésorier Paul O'Neill. La prise en main du contrôle des plus riches champs de pétrole du Proche-Orient – un projet à l'ébauche depuis plus d'un quart de siècle – pouvait enfin se concrétiser.

* * *

Ceux qui se moquent de l'idée selon laquelle l'invasion de l'Irak fut motivée par quelque intérêt pour son pétrole suggèrent souvent qu'il était inutile d'envahir l'Irak pour avoir accès à son brut ; il suffisait aux États-Unis de l'acheter. Michel Ignatieff, un universitaire canadien enseignant à Harvard, soutient que « si Washington était si soucieuse d'avoir du pétrole, elle aurait eu juste à flatter le tyran de Bagdad dans le bon sens », ce qui l'aurait probablement bien disposé à l'égard de l'Amérique et lui aurait permis d'avoir accès à son pétrole. Mais *avoir accès* à une matière première est loin d'en *assurer* la disponibilité. Sans contrôle, l'accès peut être refusé n'importe quand. En contrôlant cet accès, non seulement réalise-t-on inévitablement des profits plus considérables, mais on garde également la haute main sur la ressource la plus convoitée au monde. L'objectif ultime fut donc toujours de dominer la situation. Voilà pourquoi l'analyste perspicace des questions pétrolières John M. Blair, qui se double d'un historien, donna pour titre à son livre *The Control of Oil*[26]. Cet ouvrage, salué à la une par les critiques de la chronique spécialisée du *New York Times*, fut qualifié de livre de référence.

Le désir de contrôler, plutôt que de simplement avoir accès, fut clairement illustré par l'intervention américaine en Iran en 1953. En nationalisant son industrie pétrolière, l'Iran n'essayait aucunement de refuser à l'Occident l'*accès* à son pétrole. Bien au contraire. L'Iran espérait vendre à tous les pays du monde et acceptait les prix du marché. Mais Américains et Britanniques (et les compagnies pétrolières internationales) n'étaient aucunement satisfaits de simplement

26. John M Blair. *The Control of Oil*, Random House, New York, 1978, 441 p.,. Apparemment disponible en anglais seulement. *(N.d.T.)*

pouvoir acheter tout le brut iranien disponible. Une fois de plus, ils tenaient à ce que ce brut soit contrôlé par les conglomérats pétroliers.

Dans les années soixante-dix, les producteurs devinrent plus militants et plus organisés, et il n'était plus possible pour les Occidentaux de dominer le marché pétrolier comme auparavant. Cette perte de contrôle constitua une claque retentissante pour Washington, particulièrement lorsque les nations arabes se concertèrent pour restreindre leurs expéditions de pétrole aux États-unis en 1973-1974. Même si l'embargo arabe fut bref et ne causa que peu de dégâts, il constitua un impact psychologique énorme sur les États-Unis et incita Washington, dans les décennies qui suivirent, à renforcer sa présence militaire au Proche-Orient de manière à éviter que l'économie américaine et que son mode de vie soient une fois de plus menacés. Trente ans plus tard, pour Washington, cet embargo demeure un très mauvais souvenir – ce fut l'un des rares mouvements dans l'histoire du pays où celui-ci se sentit vulnérable, incapable d'empêcher des étrangers d'infliger de sérieuses blessures à la nation.

Après le 11 septembre, le désir de se protéger d'un futur embargo pétrolier a, sans aucun doute, pris un nouveau sens à Washington. D'ici 2010, on estime que 95 % de ce qui reste de pétrole exportable se trouvera dans le monde musulman – une réalité troublante, surtout si l'on s'attend à ce que l'Occident se trouve mêlé à un âpre conflit avec ce dernier. Nombreux sont les membres de l'administration Bush qui sont persuadés qu'un tel conflit est inévitable – une prophétie de malheur qui risque fort bien de se concrétiser si les États-Unis refusent de régler sérieusement l'une des sources les plus reconnues de la colère des musulmans vis-à-vis de l'Occident, soit la constante remise à plus tard de l'établissement d'un État palestinien. Si l'objectif ultime est de refuser ce droit, un dur conflit avec l'Occident peut en résulter et faire figure de solution. Or, une telle attitude renforce un antagonisme où l'emporte l'idée que ce sont « eux » contre « nous ».

Lorsque les réserves de brut actuellement accessibles commenceront à s'épuiser et que la concurrence pour en découvrir de nouvelles s'intensifiera, il est certain que la recherche de domination du secteur pétrolier prendra une ampleur insoupçonnée. Dans ce tohubohu, le contrôle du pétrole constituera un atout stratégique dans le jeu des puissances mondiales, un levier nécessaire pour une superpuissance tentant de maintenir sa domination. « Les États-Unis considèrent le pétrole comme une arme clé », affirme l'analyste pétrolier Michael Tanzer. S'il en est ainsi, la suggestion d'Ignatieff, selon laquelle Washington aurait pu obtenir tout ce qu'elle voulait en flattant Saddam Hussein, ne tient plus. Pourquoi les États-Unis tiendraient-ils à confier leur avenir aux caprices d'un despote perfide, d'un autocrate antioccidental, qui ne partage aucun des objectifs ou des idéologies de Washington ? Pourquoi le plus puissant pays au monde devrait-il être obligé de compter sur ce tyran cabotin ou sur tout autre clone susceptible de lui succéder ? Si le pétrole est une arme clé, Washington veut cette arme dans *son* arsenal et non dans l'arsenal des autres.

* * *

Lorsque Genséric, le roi des Vandales, envahit l'Afrique du Nord en 428 de notre ère, il ne prétendit certainement pas que ses intentions étaient de tuer et de piller. Il se livra simplement à des massacres et à des pillages. Voilà pourquoi, seize siècles plus tard, le nom de son peuple est encore synonyme de violence et de destruction.

Lorsqu'il s'agit d'admettre leurs véritables mobiles, les armées d'invasion sont souvent évasives. Il est rare que nos concurrents modernes avouent être motivés par l'accaparement des ressources de l'ennemi. On comprend facilement qu'ils est préférable pour eux de passer pour des libérateurs plutôt que pour des brutes se livrant à des exactions.

Le plus difficile à comprendre, c'est comment de distingués membres des médias s'empressent de se porter à la défense des envahisseurs. Alors que la violence s'intensifiait à l'automne 2003,

Thomas Friedman s'enthousiasma dans le *New York Times* en disant : « C'est la guerre révolutionnaire la plus libéralement radicale que les États-Unis aient jamais déclarée – une guerre de choix pour établir un peu de démocratie au cœur du monde musulman. » Les vingt-cinq années de tentatives américaines visant à s'assurer la prédominance militaire dans la région du Golfe pour garantir les approvisionnements en pétrole s'estompaient commodément dans les brumes du passé. On oubliait même les prétentions ayant motivé la guerre, selon lesquelles Saddam Hussein possédait des armes de destruction massives et complotait avec Al-Qaida. Des réalités passées sous silence... Au lieu de tout cela, la dernière revendication de l'administration Bush – selon laquelle le conflit visait à établir la démocratie au Proche-Orient – était maintenant présentée péremptoirement et sans justification, et l'invasion prenait des allures de croisade pour imposer un humanisme démocratique. Ce qui s'appelle faire prendre des vessies pour des lanternes...

Bob Woodward a contribué à brosser un portrait flatteur de George W. Bush comme étant le fier libérateur des peuples opprimés. En faisant la promotion de son best-seller *Plan d'attaque*[27] en avril 2004, Woodward exprimait l'idée que la motivation de Bush à envahir l'Irak était « son devoir de libérer le peuple irakien ». Que peut-on dire de Bob Woodward ? Il est difficile de ne pas aimer le personnage. En avril, on le voyait sur toutes les chaînes de télévision. Il avait l'air d'un bon garçon rempli de compassion, de quelqu'un que l'on aurait aimé avoir comme ami. On perçoit chez lui une certaine honnêteté, mais aussi une certaine naïveté. Il semble croire tout ce que le Président lui raconte et lui fait pleinement confiance. (Il semble aussi que Woodward se soit presque fait un copain à la Maison-Blanche. Après la publication de son libre *Bush s'en va-t-en guerre*[28], en 2001, il a avoué à un confrère avoir passé un bon moment avec le président. Ce dernier l'aurait même surnommé « Woody »). Souvent, Woodward va

27. Robert Woodward, *Plan d'attaque*, Denoël, Paris, 2004, 473 p.

28. Robert Woodward, *Bush s'en va-t-en guerre*, Denoël, Paris, 2001, 382 p.

beaucoup plus loin que rapporter uniquement les propos de Bush. Il donne son opinion sur la sincérité des motifs du président et est d'avis que Bush a décidé d'envahir l'Irak parce que, selon lui, « son devoir est de libérer le peuple irakien ».

Inutile de dire que Woodward a libre accès à Bush et au reste de l'équipe de la Maison-Blanche, qui, d'ailleurs, ne trouvera jamais un meilleur porte-parole pour faire passer son message. Après tout, il est un monstre sacré du métier, un journaliste d'enquête qui (avec Carl Bernstein) fit éclater le scandale du Watergate et précipita la chute de Richard Nixon en 1974. Non seulement ses références sont impeccables, mais il est doublement crédible parce qu'il ne semble pas émettre d'opinion politique. En effet, on suppose que, personnellement, il est d'avis que l'invasion de l'Irak constitue une erreur et il apporte nombre de preuves pour étayer cette supposition. Mais en fin de compte, Woodward nous présente le président comme une personne aux motifs sincères et, par conséquent, apporte une formidable crédibilité journalistique au portrait de George W. Bush, qu'il décrit comme un homme intègre et de principes.

Évidemment, il est possible que Bush *ait été* à l'origine motivé par un désir sincère de libérer des gens, que ses préoccupations principales ne résidaient peut-être pas dans les stratégies à long terme utilisées par Washington pour dominer militairement dans le Golfe. En fait, il tente de se distancier des anciennes politiques américaines dans la région, en suggérant son désir d'encourager la démocratie et la liberté. Il semblait même prêt à admettre que l'Occident a déjà appuyé des régimes répressifs et affirmait qu'il tenait à changer tout cela. Prenant la parole en novembre 2003 devant le National Endowment for Democracy[29], Bush déclara : « Depuis soixante ans, les nations occidentales ont joué le jeu et trouvé des excuses pour le manque de liberté qui sévit au Proche-Orient. Cette situation n'a rien fait pour que nous nous sentions en sécurité. »

---

29. Cette association serait une antenne de la CIA et poursuivrait l'action de cette dernière. *(N.d.T.)*

Cependant, le mois suivant, Donald Rumsfeld se rendait à Bakou, la capitale de l'Azerbaïdjan, une nation musulmane riche en gisements pétrolifères, qui venait tout juste d'assermenter son nouveau président, Ilham Aliw. Celui-ci avait hérité la présidence de son père, un dictateur corrompu et tyrannique. Tel père, tel fils, semble-t-il. Le jeune Aliw accapara le pouvoir à la suite d'une élection dénoncée par les observateurs internationaux comme étant frauduleuse. Près d'un millier de manifestants furent arrêtés, y compris des journalistes, des leaders de l'opposition et des travailleurs d'élection. Human Rights Watch[30] a cité des cas où des gens avaient subi de mauvais traitements ou avaient été torturés. Malgré ses lacunes sur le plan démocratique, l'Azerbaïdjan paraissait utile aux États-Unis en tant qu'allié dans leur « guerre contre le terrorisme » et aussi pour ses réserves conséquentes de pétrole. Au cours de la décennie passée, Aliw et son père ont passé pour des milliards de dollars en contrats pétroliers avec ExxonMobil, ChevronTexaco et BP-Amoco et assumé les frais d'un pipeline pour transporter le pétrole de la mer Caspienne jusqu'à un port turc.

Il est facile de relever le ridicule de certaines situations. Ainsi, Donald Rumsfeld – qui avait flatté Saddam Hussein dans le sens du poil au début des années quatre-vingt et qui, vingt ans plus tard, conduisait l'invasion de l'Irak – flattait un autre dictateur brutal à la tête d'un pays regorgeant de pétrole et à la situation stratégique. Lorsque des reporters ont demandé à Rumsfeld ce qu'il pensait des accusations de fraude électorale portées contre le nouveau leader de l'Azerbaïdjan, il s'est contenté de répondre : « Les États-Unis entretiennent des relations avec ce pays que nous estimons... »

S'il y a eu un changement de sentiment à la Maison-Blanche, si « on n'excuse plus et si on ne satisfait plus » les dictateurs proche-

30. Association formée en 1978 (Helsinki Watch) par 150 professionnels (avocats, journalistes, universitaires) dont le but est d'exposer et de dénoncer les atteintes à la dignité humaine dans le monde, y compris aux États-Unis. *(N.d.T.)*

orientaux, cette nouvelle politique ne semble pas s'appliquer en Azerbaïdjan, à quelques centaines de kilomètres au nord-est de l'Irak.

Pourtant, des pontifes comme Thomas Friedman insistent pour affirmer que les actes commis dans la région du Golfe sont autre chose que de l'impérialisme et du pillage, des traits communs à tous les envahisseurs. Peut-être que, dans seize siècles, le mot « *bush* » sera entré dans le vocabulaire et deviendra synonyme de liberté pour les peuples. Mais permettez-moi d'en douter.

Chapitre 10

VROOOOOOUM !

L'holocauste mis à part, au cours des récentes décennies, nul sujet n'a autant retenu l'attention des commentateurs occidentaux que les événements du 11 septembre 2001. Aucun sujet n'a fait couler autant d'encre ni autant mobilisé les médias audiovisuels qui ont exploré chaque aspect de l'horreur et de la tragédie, analysé chaque conséquence possible, chaque ramification des attentats et de la « guerre antiterroriste », déclenchée comme mesure de rétorsion. Il est courant d'en déduire que le monde a fondamentalement changé depuis, alors que certaines personnes ont redessiné la carte du monde de manière manichéenne en la divisant entre royaumes du Bien et du Mal. Et pourtant, en dépit de la pléthore de commentaires ayant entouré le 11 septembre, une chose était claire depuis le début : il n'était aucunement question de discuter de la *cause* de ces attaques. Tout approfondissement des « racines » de ces événements demeurait strictement interdit.

À un certain niveau, cela semblait raisonnable. Tenter de comprendre ce qui motivait les auteurs de ces atrocités pouvait justifier ces actes. Même si les terroristes avaient des « griefs » à exprimer, il semblait déplacé d'en parler maintenant qu'ils avaient accompli un tel massacre. Toute discussion à ce sujet tentait de « plaider en quelque sorte » leur cause en attirant l'attention sur les questions fondamentales qu'ils avaient essayé de faire connaître. Cela signifiait également une volonté d'ouvrir un débat – et, par conséquent, de critiquer – sur les actions passées du gouvernement américain à un moment où l'Amérique se considérait vraiment comme une victime.

Cependant, si ces considérations interdisant tout débat étaient compréhensibles, elles n'en créaient pas moins une sorte d'aveuglement délibéré. Cela signifiait que l'outrage existait, qu'il n'y avait aucun doute moral quant au comportement des terroristes, mais aussi que l'on ne tenait à comprendre ni leurs idées ni leurs actes. Il s'ensuivait, bien sûr, une impossibilité d'effectuer les changements qui auraient pu éviter des attaques similaires. On se contentait de serrer les poings, de durcir ses positions et de se préparer à contre-attaquer. Pas question d'essayer de comprendre cet ennemi mortel ; il était plus simple de le qualifier de « terroriste ». Nul besoin d'élaborer : il y avait suffisamment matière à commenter le mal qu'ils incarnaient.

On devrait noter que cette sorte de cécité volontaire ne reflète pas le niveau du mal mis en cause. Il est difficile d'imaginer quelque chose de plus malfaisant que l'Allemagne nazie et, pourtant, les « racines » de la montée du nazisme et de la Seconde Guerre mondiale sont abordées et analysées dans les livres d'histoire. Je me souviens avoir eu à traiter ce sujet dans des dissertations et lors d'examens au cours de mes études secondaires. L'une des causes de ces catastrophes historiques, m'apprenait-on, furent les considérables dommages de guerre que les alliés imposèrent à l'Allemagne vaincue après la Première Guerre mondiale – maintes privations, rancœur et humiliation rendirent le peuple allemand plus réceptif aux cris de vengeance d'Hitler revendiquant le pouvoir allemand. En nous expliquant le contexte, mon professeur d'histoire au secondaire ne tentait aucunement de blanchir Hitler. La responsabilité et les actes criminels du dictateur et de ses complices nazis ne furent jamais remis en question. Mais il trouvait raisonnable et important pour notre compréhension du monde que nous connaissions pourquoi et comment une telle violence et une telle barbarie avaient pu se manifester.

Ce besoin de comprendre le phénomène de l'Allemagne nazie et d'en tirer des leçons ne se confinait pas à la salle de classe. À l'occasion de débats publics et chez les intellectuels, bien des gens ont évoqué honnêtement et ouvertement les causes de ce qui fut peut-être les plus horribles atrocités. L'une des conséquences de profiter des leçons du passé fut la décision de ne pas imposer de réparations massives à l'Allemagne et au Japon après la guerre ; en fait, on fit tout le contraire : on injecta des milliards dans ces pays pour les reconstruire et essayer de les rallier au monde occidental. Quels que soient les mérites de cette méthode (qui, dans ces cas, semble avoir réussi), il est clair qu'elle fut élaborée grâce à une analyse des « racines » de la Seconde Guerre mondiale et dans un immense désir d'éviter qu'un concours de circonstances similaires ne reproduise un tel fléau.

Quand vint le temps de discuter publiquement des causes du 11 septembre, curieusement on ne constata pas une telle ouverture d'esprit ni une telle clarté d'analyse – et même, du moins jusqu'à récemment, une telle curiosité. Lorsqu'on essaie d'approfondir les événements, les questions soulevées ont trait presque exclusivement aux erreurs du Service des renseignements américains et à celles imputables aux politiciens qui n'ont pas su interpréter l'information reçue. Cet important sujet a fait l'objet d'une commission bipartite chargée d'enquêter sur le 11 septembre – une commission que la Maison-Blanche hésitait beaucoup à nommer jusqu'à ce qu'elle subisse de fortes pressions de la part des familles des victimes de ce drame. Au cours du printemps 2004, les audiences publiques de ladite commission mirent soudainement ces questions sur la sellette et dévoilèrent de bien curieuses réponses.

Il existait quelque chose de bien plus fondamental que la question des ratés commis par les services de renseignements : les « racines » profondes des attentats. Or, ce sujet fut toujours soigneusement éludé. À la place, on vit apparaître une nouvelle forme de rectitude politique beaucoup plus efficace, pénétrante, globale que celle avec laquelle on tente parfois d'éviter toute discussion franche sur des questions épineuses touchant le statut des femmes ou des minorités.

Cette attitude politiquement correcte s'est révélée terriblement dynamique pour décourager un débat cohérent. Pendant que l'on discutait de l'opportunité d'envahir l'Irak – avec des critiques qui n'hésitaient pas à remettre en question une telle invasion et parfois même les motifs la justifiant –, on n'assista à aucun débat sérieux sur des questions fondamentales : savoir pourquoi le Proche-Orient déteste tant les États-Unis et pourquoi les groupes extrémistes antiaméricains comme Al-Qaida semblent s'attirer la sympathie d'au moins une partie de la population arabe. Les seules réponses que l'on a pu fournir faisaient état de la nature violente de l'Islam, la haine inexplicable des terroristes (ils aiment, paraît-il, la mort, alors que nous aimons la vie), et la jalousie de ceux qui ne peuvent bénéficier du niveau de vie des pays industrialisés. Et pendant que l'on peut se demander si l'invasion de l'Irak ne sera pas un autre prétexte pour Al-Qaida de recruter de nouveaux membres, on ne se questionne pratiquement pas sur les raisons de cette animosité. Suggérer qu'il existe peut-être des *raisons* pour lesquelles le message d'Al-Qaida trouve des oreilles complaisantes au Proche-Orient risque de vous faire censurer et accuser d'antiaméricanisme.

Si l'on ne faisait pas preuve d'autant de cécité concertée sur le sujet, il y aurait bien des choses à discuter et à explorer. Même s'il est tentant de classer Oussama Ben Laden parmi les déments, il faut admettre que, même si ses méthodes sont barbares, ses revendications sont directes. Ben Laden parle de « 80 ans d'humiliations et de honte » subies par ce qu'il appelle la « nation islamique ». Voilà qui n'est guère compliqué à comprendre. Il s'agit tout simplement d'une référence à la domination du monde islamique par les nations occidentales. Cela commença avec ceux qui démantelèrent l'Empire ottoman voilà 85 ans[31]. Même si Ben Laden est un fondamentaliste, son hostilité envers l'Occident semble ancrée dans un phénomène assez familier : un sentiment d'humiliation issu de plusieurs décennies de domination étrangère. Le ressentiment engendré par cette

31. Les Alliés imposèrent leurs conditions au dernier sultan, Mehmed VI, avec le traité de Sèvres, le 10 août 1920. *(N.d.T.)*

domination – surtout par une puissance appartenant à une autre culture, parlant une autre langue, pratiquant une autre religion – constitue une réaction humaine normale qui existe depuis des temps immémoriaux et qui ne se confine pas au Proche-Orient. Une situation particulièrement explosive a pris corps dans cette région depuis les dernières décennies en résultat de nombreux facteurs, dont un sentiment intense d'humiliation et d'impuissance face au pouvoir grandissant d'Israël, à l'augmentation de la puissance militaire américaine dans la région et à la disponibilité de sommes d'argent fabuleuses permettant de financer un réseau terroriste clandestin.

Le pétrole se trouve de toute évidence à la base de toute cette affaire. Ce n'est pas que Ben Laden soit obnubilé par le pétrole. Ses priorités se trouvent ailleurs, notamment dans la consolidation du pouvoir islamique dans le monde. Le fervent désir de l'Occident de profiter du pétrole de la région n'est que le point de départ de son engagement. « S'il n'y avait pas de pétrole en Irak, les Américains n'auraient rien à faire de ce pays », note l'analyste de Wall Street Fadel Gheit. Dans le même ordre d'idées, si le Proche-Orient ne recelait aucun pétrole, cette région resterait largement hors du champ des préoccupations occidentales. Sur le plan économique, ce ne serait qu'une étendue sous-développée comme il y en a dans maintes régions d'Afrique, un coin perdu n'exigeant qu'une attention superficielle. Seulement voilà : le Proche-Orient regorge de pétrole, une matière première importante, surtout depuis la Seconde Guerre mondiale, si importante en fait que l'Occident a pris les moyens de s'assurer le contrôle de son exploitation. Alors que les compagnies pétrolières occidentales s'impliquaient dans ces régions depuis le début du XXe siècle, avec l'Angleterre comme puissance dominante, Washington s'impliqua directement en mars 1945 lorsque, de retour de la Conférence de Yalta, Franklin D. Roosevelt fit un détour pour rencontrer Ibn Séoud, le roi d'Arabie saoudite.

Ce fut le début d'une « relation spéciale » entre les États-Unis et l'Arabie saoudite, une entente qui liait la plus grande puissance économique et militaire mondiale aux ressources pétrolières les plus considérables de la planète. Roosevelt offrit au monarque saoudien, dont le budget était assez serré, quelque vingt millions de dollars et un appareil DC-3 privé en échange d'une entente permettant l'exploitation des concessions pétrolières par deux multinationales américaines (SoCal et Texaco ; plus tard, Exxon et Mobil s'allièrent au consortium Aramco). Les détails exacts de l'entente entre Roosevelt et Ibn Séoud n'ont jamais été divulgués, mais l'essentiel ressort clairement puisqu'elle est demeurée en vigueur depuis plus de soixante ans : contre un libre accès au pétrole saoudien, la puissance militaire américaine se chargeait de maintenir la famille royale saoudienne au pouvoir en la protégeant des menaces externes et internes. Finalement, il y a eu un marché valant des billions de dollars et garantie par la première puissance militaire du monde, entre une puissance étrangère et des intérêts privés locaux – la famille royale saoudienne.

Cette entente a énormément profité aux deux parties. Assurés d'avoir accès au pétrole saoudien, les États-Unis pouvaient maintenant influencer les prix mondiaux de l'or noir en contrôlant efficacement les considérables réserves de brut du pays. Les relations particulières qui se sont tissées entre l'Arabie saoudite et les États-Unis signifient également que Washington a eu la possibilité de vendre des milliards de dollars d'armements au royaume, d'attirer d'autres milliards de fonds saoudiens recyclés sur le marché américain des capitaux et de maintenir sur place une présence militaire qui, après 1991, comprenait plus de 5000 soldats. En échange, la famille d'Ibn Séoud – qui, ainsi qu'on le raconte, pouvait à une époque transporter tous les trésors de son royaume dans les sacoches d'une selle de chameau – devint sans nul doute la plus riche famille au monde.

Mais cette entente portait en elle la semence d'un futur désastre : en effet, elle est au centre de la montée d'Al-Qaida. Quelle que soit la légitimité dont la famille royale jouissait dans ce jeune royaume (établi à la suite de luttes tribales au début du siècle dernier), elle était toujours ébranlée par le fait qu'elle se maintenait au pouvoir avec l'aide d'un gouvernement étranger dont la culture et le comportement se situaient en grande partie aux antipodes de ceux du peuple saoudien. Aux yeux du peuple de Ibn Séoud, l'un des éléments clés de sa prétention à la légitimité résidait dans son rôle de défenseur de l'Islam et particulièrement du mouvement fondamentaliste wahhabite. Depuis une entente établie au XVIIIe siècle[32], la dynastie saoudienne et les mollahs wahhabites renforçaient mutuellement leur autorité dans ce royaume du désert. C'est en 1926, à la Grande Mosquée de La Mecque, qu'Ibn Séoud fut proclamé roi et désigné comme protecteur des lieux saints de l'Islam. Il soutenait le wahhabisme ou *Tawhid*, et celui-ci devint la religion d'État du nouveau royaume. Le wahhabisme s'oppose ouvertement à l'amour du confort et des biens matériels qui caractérise le mode de vie à l'occidentale, si bien représenté par l'Amérique. Mais, avec les abondants revenus du brut alimentant le trésor royal – et ceux des quelque 5000 princes de la famille royale (pour un pays de 22 millions d'âmes), l'interdit des wahhabites sur les signes extérieurs de richesses devint de plus en plus une vue de l'esprit dans ces classes favorisées du royaume.

Il ne faut donc pas se surprendre si la famille royale ne tarda pas à être considérée par plusieurs Saoudiens comme étant hypocrite et indigne de confiance, une famille qui avait en quelque sorte conclu un pacte lucratif avec le démon. De plus, non seulement l'Amérique était-elle synonyme de société de consommation effrénée, mais plus important peut-être, les Saoudiens étaient enragés devant l'appui inconditionnel de Washington envers Israël. Au-delà de ce que tous les Occidentaux peuvent imaginer, il existe dans le monde arabe, un sentiment exacerbé d'injustice et de honte, face au traitement réservé aux Palestiniens. « Il est difficile de comprendre à quel point la question palestinienne hante le psychisme arabe et musulman », explique Ibrahim Hayani, un Syrien d'origine qui enseigne les sciences économiques à l'Université Ryerson de Toronto. « Il n'y a pas un seul poète arabe contemporain qui n'ait écrit sur la tragédie palestinienne et la souffrance du peuple palestinien sous l'occupation israélienne. »

32. Le mouvement wahhabite a été fondé par Muhammad ibn Abd al-Wahhab (1703-1792). La famille des Séoud y a adhéré en 1744. *(N.d.T.)*

Hayani soutient que, pour la population saoudienne, l'appui absolu de Washington envers Israël a placé les États-Unis du côté de l'injustice. De plus, le fait que la famille royale n'ait pas mis ouvertement en demeure son allié américain sur cette question a été une source de ressentiment populaire contre l'alliance existant entre les États-Unis et l'Arabie saoudite.

Avec une famille royale de plus en plus décriée parmi le peuple saoudien, une élite de leaders religieux s'est imposée comme une force dans le royaume, rassemblant de nombreux adeptes et contestant ouvertement la légitimité des monarques saoudiens, décidément trop occidentaux. La famille royale a compris l'importance de conserver cette élite religieuse de son côté, et elle l'a craintivement financée, parfois au risque de se mettre Washington à dos. (Les pressions de cette élite persuadèrent le roi Fayçal Ibn Al Aziz d'imposer en 1973 un embargo sur les expéditions de pétrole saoudien aux États-Unis parce que ces derniers avaient soutenu l'État hébreux lors du conflit israélo-arabe.) La famille royale soutenait généreusement l'élite religieuse et son système de mosquées et d'écoles, les *madrasahs*, qui ne tardèrent pas à devenir des foyers de fondamentalisme islamique, d'intolérance religieuse et de militantisme.

Il est intéressant de noter que cet activisme fondamentaliste n'a recouru au terrorisme qu'après 1991, à la suite du cantonnement d'un grand nombre de soldats américains en Arabie saoudite, un geste considéré comme sacrilège par les intégristes. Dans un article du *New York Times Magazine* du 7 mars 2004 traitant des activités wahhabites, Elizabeth Rubin écrit : « [C]e n'est pas avant que Saddam Hussein envahisse le Koweït en 1990 et que le président Bush décide de le combattre *et de cantonner des troupes américaines sur le territoire saoudien* que les jeunes activistes ont choisi la violence. » (les italiques sont de moi). Avec les protestations de scheiks radicaux dénonçant la famille royale pour avoir permis à des soldats « infidèles » de s'installer en territoire musulman, certains jeunes cadres religieux saoudiens résolurent de recourir à l'action violente. Mme Rubin cite Mashari al-Thaydi, un jeune homme qui a décidé de subir un entraînement militaire en Afghanistan parce que « [nous] sommes tous convaincus que les infidèles sont là parce que le monde islamique est faible, et que parler et s'instruire ne suffisent pas. Il était impératif de devenir physiquement actifs. » En 1992, Mashari et quelques activistes incendièrent à l'aide de cocktails Molotov un magasin de vidéos bien connu à Riyad. Ils détruisirent des étagères pleines de vidéos américaines. Leur prochain objectif fut un centre d'entraide pour les veuves et les défavorisés. Cet établissement était perçu par les militants comme le véhicule d'une certaine libération de la femme islamique – une autre idée répugnante à leur yeux.

Il est important de reconnaître l'importance du cantonnement des troupes américaines sur le territoire saoudien comme catalyseur dans l'escalade de la violence. Les tentatives de l'Arabie saoudite pour la réprimer échouèrent en grande partie, et, vers le milieu des années quatre-vingt-dix, ce pays était aux prises avec une rébellion islamique. Comme le remarque Mme Rubin : « Les soldats américains n'étaient pas encore partis. » Jusqu'au printemps 2003, ces troupes demeurèrent un symbole terriblement provocateur pour les intégristes, puis elles se retirèrent brusquement – un geste qui aurait pu être beaucoup plus significatif si les troupes américaines n'en avaient pas profité pour envahir un autre pays musulman, l'Irak.

En Occident, on a souvent blâmé le gouvernement saoudien de n'avoir pas écrasé le mouvement terroriste de façon énergique. On a aussi critiqué Washington de n'avoir pas suffisamment insisté auprès de l'Arabie saoudite afin qu'elle prenne les grands moyens. Par contre, on hésite à admettre que l'entente entre les États-Unis et l'Arabie saoudite est en soi le nœud du problème. De toute façon, pour nombre de Saoudiens, beaucoup d'éléments touchant l'Amérique sont rien de moins qu'insultants, car ils estiment qu'on les a forcés à accepter les relations politiques étroites que leur pays a tissées avec les États-Unis. Les citoyens saoudiens n'ont jamais eu le pouvoir de rejeter cette relation ou de ne pas l'approuver, car, de toute façon, la démocratie était inexistante dans leur pays. En outre, dans toute cette affaire, Washington n'est pas qu'un innocent spectateur. Les États-Unis ont fait intervenir leur puissance militaire considérable pour protéger la monarchie dictatoriale des Séoud pendant presque soixante ans. C'est d'ailleurs ainsi que celle-ci a pu imposer son pouvoir dans cette région instable.

Sans la protection de Washington, la famille royale saoudienne aurait certainement été renversée depuis longtemps. Cela aurait pu d'ailleurs survenir voilà des décennies de la main des réformateurs modérés – comme le prince Talal et Abdullah Tariki qui, à la fin des années cinquante, préconisaient des réformes démocratiques et recommandaient de se montrer plus fermes avec Aramco. Ces deux personnes furent exilées, et d'autres opposants au régime connurent des sorts plus tragiques. En face de cette réalité politique, le seul véhicule acceptable et efficace pour résister au pouvoir saoudien était la religion officielle. L'appui de Washington à la dictature saoudienne a eu pour effet de bloquer les réformes des modérés et de pousser l'opposition dans les bras des institutions religieuses, résolument antioccidentales.

Comme on a pu le constater, Washington a agi de la même manière antidémocratique en Iran, avec des résultats aussi désastreux. D'ailleurs, l'indifférence des Américains envers la démocratie est encore plus flagrante dans le cas de l'Iran, car, contrairement à l'Arabie saoudite, avant l'intervention américaine de 1953, ce pays était une démocratie dynamique qui fonctionnait. Tout comme en Arabie saoudite, l'intervention américaine avait pour objet le pétrole. Washington décida d'intervenir en Iran pour aider les grandes compagnies pétrolières. Celles-ci éprouvaient des problèmes pour convaincre le gouvernement élu de Mossadegh de revenir sur sa décision de nationaliser l'industrie pétrolière iranienne. Washington alla jusqu'à faire renverser le gouvernement Mossadegh. En l'éliminant et en rétablissant le shah sur son trône, Washington accomplit un acte antidémocratique. Au cours du quart de siècle qui suivit, avec l'aide de Washington, le shah fut en mesure de faire taire toute critique, ce qui eut pour effet, tout comme en Arabie saoudite, d'éliminer les efforts des réformistes modérés. Ces derniers étaient d'ailleurs considérés par les dissidents comme des naïfs, incapables d'affronter un shah impitoyable et ses alliés américains. Comme devait l'expliquer plus tard un activiste iranien : « Nous ne sommes pas des libéraux comme... Mossadegh, que la CIA a mouché comme une chandelle... »

Ainsi, en Arabie saoudite comme en Iran, la résistance s'élabora dans le seul endroit où elle pouvait se sentir à l'abri : dans les mosquées. La religion devint une sorte d'aimant qui attirait les militants, non seulement pour ses valeurs spirituelles, mais comme une sorte de refuge et de quartier général pour résister au régime. Émergea alors un mouvement farouchement antiaméricain s'appuyant sur la religion dont l'objectif était de remplacer les régimes au pouvoir ; dans son optique, ces derniers étaient sous l'influence de Washington et de toutes les influences « corruptrices » des Occidentaux. En Iran, ce mouvement parvint à balayer le régime du shah en 1979, à l'occasion d'une révolution particulièrement violente. En Arabie saoudite, les théocrates ne sont pas parvenus à détrôner le régime saoudien – du moins pas encore –, mais il se vengèrent en commettant les actes atroces du 11 septembre. La révolution des mollahs en Iran et les attentats du 11 septembre visaient tous deux des intérêts américains et avaient nettement un rapport avec les gestes politiques antidémocratiques dont les Américains s'étaient rendus coupables dans des pays proche-orientaux.

Aujourd'hui, Washington clame à tous les vents qu'elle désire apporter la démocratie au Proche-Orient et glose abondamment sur le manque d'esprit démocratique dans cette région du globe. Mais on n'entend aucunement parler, pas même de manière allusive, du rôle primordial de Washington dans ce vide démocratique. En Arabie saoudite comme en Iran, les États-Unis ont empêché de façon active l'établissement de gouvernements démocratiques. Ils ont soutenu une dictature implacable en Arabie saoudite et renversé un gouvernement élu démocratiquement en Iran. (On peut ajouter que les États-Unis ont offert un appui important à un certain Saddam Hussein dans les années quatre-vingt et qu'ils lui ont permis de raffermir la tyrannie qu'il exerçait sur l'Irak.) L'absence de démocratie au Proche-Orient, une réalité sur laquelle les commentateurs se lamentent souvent, n'est pas le résultat de quelque mystérieuse ou inexplicable sensibilité islamique, mais plutôt, dans la plupart des cas, le résultat d'actions américaines dans cette région.

Le refus de voir la relation existant entre les gestes politiques des Américains et le vide démocratique du Proche-Orient pousse les responsables politiques de Washington à conclure que leurs difficultés pour se gagner les cœurs et les esprits des populations arabes ne sont pas provoquées par une simple question de relations publiques.

Un comité bipartite du Congrès chargé d'examiner l'impopularité croissante de l'Amérique dans le monde à la suite de la guerre en Irak a désigné ce qui, d'après ses conseillers, pouvait améliorer l'image des États-Unis. Selon ce comité, il suffisait de nommer « davantage de diplomates de terrain », de responsables du Département d'État parlant couramment l'arabe et présentant par surcroît des « qualités télégéniques ». Il fallait également encourager les sociétés américaines de communication médiatique à rencontrer la jeunesse des pays arabes. Dans le même ordre d'idées, Margaret D. Tutwiler, nommée par la Maison-Blanche pour trouver des solutions susceptibles de réduire l'hostilité croissante dont sont l'objet les États-Unis, tout particulièrement dans le monde arabe, avait l'impression qu'il suffisait simplement de donner de l'éclat à l'image de son pays et d'améliorer ses stratégies de communication pour résoudre le problème. S'adressant au comité du Congrès en février 2004, elle se plaignit finalement que « le problème ne pouvait être résolu par l'adoption d'une mesure expéditive, d'une solution simpliste ou d'un plan unique ». Néanmoins, elle pensait que Washington était dans la bonne voie avec son budget de 600 millions pour promouvoir sa diplomatie dans le monde, incluant des programmes d'échange, des partenariats entre les ambassades américaines et les institutions locales, et la distribution de manuels de classe dans les écoles étrangères. Si le monde manifeste sa désapprobation face à la politique américaine, de toute évidence, la riposte consiste à ce que Washington manifeste son opinion plus fortement et de manière plus créative. Une seule chose a été oubliée : changer le comportement entier de l'Amérique.

Deux semaines après le 11 septembre, la Maison-Blanche a annoncé que le président Bush allait donner une allocution télévisée pour expliquer à un pays déconcerté et traumatisé pourquoi l'Amérique était si honnie. Pendant un moment, on a pu croire que la nature horrible de cette tragédie et l'intense désir du public d'en tirer quelque leçon avait tellement ébranlé la politique américaine qu'il existait une véritable volonté d'examiner les raisons profondes de ces événements. On allait enfin faire preuve d'un peu d'honnêteté sur la manière dont l'Amérique s'était conduite à l'étranger et sur les répercussions que ses actions pouvaient avoir sur la vie des Américains. Allions-nous commencer enfin à rechercher sérieusement les « racines » de ces attentats ?

Mais lors de son allocution, Bush ne toucha pas un mot de l'histoire des interventions américaines au Proche-Orient et du rôle que Washington avait joué en soutenant des dictateurs exécrés. Pas un mot des millions de gens qui ne peuvent jouir d'un régime démocratique depuis des décennies, rien que pour accommoder les intérêts des compagnies pétrolières américaines. Au lieu de cela, Bush déclara que les terroristes avaient attaqué parce qu'ils avaient la démocratie de l'Amérique en horreur et étaient « jaloux de sa liberté » – cette explication a peut-être satisfait quelques personnes, mais se révélait trompeuse en fin de compte. Un peu comme une adolescente persuadée que ses camarades la détestent parce qu'elle est jolie, alors qu'en fait elle est parfaitement détestable avec tout le monde.

* * *

Selon le credo de l'économie mondiale, rien n'est plus important que l'efficacité. On nous raconte, par exemple, que nous devons accepter de lourdes pertes d'emploi parce que les grandes sociétés trouvent plus efficace de produire des marchandises ailleurs, où les coûts de main-d'œuvre sont plus bas. On nous raconte aussi qu'au nom de l'efficacité notre système fiscal devrait accorder des dégrèvements spéciaux aux détenteurs de gros capitaux pour encourager l'accumulation et le réinvestissement de leur fortune. Dans le même esprit, il est impératif, dit-on, de diminuer nos programmes sociaux parce qu'ils facilitent soi-disant un peu trop la vie des économiquement faibles, les rendent improductifs et enrayent l'efficacité de notre système économique. Malgré les inégalités et des souffrances humaines flagrantes que cela engendre, on recommande souvent ces politiques de coupes claires dans le domaine social. Qu'importe, l'efficacité est notre nouveau dieu. On s'étonnera alors que, dès qu'il s'agit du moteur de l'économie moderne – l'énergie –, tout objectif d'efficacité disparaisse.

Voilà qui est d'autant plus étrange lorsqu'on sait que le domaine de l'énergie est un domaine où l'efficacité serait gage de bien des promesses. Alors que les politiques économiques évoquées dans le paragraphe précédent n'offrent que des gains très relatifs en efficacité, l'amélioration de l'efficacité énergétique est significative et beaucoup plus réaliste.

Toute recherche sérieuse de solutions à nos problèmes d'énergie – le déclin des réserves et la menace d'un réchauffement planétaire – commence par l'amélioration de notre efficacité énergétique. En demeurant plus efficaces dans notre manière d'utiliser l'énergie, nous sommes capables d'obtenir les mêmes résultats en consommant beaucoup moins de carburant. Pourtant, des solutions simples existent pour rendre notre monde infiniment plus économe en énergie, mais nos gouvernements les ignorent avec insolence. Nous l'avons vu lorsqu'ils ont refusé d'imposer des normes d'efficacité plus élevées aux fabricants de véhicules, bien que l'on sache que le secteur du transport compte pour près de la moitié de la consommation mondiale. Pareillement, on pourrait épargner énormément d'énergie si l'on adoptait certaines technologies déjà existantes pour éclairer les bâtiments commerciaux. L'électricité gaspillée pour les systèmes d'éclairage constitue l'une des principales sources de gaz à effet de serre, car une grande quantité provient de la combustion du charbon. Si l'on forçait tous les propriétaires des édifices commerciaux des États-Unis à installer des éclairages modernes, l'élévation d'émissions de gaz carbonique cesserait pratiquement.

À des solutions aussi évidentes, la réponse habituelle est que nous ne pouvons nous permettre de telles améliorations. Inutile de dire que ce genre d'affirmation est la preuve d'une planification à court terme et ne tient pas compte de ce que coûte l'inaction pour diminuer notre consommation effrénée d'énergie. Mais avant d'en arriver à cette sorte de tableau mondial de la situation, commençons par rejeter l'affirmation selon laquelle il en coûterait davantage de se montrer plus efficace dans nos habitudes de consommation. Bien au contraire, tout cela serait infiniment moins coûteux, pour la simple raison que l'énergie coûte cher. Moins nous en dépenserons, et moins nous devrons payer. Les frais d'installation de la plupart des technologies économes d'énergie se paient d'elles-mêmes grâce aux économies qu'elles engendrent, généralement à court terme. Une fois installées, elles continuent à fonctionner et à réduire les factures. Un critique des politiques énergétiques, Amory Lovins, a calculé les hausses d'efficacité que l'on pourrait atteindre aux États-Unis dans ce domaine avec les technologies existantes : les économies réalisées pourraient s'élever à 300 milliards de dollars. « Dans un tel contexte, dit-il, les incertitudes que nous entretenons sur le climat n'ont pas beaucoup d'importance. Nous devrions adopter les solutions conservatrices d'énergie tout simplement pour réaliser des économies. »

Cela nous amène à ce que l'on peut décrire comme l'*aspect pervers* de la politique énergétique nord-américaine : non seulement évitons-nous d'entreprendre ce que nous devons faire, ce qui est possible et ce qui est abordable, *mais nous érigeons allègrement des obstacles pour éviter ce qui est nécessaire, possible et abordable.* Bien sûr, nous ne l'admettons pas. Officiellement, les gouvernements canadien et américain – y compris le groupe de travail de Cheney sur l'énergie – encouragent l'efficacité énergétique et injectent même certaines sommes d'argent dans ce domaine pour la recherche et le développement. Mais, en même temps, ils sapent ces efforts louables en fournissant beaucoup trop d'argent sous forme de subventions à l'industrie recourant aux énergies fossiles. Non seulement cela aide cette industrie, mais cela signifie aussi que les solutions de remplacement se trouveront marginalisées. On les dit apparemment inapplicables, voire inexploitables parce qu'elles ne peuvent entrer en concurrence avec les carburants fossiles sur le marché (même si d'ailleurs il ne s'agit pas là d'un véritable marché compétitif). En réalité, l'industrie des carburants fossiles n'est « compétitive » que grâce aux généreuses subventions – la plupart discrètes – qu'elle reçoit de nos gouvernements. En d'autres termes, nous subventionnons massivement l'industrie des carburants fossiles, mais presque pas les formes d'énergie de substitution, et ce, même si l'usage de carburants fossiles est très destructeur pour la planète et que les sources d'énergie de substitution ne le sont pas. Il est difficile de qualifier une telle attitude autrement que de « perverse ».

Cette perversité est mesurable, car il existe une vaste documentation sur les subventions gouvernementales accordées à différentes industries. En se basant sur ces sources d'information, dans un rapport préparé par l'Institut international du développement durable, dont le siège social se trouve à Winnipeg, on montre clairement l'étendue des subventions allouées à l'industrie des énergies fossiles. Cet organisme a découvert que les subventions accordées à ce secteur s'élevaient à environ 14 milliards de dollars aux États-Unis, à 5,9 milliards au Canada et à peu près 59 milliards pour toutes les nations industrialisées faisant partie de l'OCDE[33]. Les subventions varient d'un pays à l'autre et prennent différents aspects, y compris des crédits et des reports d'impôts, des exemptions, des taux privilégiés, des prêts, des prêts garantis, des exclusions, des déductions fiscales, des déductions pour remplacement, des amortissements accélérés. Le seul autre secteur lourdement subventionné, le nucléaire, a reçu 12 milliards en subventions annuelles dans les pays de l'OCDE. Entre-temps, les technologies de substitution comme le géothermique et l'énergie de la biomasse, ainsi que l'énergie solaire et éolienne n'ont reçu qu'un appui timide, à l'exception de l'énergie

33. Organisation de coopération et de développement économique. Cet organisme comprend 30 pays membres. Il est en relation avec 70 pays ainsi qu'avec des organisations non gouvernementales, et publie de nombreuses études dans son domaine. *(N.d.T.)*

hydroélectrique. « Ce sont les énergies fossile et nucléaire (y compris l'électricité) qui reçoivent le gros des subventions », notent Norman Myers, l'auteur du rapport, un économiste environnemental de premier plan, ainsi que son assistante de recherche, Jennifer Kent.

L'industrie des énergies fossiles reçoit aussi une aide massive des secteurs automobile et aéronautique qui encouragent les transports routiers par rapport aux transports ferroviaires, beaucoup plus rationnels. Un certain nombre d'avantages fiscaux encouragent l'utilisation de l'automobile (et particulièrement aux États-Unis, l'utilisation des VUS voraces en carburant). Plus significatives encore sont les énormes dépenses publiques – annuellement près de 135 milliards aux États-Unis –consacrées à la construction et à l'entretien des routes. (Ces frais sont de beaucoup supérieurs au montant des revenus encaissés par l'entremise des taxes sur l'essence.) L'industrie aéronautique, également énergivore, est elle aussi fort bien subventionnée. Les compagnies d'aviation paient le litre de carburant à peu près le sixième de ce que paient les automobilistes, car le fioul d'aviation est exonéré d'impôt. Une telle exemption est des plus curieuses quand on sait combien le kérosène peut être polluant. En fait, pour une même distance parcourue, la quantité de gaz carbonique émis par usager est quatre fois plus grande par avion que par voiture, et douze fois supérieure à celle émise par les trains.

Cela soulève une question : Lorsque nous inventorions les subventions, les coûts de toute cette pollution ne devraient-ils pas être ajoutés à l'équation ? Comme le font remarquer Myers et Kent, l'industrie des énergies fossiles « engendre une telle pollution que certains analystes estiment que les coûts environnementaux des combustibles fossiles sont au moins équivalents aux coûts conventionnels reconnus– et probablement plus grands ». En d'autres mots, la dégradation de l'environnement causée par les énergies fossiles représente une charge pour le public – nous devons payer pour réparer les dégâts – et ces sommes d'argent devraient être ajoutées aux autres avantages dont l'industrie bénéficie lorsqu'elle calcule l'ensemble de ses subventions. Myers et Kent estiment que les coûts environnementaux des énergies fossiles dans le monde sont environ de 200 milliards de dollars par an et ceux des transports routiers aux alentours de 380 milliards. Ces auteurs nous mettent en garde : ces chiffres ne tiennent pas compte des coûts pour l'environnement provoqués par les déversements d'hydrocarbures, la pollution atmosphérique, les rejets, les pluies acides, etc. Ils n'incluent pas le plus grand cauchemar environnemental provoqué par le secteur des énergies fossiles : les changements climatiques.

Les auteurs ont laissé le réchauffement planétaire en dehors de leurs calculs, non parce qu'il n'était ni pertinent ni significatif, mais parce que Myers et Kent estimaient que ses coûts véritables étaient pratiquement incalculables. « Il est regrettable qu'on ne puisse avancer des chiffres, affirment-ils, même sous la forme d'une marge de variation, mais, selon des assertions préliminaires, l'amplitude du coût ultime du réchauffement planétaire pourrait représenter pour les États-Unis de un à deux points de pourcentage de leur produit intérieur brut. En extrapolant, de tels coûts pourraient représenter, dans le monde, *un billion* de dollars annuellement et probablement beaucoup plus... Qu'il suffise de dire que le réchauffement mondial est de loin le problème environnemental le plus important auquel nous pouvons nous attendre dans un futur prévisible... » (les italiques sont de moi).

On omet de prendre en compte une autre série de coûts associés à l'industrie des énergies fossiles : le coût de l'invasion et de l'occupation de l'Irak. Bien évidemment, le gouvernement américain ne reconnaît pas le pétrole comme le motif principal de cette invasion. Les quelque 100 milliards de dollars (et chaque jour un peu plus) dépensés pour cette guerre et pour cette invasion devraient probablement être considérés comme une sorte de contribution pour faire avancer la démocratie, la paix et la liberté dans le monde. Même si nous faisons un colossal effort d'imagination et tenons pour acquis qu'il s'agit là d'une vérité, selon le général Anthony Zinni, les frais afférents au maintien d'un énorme contingent militaire dans le Golfe sont nettement subordonnés à l'importance stratégique conférée par les réserves impressionnantes de pétrole dans la région. En toute logique, une sérieuse portion de ces milliards en frais annuels devrait être considérée comme une forme de subvention à l'industrie des énergies fossiles. (En effet, si nous conduisions tous des voitures à piles à combustible, les États-Unis devraient sans nul doute maintenir une présence beaucoup plus restreinte dans le Golfe et plus conforme à celle qu'elle maintient ailleurs dans le monde.) Si les véritables coûts de notre appui aux énergies d'origine fossile (subventions directes, dommages environnementaux, coûts militaires) étaient reflétés à la pompe, le prix de l'essence deviendrait si prohibitif que le train et les autres transports en commun apparaîtraient soudainement comme des moyens plus logiques de se déplacer.

De telles considérations jettent un nouvel éclairage sur la question de la viabilité de plusieurs options énergétiques de substitution. Imaginez si les dizaines de milliards de dollars consacrés au secteur des énergies fossiles et des routes étaient appliquées au transport par rail et au développement des énergies de substitution – des technologies que nous savons applicables mais que l'on prétend insuffisamment rentables sur un marché compétitif. Comme nous l'avons vu, la notion de marché dit « compétitif » est une feinte. L'industrie des énergies fossiles n'est pas du tout obligée de concurrencer qui que ce soit. Bien au contraire, elle est massivement subventionnée par les gouvernements dans le monde entier, alors que les technologies concurrentes ne sont que faiblement encouragées. Mais les subventions pour l'industrie des énergies fossiles sont largement occultes et donc, rarement reconnues.

Le résultat est simple : nos gouvernements essaient de faire croire au public qu'il n'existe aucun autre choix que de compter sur les carburants fossiles, comme nous le faisons. On prétend que les technologies de substitution peuvent être en soi bénéfiques et souhaitables, mais qu'elles ne sont pas encore applicables (c'est-à-dire « concurrentielles »).

De nombreux lecteurs du magazine *Time* de juillet 2003 ont dû en arriver à cette conclusion en lisant l'article consacré à la crise de l'énergie. Selon ce dernier, la promesse de Bush (faite en juillet 2003 à l'occasion de son discours sur l'état de l'Union) de consacrer 1,2 milliard pour la mise au point d'une voiture mue par l'hydrogène mènera certainement à une voie sans issue. Dans l'article, on remarque qu'une promesse similaire avait été faite par Richard Nixon en 1974 à la suite de la première crise de l'énergie et qu'elle avait été reprise ensuite par d'autres présidents. Le problème, soulignent les journalistes du *Time*, est que les présidents se gargarisent en annonçant d'ambitieuses initiatives pour les technologies de substitution et même de conservation de l'énergie, mais, à peine l'encre des manchettes a-t-elle eu le temps de sécher, ils laissent à peu près entièrement tomber leurs belles résolutions pour s'occuper « des exigences de ceux et celles qui soutiennent leur campagne électorale ainsi que les intérêts particuliers ». Les rédacteurs du *Time* ont donc mis le doigt sur l'un des aspects les plus importants du problème. Toutefois, ils ont omis de signaler que les différentes administrations américaines, en satisfaisant les demandes des donateurs de leurs campagnes et les intérêts particuliers, ont créé un ensemble de subventions incroyablement disproportionné favorisant les énergies fossiles. L'article n'entre guère dans les détails de ces subventions. Au lieu de cela, les journalistes font allusion à la difficulté de « modifier les habitudes de consommation énergétique aussi bien ancrées dans les mœurs américaines ». Ils semblent insinuer que le véritable obstacle réside donc dans une résistance au changement dans le public. Même s'il n'est pas facile de modifier le comportement des gens, quant à leurs habitudes de consommation énergétique, il serait infiniment plus facile de le faire si on ne leur fournissait pas tant de facilités pour demeurer accrochés à leur automobile à essence.

Le terrain sur lequel nous évoluons est loin d'être plat, il présente même une forte inclinaison dans la direction des carburants fossiles. Cependant, nous n'avons pas besoin d'une surface de jeu plane (ce serait pourtant déjà un bon début), mais un terrain *incliné dans la bonne direction* – vers les énergies de substitution. Avec un tel scénario, les technologies de remplacement seraient rapidement développées et offriraient des solutions pratiques et viables sur le marché.

Prenons par exemple l'énergie solaire. Le coût des cellules solaires a déjà chuté de manière impressionnante, de 70 $ par watt de production dans les années soixante-dix à moins de 4 $ le watt aujourd'hui. Mais cette forme d'énergie doit descendre à 1 $ le watt pour « concurrencer » le charbon et le gaz naturel (deux formes d'énergie qui, nous l'avons vu, sont grassement subventionnées). L'énergie solaire a réussi à abaisser ses prix de manière aussi impressionnante, pratiquement sans aide gouvernementale. Au cours des récentes années, les États-Unis n'ont dépensé que 100 millions de dollars par année dans la recherche photovoltaïque (solaire), ce qui représente la même somme que la construction de trois kilomètres d'autoroute ! Des chutes de prix de revient ont également été signalées avec l'énergie éolienne, le tout avec une aide gouvernementale microscopique. Au milieu des années soixante-dix, l'énergie éolienne coûtait environ 1 $ le kilowatt / heure. En 1996, elle ne coûtait plus que 5 cents. L'avenir de cette forme d'énergie est impressionnante : le Danemark a l'intention de fabriquer de cette façon, d'ici 2030, la moitié de l'électricité qu'il consomme.

Mais comment la Maison-Blanche a-t-elle répondu à ces énergies naturelles de substitution ? En 2003, dans le budget Bush, alors que l'on prévoyait des milliards en subvention pour le pétrole, le gaz, le charbon et l'énergie nucléaire, on *réduisait* de 5,5 % les recherches sur l'énergie éolienne, de 19 % celles portant sur l'énergie de la biomasse, tandis que celles qui visaient à concevoir des édifices ne dépensant pratiquement pas d'énergie – une perspective extrêmement prometteuse – se voyaient comprimées de 50 % ! On s'étonnera ensuite que ces nouvelles énergies ne soient pas « compétitives ».

* * *

Nous utilisons 30 % de l'énergie mondiale...
Ce n'est pas mal, c'est bien.

Cela signifie que nous sommes le peuple le plus riche,
le plus fort au monde,
et que nous avons le plus haut niveau de vie de la planète.
Voilà pourquoi nous avons besoin de tant d'énergie.

Souhaitons qu'il en soit toujours ainsi...

Richard Nixon, le 26 novembre 1973

Comme le soulignait Nixon, l'inégalité mondiale dans la consommation d'énergie reflète l'inégalité mondiale dans les niveaux de vie. Moins d'un cinquième de la population située principalement dans la partie industrialisée de l'Occident consomme le gros de l'énergie et des ressources du monde. Même si les inégalités sont extrêmes et empirent, ce déséquilibre n'est pas considéré – au moins dans les pays industrialisés – comme un problème significatif et encore moins un dilemme moral aux proportions alarmantes. Le fait qu'en gros les trois-quarts de la population de la planète vivent dans ce que l'on pourrait considérer comme un état de privation ou de semi-disette, et que le Bangladais moyen consomme 70 fois moins d'énergie que sa contrepartie américaine nous porterait à croire que l'Amérique fait bien les choses et que la liberté et la démocratie fonctionnent. Au cours des récentes années, les tentatives visant à redresser ces disparités se sont limitées à refaire les pays en voie de développement à l'image de l'Amérique – efforts consistant principalement à ouvrir largement les économies des pays pauvres aux investissements étrangers. Lorsque la pauvreté y persiste (ou, pire, se dégrade encore plus), on se contente de prêcher une plus grande ouverture à de tels investissements.

Les changements climatiques apportent une nouvelle dimension et un nouveau niveau d'injustice à ces inégalités. Comme toujours, l'Occident industrialisé consomme le gros de l'énergie mondiale, mais les gaz à effet de serre produits par cette consommation créent un problème que nous partageons tous. Un Bangladais consomme peut-être 70 % moins d'énergie qu'un Américain, mais il ne subira pas 70 % de retombées néfastes en moins par suite du réchauffement planétaire. En fait, il en souffrira peut-être davantage, car, à ce stade-ci, nous n'avons pas encore de données précises. Les gaz à effet de serre ne constituent pas un phénomène local : ils deviennent partie de l'ensemble des émissions nocives qui circulent dans l'atmosphère et qui bouleversent l'ensemble des conditions climatiques. Peu importe combien on peut contribuer ou pas à provoquer des émissions gazeuses : tout le monde y est vulnérable et dans la même mesure.

L'argument généralement invoqué pour justifier les disparités globales des *revenus* personnels ne tient pas dans le cas des inégalités globales d'*énergie*. Traditionnellement, on a rationalisé les disparités économiques en faisant valoir que, grâce à leurs efforts et à leur esprit d'entreprise, les riches finissent par fabriquer un plus grand gâteau pour tous et ne se contentent pas simplement de le dévorer. Il s'agit là d'une affirmation bien pensante toujours très discutable, mais, dans le cas de la consommation d'énergie et de son impact, il n'y a pas de débat possible : les actions des riches sont toujours sources de souffrances pour les défavorisés. La grande consommation d'énergie des pays industrialisés emprisonne riches comme pauvres sous un nuage de gaz affectant notre environnement. Bref, nous nous débattons tous dans la même grande serre. Alors que tous les citoyens du monde se trouvent affectés de manière négative, il semble doublement injuste que ceux qui n'ont même pas eu les avantages dérivés de la consommation de l'énergie finissent également par souffrir de ces retombées toxiques (non équipés pour s'en protéger, ils en souffrent davantage).

Il s'agit d'un autre exemple qui démontre comment le tiers-monde pâtit de cette situation. Cela nous force à nous rendre au cœur de la question, à nous demander comment régler le problème et comment mettre un terme au réchauffement de la planète. En toute logique, étant donné que le monde industrialisé consume le gros de l'énergie mondiale et émet l'ensemble des gaz à effet de serre, la correction de la situation devrait incomber au monde industrialisé. C'est exactement ce que les accords de Kyoto essaient de faire en incitant les 55 pays industrialisés à diminuer leurs émissions de gaz délétères. Les 132 nations du monde en voie de développement, qui ne sont pratiquement pas responsables de ce problème, ont été exemptées d'adopter légalement les objectifs des premiers entretiens de Kyoto, même si on exige d'elles la mise au point de programmes visant à réduire les émissions, et ce, afin de s'intégrer à un système mondial, qui reste à négocier à l'occasion de rencontres ultérieures.

Cette solution à un problème largement créé par l'Occident industrialisé paraît logique et juste. Et la plupart des pays occidentaux l'ont acceptée. Toutefois, les pires pollueurs mondiaux, c'est-à-dire les États-Unis, ont refusé d'adhérer à cet accord. Une campagne nationale télévisée, largement commanditée par l'industrie des énergies fossiles, a contribué à convaincre les Américains que Kyoto s'en prenait injustement aux États-Unis. Conçue par la même agence qui avait réussi à saborder le projet de programme national d'assurance-maladie proposée par Bill Clinton, la campagne anti-Kyoto de 1997 insistait sur le fait que le monde développé n'avait pas à se conformer à un tel traité. Dans l'une de ces annonces de désinformation, on montrait une paire de ciseaux en train de découper les cartes de la Chine, de l'Inde, de l'Algérie et du Mexique sur un planisphère. Une voix hors champ affirmait qu'en appliquant les termes de ce traité les États-Unis « seraient obligés d'effectuer des coupures draconiennes » dans leur consommation d'énergie, alors que les autres pays n'avaient pas à se conformer à de telles obligations.

Bien sûr, dans cette propagande, pas la moindre allusion au fait que le problème du réchauffement mondial avait largement été créé par l'Occident et que les États-Unis en étaient les plus grands responsables. Avec seulement 4 % de la population mondiale, ce pays émet 25 % des gaz à effet de serre de la planète. Le fait est que, nous, en Occident, avons déjà industrialisé nos économies à un très haut degré et avons consommé du pétrole à un rythme accéléré. Lorsqu'il s'agit d'énergie, nous, les Occidentaux (y compris les Canadiens), pouvons dire que nous sommes fort bien servis à ce chapitre. Un Américain consomme six fois plus d'énergie que le citoyen moyen des autres pays. Le traité de Kyoto *ne devrait-il pas* alors demander beaucoup plus des États-Unis que de la Chine, de l'Inde, de l'Algérie ou du Mexique, dont la dépense d'énergie par personne n'est qu'une fraction de celle des pays industrialisés (et tout particulièrement des États-Unis). Malgré cela, à la télévision, l'Amérique n'apparaît pas comme la principale responsable du réchauffement mondial, mais comme une infortunée victime d'une campagne internationale injuste. Une fois de plus, le tiers-monde s'acharne sur l'Amérique...

La consommation excessive d'énergie des Occidentaux est défendue de manière hargneuse par Myron Ebell, du Competitive Enterprise Institute, comme étant une partie intégrante de la liberté à l'américaine. « Lorsque vous commencez à limiter l'accès des gens à l'énergie, vous limitez leur possibilité de faire des choix. Or, nous nous opposons à tout ce qui limite le choix des gens... » Évidemment, le mot « choix » est à peu près incompréhensible pour les populations des pays en voie de développement – non seulement parce qu'elles vivent généralement sous un régime dictatorial, mais parce qu'elles n'ont qu'un accès très limité aux richesses mondiales. Même si ces gens représentent presque les deux tiers de la population du globe, ils consomment moins d'un tiers de toute l'énergie. Quelque deux milliards de personnes n'ont pas d'électricité. Obligées de se fier, à la place, sur des feux alimentés par du bois, du charbon de bois ou de la bouse, en plein air ou dans des cabanes de fortune, elle sont couramment exposées à des fumées particulièrement nocives pour les jeunes enfants – dont un nombre appréciable meurt des suites de leur exposition à ces émanations. Leur accès à des transports de toutes sortes est très limité. Des millions de gens, surtout des femmes, doivent parcourir des distances interminables pour accéder à un point d'eau et ensuite revenir avec leur cruche sur la tête. Cette impossibilité d'avoir accès à l'énergie asservit la plupart des populations des pays en voie de développement dont l'existence n'a pas changé depuis l'époque féodale. Les forcer à réduire leur consommation d'énergie, déjà minime, les forcerait à régresser encore plus loin dans le temps.

Malheureusement, s'il existait une véritable volonté de remettre en question la moralité de la consommation excessivement mal partagée dans le monde, il serait, semble-t-il, déjà trop tard. À la suite du 11 septembre, la volonté de l'Occident de reconnaître le problème s'est estompée à un point tel qu'elle se trouve repoussée aux calendes grecques. Les questions morales de notre époque semblent tourner autour du terrorisme et du mal qu'il incarne. Un groupe d'intellectuels néo-conservateurs enragés a pris pour prétexte le 11 septembre pour insister avec une vigueur nouvelle sur le bien-fondé de la morale américaine, y compris le droit de défendre son « mode de vie » – une vie dépendant de son appétit vorace pour l'énergie. Ces néo-conservateurs invoquent la « clarté morale » dans les affaires extérieures. Apparemment, cette conception sonne le glas de l'idée que les cultures et les valeurs des peuples, quoique différentes, puissent être aussi pertinentes les unes que les autres. Au lieu de cela, ils revendiquent la *supériorité morale* de l'Amérique et de ses « valeurs » qu'ils veulent imposer au monde entier. Avec un mélange d'orgueil démesuré et de pharisaïsme, les néo-conservateurs essaient de faire taire toute velléité de se demander si la domination croissante de l'Amérique sur les ressources mondiales ne déboucherait pas sur une sorte de porcherie mondiale. Comme le disait un Irakien s'adressant à une équipe de télévision américaine : « Est-ce que les Américains se croient forcés de tout manger et de tout boire ? »

Et c'est ainsi que le monde se dirige inexorablement vers une accumulation de gaz à effet de serre, avec des conséquences trop énormes pour même essayer de les calculer. C'est ainsi que le monde se dirige vers une hideuse confrontation entre l'Occident et le monde islamique. C'est ainsi que, sans mot dire, très loin de nous, une grande partie de l'humanité mène une existence sordide, marche des kilomètres pour un bidon d'eau et cuisine autour de fours ouverts, empoisonnant sa progéniture avec les émanations de ses feux de cuisson dans de minuscules taudis d'une seule pièce.

Pendant ce temps, ici, dans le « monde développé », nous entretenons un rêve de liberté singulier : celui de pouvoir conduire un de ces

4 × 4 polluants, si possible à 18 roues, capable d'accélérer comme une voiture de course.

Ôte-toi de là, crétin !

Vrooooooum

REMERCIEMENTS

Gord Evans, un ami de longue date que j'estime beaucoup, m'a donné l'idée de ce livre à l'occasion d'un repas champêtre. Il ne m'a fallu que quelques minutes pour me rendre compte combien ce sujet risquait de se retrouver au centre du plus grand débat politique de notre époque.

Bien des personnes n'ont pas hésité à me consacrer généreusement temps et efforts pour m'aider dans ce projet. Leur expertise m'a grandement permis de comprendre le sujet. Ce sont Ralph Torrie, Elizabeth May, Mark Anielski, Robert Engler, Ibrahim Hayani, Maria Victor et Ricardo Salame.

Je tiens également à remercier la compétente équipe de Doubleday ainsi que l'éditrice Maya Mavjee, dont l'appui s'est révélé constant et la compagnie des plus agréables. J'ai eu grand plaisir à travailler avec de vieux et indéfectibles amis comme Brad Martin et Scott Sellers et m'en suis fait de nouveaux, comme Nick Massey-Garrison, Scott Richardson, Lara Hinchberger et Christine Innes, ainsi que le réviseur pigiste John Sweet. J'ai pu également apprécier le talent de mon agent, Bruce Westwood.

Comme pour mes autres livres, j'ai eu le plaisir d'avoir comme réviseur David Kilgour, dont le sens du récit et de l'humour m'ont permis de mener à bien cette tâche délicate. Merci aussi à Barbara

Nichol pour ses conseils en cours de révision. J'aimerais également la remercier pour ses suggestions éclairées pour ma chronique du *Toronto Star*, que je lui soumets chaque semaine avant de la remettre au journal. Elle s'arrange invariablement pour en améliorer le style – souvent de manière notable.

Merci finalement aux fantastiques personnages qui font partie de ma vie privée : mes parents, Audrey et Jack McQuaig ; mes frères Peter, Don et John McQuaig ; ma sœur, Wendy Fallis, ainsi que Fred Fedorsen, Tasha Fedorsen, Tom Walkom, David Cole, Linda Diebel, Kenny Finkleman, Ellen Vanstone, Peter Duffin, Baghya Patel et beaucoup d'autres. Comme toujours, mes derniers remerciements s'adressent à mon adorable et merveilleuse fille adorée, Amy.

Cet ouvrage a été composé en minion corps 12/14
et achevé d'imprimer au Canada en août 2005
sur les presses de Quebecor World Lebonfon, Val-d'Or.